31.95

Le livre du poète

Du même auteur

Marie Madeleine, Le Livre de l'Élue, XO Édition, 2007,
   Pocket, 2008.
Le Livre de l'Amour, XO Éditions, 2009, Pocket, 2011.

Kathleen McGowan

Le Livre du poète

Marie Madeleine, livre 3

Traduit de l'anglais (États-Unis)
par Arlette Stroumza

Roman

EDITIONS

Titre original : *The Poet Prince*
Publié par Touchstone, a registered trademark of Simon & Schuster, Inc.
© 2010 by McGowan Media, Inc. Tous droits réservés

Pour la traduction française :
© XO Éditions, Paris, 2011
ISBN : 978-2-84563-308-7

Pour Lorenzo,
pour tenir une promesse
vieille de cinq cents ans.

Et pour vous tous
qui respectez votre promesse personnelle
de ressusciter l'âge d'or d'une nouvelle renaissance.

Le Temps revient.

Nous honorons Dieu tout en priant
pour qu'advienne le temps où régnera sur tous
la paix de ses enseignements,
où il n'y aura plus de martyrs.

(Prière de l'ordre du Saint-Sépulcre.)

Prologue

Rome,

An 161 de notre ère

Antonin le Pieux, empereur de Rome, n'était pas un boucher.

Érudit, philosophe, le Pieux ne voulait pas laisser dans l'histoire le souvenir d'un tyran cruel et intolérant. Pourtant, il se tenait là, les pieds baignant jusqu'aux chevilles dans le sang de chrétiens. De leur vivant, les quatre frères avaient été d'exceptionnellement beaux jeunes gens. Les coups et les tortures qui avaient provoqué leur horrible mort les avaient transformés en une masse informe de chairs sanguinolentes, dont la vision révulsait Antonin. Mais il ne pouvait se montrer faible devant les citoyens.

D'ordinaire, le Pieux manifestait de l'indulgence envers cette agaçante minorité qui se dénommait chrétiens. Il trouvait même stimulant de discuter avec ceux d'entre eux qui étaient instruits et raisonnables. Pour sa part, il considérait leurs croyances comme bizarres – un Messie unique qui avait ressuscité d'entre les morts et qui reviendrait un jour sur cette terre –, mais leurs idées se répandaient dans tout Rome avec une régularité irritante. Un certain nombre de nobles romains s'étaient ouvertement convertis au christianisme et son gouvernement tolérait leur observance des rituels chrétiens. La secte séduisait surtout les dames de haut rang : en effet, les femmes y étaient traitées en égales et participaient à toutes les cérémonies du culte. Dans cet étrange et nouveau monde de la pensée et de la pratique chrétiennes, elles pouvaient même devenir prêtresses.

Les prêtres de Rome qui officiaient dans les temples dédiés à Jupiter et à Saturne s'insurgeaient contre ces chrétiens que l'on autorisait à offenser les dieux par leur ridicule croyance en une divinité unique. En général, l'empereur Antonin ignorait les protestations des prêtres et Rome vivait dans une paix relative depuis le début de son règne. Mais, lors d'événements imprévus qui mettaient en danger les citoyens romains – tragédies ou catastrophes naturelles –, des menaces pesaient sur les chrétiens. Les prêtres et leurs disciples s'empressaient de rejeter sur eux la responsabilité des malheurs qui accablaient Rome. Leur monothéisme n'était-il pas une injure faite aux vrais dieux, propre à attiser leur divine vengeance contre les citoyens innocents et fidèles ?

Le Pieux avait pour sa part découvert, au cours de ses discussions avec eux, qu'il y avait deux catégories de chrétiens : les fanatiques au regard illuminé, qui souvent semblaient n'avoir qu'une envie, mourir pour prouver leur grande piété ; et les croyants compatissants, qui se consacraient davantage à soulager les malades et les miséreux qu'à prêcher et à convertir. L'empereur préférait nettement ces derniers, des citoyens précieux qui contribuaient de façon positive à la vie publique. Ces chrétiens, qu'il appelait les Compatissants, aimaient à conter les exploits de leur Messie, à vanter sa faculté de guérison et à citer ses sages paroles de charité. Le plus souvent, ils parlaient avec passion du pouvoir de l'amour, sous toutes ses formes. En vérité, certains d'entre eux se prétendaient même les descendants directs de leur Messie, issus de ses enfants fixés en Europe. C'étaient ceux-là mêmes qui se consacraient inlassablement à venir en aide aux pauvres et aux affligés. Leur chef incontesté était une noble et charismatique Romaine aux cheveux de flammes du nom de Petronella, héritière de l'une des plus vieilles familles de la ville et fort aimée du peuple en dépit de ses pratiques chrétiennes. Elle usait généreusement de sa fortune pour venir en aide aux habitants de la cité et ne prêchait que l'amour et la tolérance. Petronella et ses Compatissants eussent-ils été les seuls chrétiens de Rome que cet atroce bain de sang n'aurait jamais eu lieu.

Mais ceux que le Pieux nommait les Fanatiques étaient d'une tout autre espèce. Contrairement aux Compatissants, qui dispensaient chaleureusement le message d'amour et de tolérance de leur Messie et la voie spirituelle qu'ils appelaient le Chemin de l'Amour, les Fanatiques en tenaient avec fureur pour un Dieu unique qui éradiquerait tous les autres et instaurerait un règne de terreur pour les incroyants au jour du Jugement dernier. Les Romains étaient profondément offensés par cette perspective, et les Fanatiques insistaient en affirmant que la vie sur terre ne comptait pas, seule la vie après la mort ayant de l'importance. Une telle théorie, un mépris si écrasant pour les bienfaits que les dieux répandaient sur les mortels représentait un sacrilège absolu pour les prêtres de Rome et leurs fidèles. En outre, cette philosophie était incompréhensible pour un peuple qui célébrait le bonheur d'être en vie par d'innombrables festivités profanes ou sacrées. À ses yeux, les Fanatiques étaient une énigme, une secte délirante, à fuir et même à craindre.

Ils suscitaient la colère du peuple romain même en l'absence d'une catastrophe naturelle à conjurer. Mais, lorsqu'une épidémie de grippe mortelle s'abattit sur un faubourg aisé de Rome, les prêtres de Saturne réclamèrent le sang des chrétiens pour apaiser la colère divine.

Une riche veuve, Felicita, tint le rôle principal de la tragédie qui s'annonçait. Accablée de chagrin, elle s'était convertie au christianisme après la mort de son époux bien-aimé, dont elle blâmait les dieux de Rome. On disait que perdre son mari et rester seule à élever sept enfants l'avait frappée de folie. Des chrétiens lui avaient rendu visite, pour lui offrir aide et consolation. La croyance des Fanatiques en l'importance de la vie après la mort finit par lui redonner force et courage. Son mari n'était-il pas désormais dans un monde meilleur, où elle le rejoindrait un jour? Avec leurs enfants, ils reformeraient au ciel une famille heureuse.

Felicita brûlait de la passion des nouveaux convertis, sans que ses nobles amis et connaissances s'en inquiètent excessivement. Elle passait chaque jour des heures entières à genoux, à prier, mais l'on considérait que cela ne regardait qu'elle. D'autant qu'elle se montrait généreuse et charitable : elle offrit une partie de la fortune de son époux décédé pour aider à construire un hôpital, et incita ses fils aînés à donner de leur temps et de leurs forces pour venir en aide aux infirmes. Elle et ses enfants jouissaient en retour d'une réelle popularité dans le quartier où ils vivaient. L'âge des garçons s'échelonnait de sept ans pour le plus jeune, un enfant aux cheveux blonds nommé Martial, à vingt ans pour l'aîné, Januarius, jeune homme athlétique de haute taille.

Jusqu'à ce que la grippe s'abatte sur leur ville, Felicita et ses fils vivaient dans un monde assez paisible. La maladie frappait au hasard et par intermittence, ceux qui en étaient affectés survivant rarement aux convulsions et aux fortes fièvres. Lorsque le fils aîné d'un prêtre de Saturne succomba, ce dernier, éperdu de douleur, appela la population à s'en prendre à Felicita et à ses enfants, coupables d'avoir attiré la colère des dieux. Saturne avait puni son propre prêtre dans un but précis : les Romains devaient désormais s'opposer avec force à ces chrétiens qui avaient l'audace de nier l'existence des vrais dieux. Les dieux ne le toléreraient pas, et surtout pas Saturne, le puissant et impitoyable patriarche du panthéon romain. N'avait-il pas dévoré son propre fils, convaincu de désobéissance?

Felicita et ses sept enfants furent donc conduits devant Publius, le magistrat du quartier. Felicita étant de noble extraction, on leur épargna les chaînes et ils entrèrent au tribunal de leur propre gré. Felicita était une belle femme aux cheveux sombres, de haute taille. De sa démarche de reine, elle s'avança devant la cour sans manifester ni crainte ni hésitation.

— Felicita, tu comparais devant cette cour avec tes enfants car les citoyens de Rome te reprochent d'avoir offensé nos dieux et en particulier Saturne, le père des dieux. En guise de représailles contre notre communauté, Saturne a mis à mort beaucoup de tes voisins, y compris des enfants innocents. Nier l'existence des dieux déchaîne leur violence. Pour apaiser leur colère, ceux qui l'ont suscitée doivent leur offrir des sacrifices pour obtenir leur pardon. Tes enfants et toi vous rendrez donc au temple de Saturne où vous passerez huit journées à lui rendre grâces et lui offrirez les sacrifices que les prêtres vous indiqueront. Trouves-tu cette sentence juste ?

Felicita, toujours debout, ne prononça pas une seule parole. Ses enfants l'imitèrent.

Publius répéta sa question et ajouta :

— Tu as bien compris que la mort est l'autre terme de l'alternative. Refuser d'apaiser les dieux met toute la nation en danger. Donc, soit tu acceptes les sacrifices, soit tu meurs. Le choix t'appartient.

L'exaspération de Publius s'accrut tandis que Felicita persistait à garder le silence. Lorsqu'il fut évident qu'elle n'avait aucunement l'intention de répondre, le magistrat reprit sèchement la parole.

— Ton silence est une offense à cette cour et au peuple de Rome. Je t'ordonne de répondre, avant qu'on ne t'arrache les mots de force.

Felicita releva la tête et regarda Publius dans les yeux. Lorsqu'elle parla enfin, ce fut avec le feu de la conviction dans le regard.

— Ne me menace pas, païen. L'esprit de mon Dieu unique est avec moi ; il est plus fort que toute violence que tu pourrais exercer contre moi et ma famille, car il peut nous emmener en un lieu où tu ne pénétreras jamais. Je n'entrerai pas dans un temple païen et n'offrirai aucun sacrifice à tes dieux impuissants. Mes enfants non plus. Jamais. Donc, ne gaspille pas ta salive. Si tu veux nous punir, qu'il en soit ainsi. Mais je n'ai pas peur de toi. Et mes enfants non plus. Leur foi est aussi inébranlable que la mienne, et ne faiblira pas.

— Femme ! Tu oserais mettre la vie de tes enfants en balance avec l'idéal où tu t'es fourvoyée ?

Publius était sidéré par son attitude. La sentence qu'il avait prononcée était d'une indulgence insigne. Il avait imaginé qu'elle soupirerait de soulagement et se rendrait tranquillement au temple, suivie de ses enfants. Allait-elle vraiment choisir de mourir avec toute sa famille plutôt que de passer huit jours dans un temple ?

Publius s'adressa à elle avec une irritation visible et croissante.

— Prends garde à tes paroles ! Cette cour peut vous punir de vos crimes avec la plus grande sévérité.

— Je le répète, cracha presque Felicita, ne me menace pas, vil païen. Tes paroles n'ont aucun sens. Tu n'as aucun moyen de me punir pour me faire changer d'avis. Alors, épargne ta salive. Si tu as l'intention de me mettre à mort, fais-le, et vite, afin que je rejoigne mon Dieu et mon époux. Si mes enfants doivent mourir avec moi, ils le feront volontiers, car ils savent que ce qui les attend dans l'autre monde est plus grand que quoi que ce soit d'imaginable sur cette horrible terre.

Publius était maintenant hors de lui. Il était contre nature, monstrueux, même, pour une mère d'offrir ainsi ses enfants au sacrifice. Comme il devait être pervers, ce dieu que les chrétiens adoraient, pour réclamer la vie de sept enfants afin d'assouvir sa soif de sang !

La voix du magistrat tonna dans le tribunal.

— Misérable femme ! Meurs, si tu le souhaites, mais n'entraîne pas tes enfants dans ta destruction. Envoie-les au temple, afin qu'ils sauvent leur vie.

La réponse de Felicita s'éleva en un hurlement qui ébranla les pierres de l'édifice.

— Mes enfants vivront à jamais, quoi que tu leur fasses. Tu n'as aucun pouvoir sur eux, ni sur moi.

Son outrecuidance sidéra Publius, qui ordonna qu'elle fût enchaînée et conduite dans une cellule attenante. Tandis qu'on la traînait hors du tribunal, elle s'adressa une fois encore à ses fils, d'une voix forte.

— Mes enfants ! Contemplez le ciel, où Jésus-Christ vous attend avec le seul vrai Dieu. Soyez braves et fidèles, afin que nous soyons enfin réunis au Paradis. Si l'un seul de vous faillit, tout est perdu. Ne me trahissez pas !

Après le départ de leur mère, le magistrat s'adressa aux sept enfants. Les deux plus jeunes étaient en larmes, mais s'efforçaient de se contrôler, menton baissé, tandis que leurs petits corps étaient secoués de sanglots convulsifs. Publius avait des fils. Il plaignait ces petits innocents, victimes de la folie de leur mère.

— Votre mère, leur dit-il à tous, est une femme égarée, ses outrages constituent une menace pour la sécurité et la vie de Rome. Rien ne vous oblige à suivre son effroyable exemple. Ce tribunal prendra en compte chacun de vous, et promet l'indulgence et le pardon. Il vous suffit d'accepter d'accompagner les prêtres au temple de Saturne et d'accomplir la pénitence qui apaisera la colère du dieu offensé. Ainsi, la paix reviendra, et disparaîtra le fléau qui a provoqué la mort de vos innocents voisins.

Aucun d'eux ne répondit. Publius les observa, puis adressa une dernière question aux quatre aînés.

— Ne désirez-vous pas la fin des souffrances de vos concitoyens ? Cela dépend de vous. Par vos actes, vous avez attiré la maladie et la mort sur vos voisins. Vous avez maintenant le pouvoir de les en libérer.

Januarius, l'aîné, répondit pour eux sept. Copie conforme de sa mère, physiquement et moralement, il déclara d'une voix assurée qu'il préférait mourir plutôt que d'entrer dans un temple du paganisme, et emmener ses frères au ciel avec lui plutôt que de les savoir corrompus par des païens. Puis, au nom de l'honneur de sa pieuse mère, il cracha sur les chaussures du magistrat.

Cet irrespect durcit le cœur de Publius, qui prit alors sa funeste décision. Si Januarius souhaitait mourir pour sa mère et son abominable dieu, libre à lui. Si Felicita assistait au supplice de son premier-né, peut-être s'adoucirait-elle et sauverait-elle ses autres enfants.

Une désobéissance aussi flagrante à la république et à ses dieux ne pouvait être tolérée, surtout lorsqu'elle avait eu lieu en public. Dans l'intérêt de la paix et de la prospérité de Rome, elle devait être châtiée avec la plus grande sévérité, ce qui servirait de leçon aux autres chrétiens.

On ligota Januarius à un poteau de flagellation, puis on fit asseoir sa mère et ses trois frères les plus âgés sur des sièges si proches qu'ils seraient éclaboussés de son sang à chaque coup reçu. Les plus jeunes enfants, que Publius et les autres magistrats considéraient encore comme des victimes, furent entraînés à l'écart du lieu de l'exécution.

Le premier bourreau était un homme de haute stature dont les muscles du bras saillaient lorsqu'il abattait le fouet de toutes ses forces sur le dos du prisonnier, avec une régularité de métronome. De temps à autre, les magistrats lui ordonnaient de s'interrompre et demandaient au condamné s'il était décidé à abjurer, et donc à vivre. Les trois premières fois, Januarius se contenta de cracher sur eux. À la quatrième tentative, il était trop près de la mort pour répondre. On en appela une dernière fois à sa mère.

— Femme, vois ton premier enfant, le fruit de ton union avec ton mari. Comment peux-tu assister à ses tourments sans abjurer? Si tu acceptes le juste châtiment, il survivra, ainsi que tes autres fils.

Felicita ne prêta aucune attention au magistrat. Elle s'adressa seulement à son fils, d'une voix forte et claire.

— Mon enfant, embrasse ton père pour moi, pour nous tous, car il nous attend à la porte du Paradis. Ne pense plus à la vie terrestre, qui n'a aucun sens. Va, mon enfant, là où ton Dieu t'attend.

La vie de Januarius s'envola sous les quelques derniers coups de fouet. Ses chairs lacérées laissèrent échapper les ultimes gouttes de son sang. Lorsqu'on le déclara mort, le bourreau détacha son corps et le laissa à quelques pas, sous les yeux de Felicita et de ses trois fils.

Les garçons refusèrent à leur tour d'abjurer, et l'abominable spectacle se répéta trois fois. On dut avoir recours à plusieurs bourreaux, car mettre à mort chacun des jeunes gens était trop épuisant pour un seul homme, tout herculéen qu'il fût. Au crépuscule, Felicita avait assisté à la mort de ses quatre aînés. Elle l'avait même encouragée. Rien ne permettait de supposer qu'elle abjurerait, quelle que fût la cruauté de leur sort. Au contraire, chaque décès semblait accroître sa détermination, et sa foi dévoyée.

Publius affronta alors un grave dilemme. Il ne désirait pas faire tuer les plus jeunes, victimes innocentes de la folie de leur mère. Mais, étrangement, Felicita paraissait sortir victorieuse de la bataille. Elle n'avait laissé couler aucune larme, ni émis un seul sanglot. À chaque mort, sa voix s'élevait plus forte pour condamner le tribunal et les prêtres païens. On ne pouvait douter de sa folie, car aucune mère saine d'esprit n'aurait supporté un tel supplice. Même les bourreaux étaient horrifiés, et épuisés par ce qu'ils avaient accompli au nom de leur dieu Saturne, et pour la sécurité de Rome.

Mais laisser en vie les jeunes enfants de Felicita serait un signe de faiblesse qui prouverait que sa volonté et sa foi l'emportaient sur celles de Rome et des dieux.

C'est ainsi que l'on avait fait quérir l'empereur Antonin le Pieux pour connaître son avis et qu'il se trouva devant les dépouilles sanguinolentes des défunts fils de Felicita. La question était de nature à créer une affaire d'État, et Publius ne voulait pas se salir les mains du sang de jeunes enfants innocents sans l'assentiment de l'empereur. Ce dernier lui-même était plus qu'embarrassé par la décision à prendre. Il songeait à ce jour de honte où, bien des générations auparavant, le préfet romain Ponce Pilate avait ordonné l'exécution de Jésus de Nazareth, et donné ainsi naissance à un culte consacré à ce martyr. Il n'en voulait plus, de ces martyrs instrumentalisés pour affaiblir Rome. Il ne voulait pas non plus du sang de ces enfants sur ses mains. Mais il ne savait comment l'éviter. L'affaire était déjà allée trop loin.

Ce fut sans aucun doute la bienveillante déesse de la beauté et de l'harmonie, Vénus en personne, qui se pencha cette nuit-là sur son épaule pour lui inspirer sa réponse. Lorsque la noble et gracieuse Petronella se présenta pour demander audience, le Pieux soupira de soulagement pour la première fois de cette horrible journée.

Petronella n'eut pas à plaider sa cause devant l'empereur, bien qu'elle s'y fût longuement préparée. À son grand étonnement, il sembla soulagé de la voir et de souscrire à son plan. Elle était femme de sénateur et jouissait d'une grande renommée, mais son statut de chrétienne, même modérée, aurait pu nuire à sa mission. Sa beauté et son élégance avaient beaucoup contribué à son emprise sur les plus irréductibles des nobles romains, et même sur l'empereur, très sensible au charme féminin. Elle se présenta vêtue d'une simple tunique grège, tissée cependant dans les plus belles soies d'Orient. Elle avait tressé de rangs de perles ses beaux cheveux cuivrés et noué autour de son cou délicat un ravissant pendentif en rubis d'où ruisselaient trois perles en forme de larme. Un coq d'or aux yeux de rubis ornait l'une des épaules de sa tunique. Pour les non-initiés, les bijoux de Petronella n'étaient qu'un signe de sa fortune. Mais ses proches savaient que ces pierres précieuses étaient le symbole de la noble famille; rubis et perles signifiaient qu'elle descendait d'une ancêtre qu'ils nommaient la Reine de Compassion, Marie Madeleine. Le coq était l'emblème de son autre lignée, celle de son arrière-arrière-arrière-grand-père, le premier apôtre de Rome, saint Pierre en personne. Elle portait d'ailleurs le prénom de l'unique enfant de Pierre, une fille qui, selon la légende familiale, avait épousé le plus jeune des fils de la Sainte Famille, Yeshua David. Lors de la Crucifixion, Marie Madeleine était sur le point d'accoucher. Elle avait trouvé refuge à Alexandrie, où elle avait donné naissance au fils de Jésus, Yeshua David, dont la vie serait remarquable et merveilleuse. On racontait que, du jour de leur enfance où Petronella et Yeshua David s'étaient rencontrés, ils étaient devenus inséparables. Ils se marièrent et conçurent de nombreux enfants, donnant ainsi naissance à la lignée de purs chrétiens qui prêcherait le Chemin de l'Amour dans toute l'Europe. Les femmes de la lignée épousèrent par la suite d'éminents citoyens romains, qui assurèrent leur protection. Rester en vie afin de préserver le Chemin était leur unique mission. Elle avait été confiée à leur ancêtre Pierre par Jésus-Christ en personne.

Jésus avait donné ce nom à Pierre car il pensait que son ami le pêcheur avait la solidité d'un roc, le roc sur lequel il bâtirait les fondations de son enseignement, afin que jamais celui-ci ne disparût. Jésus avait ordonné à Pierre de le renier afin d'échapper aux persécutions et de vivre pour prêcher encore. Hélas! le triple reniement de Pierre était désormais considéré comme infâme, une preuve de sa faiblesse de caractère, ce qui était un exemple des manipulations de l'histoire opérées par les scribes afin de servir leurs propres intérêts. Mais les descendants de Pierre connaissaient la vérité et avaient fièrement adopté le coq comme emblème familial. Le Seigneur avait demandé à Pierre de le renier trois fois avant le chant du coq et, contrairement à la légende, Pierre avait montré sa force de caractère en obéissant aux ordres de Jésus.

Les enfants de Pierre et leurs descendants n'avaient jamais oublié les paroles exactes adressées par Jésus à Pierre en la nuit bénie du jardin des Oliviers.

Vis pour prêcher un jour encore. Tu dois demeurer. Ainsi seulement perdurera le Chemin de l'Amour.

Et ces paroles avaient donné naissance à la devise de la famille :

Je demeure.

Petronella était aujourd'hui ce roc qui demeurait. À ce titre, elle devait affronter une situation potentiellement dangereuse pour le Chemin de l'Amour.

Elle espérait ardemment se montrer digne de l'héritage de ses compatissants ancêtres dans sa mission auprès de l'empereur : sauver Felicita et ses enfants encore vivants. Dans quelle mesure la penserait-il capable d'ébranler Felicita et de retourner la situation à l'avantage de Rome ? Pour déterminée qu'elle fût, Petronella doutait de l'issue de son ambassade. Le fanatisme de Felicita était légendaire, avant même qu'elle eût accompli l'acte inconcevable de sacrifier ses enfants. L'écouterait-elle ? L'ascendant de Petronella sur les chrétiens était si fort que la plupart lui vouaient un véritable culte. En outre, elle était l'actuelle gardienne du Libro Rosso, le texte sacré qui renfermait les authentiques enseignements et les prophéties de la Sainte Famille. Aucun chrétien raisonnable ne discuterait son autorité. Mais une femme capable d'endurer l'indicible violence de l'exécution de ses enfants au nom de sa foi n'était pas une chrétienne raisonnable.

Avant de demander audience à l'empereur, Petronella avait longuement prié le Seigneur de la guider et de l'éclairer sur Sa volonté. Elle avait notamment invoqué la Reine de Compassion en caressant le rubis qui ornait son pendentif.

— Je demeure, murmura-t-elle enfin, pour mobiliser toutes ses forces avant l'inévitable confrontation.

**

— Bonsoir, sœur.

Grâce à l'intervention de l'empereur, Petronella avait été autorisée à s'entretenir avec Felicita dans un des bureaux des magistrats. On avait considéré indigne qu'une dame de sa qualité descendît dans la cellule fétide où était retenue Felicita. On avait donné à la prisonnière un vêtement propre, mais sa peau était rougie du sang de ses enfants. Petronella s'efforça de masquer l'horreur que lui inspirait ce spectacle.

Les deux femmes se saluèrent en chrétiennes, sœurs par l'esprit. Puis Felicita s'enquit de la raison de cette visite.

— Je suis venue t'offrir mes condoléances et toute l'aide de la communauté pour adoucir le chagrin de ton deuil, dit Petronella d'une voix calme et douce.

22

Tout d'abord, Felicita sembla n'avoir pas entendu. Puis elle regarda Petronella avec étonnement.

— Mon chagrin ? Mais quel chagrin ?

Prise de court, Petronella supposa que la malheureuse avait perdu l'esprit durant la terrible épreuve.

— Nous pleurons tous la mort de tes fils, Felicita, elle nous brise le cœur, poursuivit-elle.

Le regard dans le vague, Felicita semblait ne pas voir Petronella, ni accorder la moindre importance à sa présence.

— Pourquoi vos cœurs sont-ils brisés, sœur ? Réjouissez-vous comme moi. Mes courageux enfants n'ont pas renié leur Dieu. Notre-Seigneur Jésus-Christ les accueillera au ciel, et les félicitera pour leur force et leur foi. Ne comprends-tu donc pas ? Ce jour est un jour de fête. Je n'ai qu'un espoir : celui que demain les magistrats ordonnent notre exécution à tous, afin que nous soyons réunis dans les cieux avant le coucher du soleil.

Petronella toussota, pour prendre le temps de réfléchir. C'était pire que tout ce qu'elle avait imaginé.

— Je partage et comprends ta foi en la vie après la mort, sœur. Mais permets-moi de te rappeler que Jésus nous a enseigné que nous devions célébrer les joies de la vie tant que nous sommes sur terre. Tel est le précieux don de notre Dieu. Épargne tes jeunes enfants, afin qu'ils grandissent et vivent dans le monde que Dieu a créé pour eux.

— Recule, Satan ! hurla Felicita d'un ton si empreint de haine et de mépris que Petronella rejeta la tête en arrière comme si on l'avait giflée. Toi ! Toi, l'épouse d'un païen, tu oses te présenter devant moi, dans tes atours de Romaine, et me juger ? Je ne trahirai mon Dieu pour quiconque ou pour quoi que ce soit, et mes enfants sont comme moi. Nous sommes des justes au regard de Dieu. Il récompensera notre courage. Et notre récompense sera d'être réunis au ciel, sous son regard.

Petronella adressa une prière silencieuse à Marie Madeleine, pour qu'elle lui inspirât patience et compassion, et tenta une approche différente.

— Felicita, ta mort et celle de tes enfants priveront la terre de voix puissantes, des voix qui peuvent dispenser la bonne parole et apporter la lumière. Ne crois-tu pas que telle est plutôt la volonté de Dieu ? Tes fils grandiront en sachant que leurs frères sont morts pour leur foi, leur croyance en sera renforcée. Ils doivent demeurer. Ils seront des héros du Chemin. Telle est la volonté de Dieu, pour eux et pour toi.

— Comment oses-tu m'enseigner la volonté de Dieu ? Je l'entends clairement, Il me dit qu'Il veut que mes enfants soient des martyrs, pas des héros. Qu'Il veut mes enfants en sacrifice à Sa très grande gloire. Ainsi ordonna-t-Il à Abraham de lui sacrifier Isaac.

— Oui, dit Petronella en s'efforçant au calme. Mais Dieu arrêta la main d'Abraham avant qu'il ne tue son fils. Dieu mettait son obéissance à l'épreuve, mais, lorsqu'il en fut convaincu, il lui envoya l'ange de miséricorde, qui détourna le couteau. Car Dieu ne réclamera jamais le sang des innocents. Felicita, Dieu te conjure d'être l'ange de miséricorde qui arrête la main du bourreau. Je t'en prie, ne tue pas les enfants qui te restent. En agissant ainsi, tu ne choisirais pas le Chemin de l'Amour. Si Jésus était parmi nous, il ne te permettrait pas d'assassiner tes jeunes enfants. Et de cela je suis certaine, plus que de quoi que ce soit d'autre.

— Jésus m'attend à la porte du Paradis, rétorqua Felicita en dardant sur Petronella un regard fiévreux. Il m'attend, pour me prendre dans Ses bras et pour récompenser mon courage. C'est toi qu'Il rejettera, toi qui as épousé un païen et qui cèdes aux injonctions de voisins impies.

— J'aime et je respecte mes voisins, comme Jésus l'ordonne. Je ne m'incline pas, Felicita. Je suis les enseignements du Chemin. Cela s'appelle de la tolérance.

— De la faiblesse, plutôt !

— Il ne restera plus un seul chrétien si nous ne pratiquons pas la tolérance. Notre Chemin ne perdurera pas si nous n'apprenons pas à vivre en paix avec les autres. Le Chemin nous ordonne d'être patients avec ceux qui n'ont pas encore vu la lumière. Jésus nous a dit de pardonner ceux qui ne voient pas.

— Alors, je prierai pour qu'Il te pardonne, sœur, siffla Felicita signifiant ainsi qu'elle ne considérait plus Petronella comme sa sœur. Je prierai Dieu pour qu'Il te pardonne ta faiblesse et ta vile tentative de me suborner. Seul un diable essaierait de m'empêcher d'accomplir cet ultime sacrifice pour la plus grande gloire de Notre-Seigneur.

La patience de Petronella était épuisée, et désormais vaine. Felicita était plongée trop profondément dans son délire sacrificiel pour entendre la voix de la raison. Comment pouvait-il en aller autrement après ce qu'elle avait enduré au cours de cette funeste journée?

La noble Romaine se leva et s'adressa à l'égarée une dernière fois avant de quitter la pièce.

— Je prierai pour nous tous, Felicita. Pour tous ceux qui osent croire en le Chemin de l'Amour.

Le lendemain matin, une brume opaque obscurcissait le soleil. Les prêtres de Saturne l'interprétèrent comme un mauvais présage avant même d'apprendre que la grippe avait emporté cinq victimes au cours de la nuit, dont deux enfants de prêtre.

Dès son lever, l'empereur Antonin le Pieux se trouva harcelé par une cohorte de saints hommes en proie à la colère. Ils étaient persuadés que Felicita avait attisé la colère divine en refusant de se soumettre. Il fallait absolument la convaincre. Ils exigeaient que les enfants fussent présentés au tribunal et menacés de mort l'un après l'autre.

Au cours de la journée, la pression sur l'empereur s'accrut avec des nouvelles en provenance d'autres régions, où l'histoire de Felicita et de son règne de terreur s'était répandue. Il finit par y céder, et convoqua le tribunal.

Felicita, telle une Médée aux yeux enfiévrés, le reste de sa raison emporté par un délire nourri du sang de ses enfants, se tenait devant le magistrat avec ses derniers fils. Ils étaient terrorisés. Le plus jeune, ses boucles blondes collées sur les joues, sanglotait sans retenue. Antonin avait convoqué Publius et lui avait secrètement transmis ses ordres : les enfants devaient connaître une mort sans souffrances. S'ils devaient mourir, qu'il en fût ainsi, mais il ne voulait pas ternir son règne en torturant de si jeunes corps.

Les enfants comparurent l'un après l'autre devant les magistrats. Par la douceur, Publius s'efforça de les persuader de tourner le dos à leur mère et de suivre les prêtres dans le temple. Felicita entonnait sans relâche les paroles d'une terrible mélopée, d'une voix aiguë : « Ne craignez rien, mes enfants, votre père et vos frères vous attendent au ciel. Ne craignez rien. » L'un après l'autre, les enfants, sous le terrible charme lancé par leur mère, refusèrent d'écouter le magistrat. Tandis qu'ils étaient menés vers le billot, chacun à leur tour, Felicita fut à chaque fois suppliée d'abjurer pour les sauver. Pour seule réponse les magistrats obtinrent un sinistre éclat de rire, l'horrible parodie d'un cri de joie.

En une heure, trois beaux enfants, dont l'un était encore très jeune, furent décapités par l'épée bien aiguisée du bourreau, qui exécuta son office rapidement et sans infliger de souffrances inutiles. Mais, lorsque vint le tour de leur mère, il ne fit pas preuve de la même indulgence. Il se servit d'une hache et s'y reprit à trois fois pour séparer la tête du corps.

Le soir même, l'empereur quitta le quartier maudit des dieux pour n'y plus jamais revenir. C'en était fini du règne de terreur de Felicita. Mais il savait qu'il serait à jamais hanté par l'écho de son rire dément et par les images du tout petit enfant aux cheveux blonds décapité sur son ordre.

Dans la soirée, Petronella, à bout de forces, réunit les plus proches de ses frères du groupe des Compatissants pour leur narrer les épouvantables événements de la journée. Elle demanda un volontaire pour porter un message en Calabre, où demeurait le maître de l'ordre du Saint-Sépulcre. Les chrétiens de Rome allaient avoir grand besoin de ses sages conseils pour affronter la tempête qui se préparait.

Petronella s'ouvrit de ses inquiétudes : elle craignait que le règne de terreur de Felicita n'en fût qu'à ses débuts, et qu'il ne mît en danger tous les chrétiens de l'empire au cas probable où l'on renouerait avec les terribles persécutions du passé. Tous les efforts consentis par les chrétiens depuis plus d'un siècle pour être acceptés comme d'honorables citoyens romains risquaient d'être annihilés par le sang des enfants de Felicita. Les Fanatiques s'en glorifieraient, ils parleraient plus haut, et, de peur, les Romains étoufferaient leurs voix avec la violence la plus sauvage.

Elle comprenait que s'était joué en ce jour quelque chose de l'ordre d'un grave détournement des enseignements du Seigneur et que cette chose vivrait sa vie et croîtrait à l'avenir. Cette funeste vision la terrifiait. Elle la partagea avec ses frères et tous frissonnèrent, car ils entendaient résonner la voix de la vérité.

— Je crains que celle que nous appelions notre sœur ne soit en réalité notre plus farouche adversaire, déclara-t-elle. Ses actes ont déchaîné les forces du mal, et rien ne les arrêtera. On se servira du sang de ces enfants pour récrire les vrais enseignements de Notre-Seigneur. De paroles inscrites dans le sang, seuls peuvent surgir de profondes ténèbres. Les enseignements du Chemin de l'Amour se perdront dans le sang de ces innocents.

Petronella tremblait de tous ses membres tandis que les mots coulaient de ses lèvres, issus des secrètes profondeurs où se cache la vérité. En une nuit aussi terrible, le don de prophétie accordé aux femmes de sa lignée n'était guère le bienvenu.

PREMIÈRE PARTIE

LE TEMPS REVIENT

Il existe une forme d'union si haute
qu'on ne peut la dire avec des mots,
si forte que son destin dépasse en pouvoir
les plus grandes forces.

Ceux qui la vivent ne seront jamais séparés.
Ils ne sont plus qu'un, indépendamment de leurs corps.

Ceux qui se reconnaissent
connaissent l'indicible joie
de vivre ensemble cet accomplissement.

**D'après le Livre de l'Amour,
tel que rapporté dans le Libro Rosso.**

Je ne suis pas un poète.

Et pourtant, j'ai eu la chance de vivre parmi les meilleurs d'entre eux. Les plus grands poètes, les peintres les plus doués, les plus belles des femmes... Et les plus remarquables de tous les hommes. Tous m'ont inspiré et il y a une perle de l'âme et de l'essence de chacun d'eux dans toutes les images que je peins.

J'espère que l'on se souviendra de mon art comme d'un genre de poésie, car j'ai essayé de rendre chaque œuvre lyrique riche de sens et de texture. J'ai longtemps lutté contre l'idée que les règles de bonne conduite de l'artiste supposent de ne pas révéler les sources d'inspiration, les strates et les symboles souterrains de notre travail de création. Mais le maestro *Ficino a prouvé que, dès l'Égypte ancienne, on trouvait ces informations dans des journaux intimes tenus secrets par leurs auteurs. J'ai donc choisi de suivre cette tradition ancestrale.*

Comme je suis un humble membre de l'ordre du Saint-Sépulcre, tout ce que je peins prend son inspiration dans la gloire des divins enseignements. Ils sont inhérents à chaque personnage, ils animent les couleurs, les textures et la forme de chacune de mes œuvres, qui, quels que soient les objectifs terrestres du mécène qui les a commandées, sont des odes au service des enseignements du Chemin de l'Amour. Chaque tableau est censé transmettre la vérité.

31

Dans les pages qui suivent, j'essaierai de révéler les secrets dissimulés dans mon travail, dans l'espoir qu'ils éclaireront à l'avenir ceux qui ont des yeux pour voir.

Puisque je ne suis pas un poète, voici ce que je suis : un peintre, un pèlerin, un scribe.

Et, surtout, le serviteur de mon Seigneur et de ma Dame, et de leur Chemin de l'Amour.

Notre maître aime à répéter les paroles du premier grand artiste chrétien, le bon Nicomède, qui disait : « L'art sauvera le monde. » Je prie pour qu'il en soit ainsi, et je me suis efforcé de jouer mon rôle, pour modeste qu'il soit, dans ce précieux combat.

Je demeure
Alessandro di Filipepi.

Extrait des *Mémoires secrets* de Sandro Botticelli.

New York,

De nos jours

Maureen Pascal avait soigneusement préparé son séjour à New York. Après avoir travaillé sans relâche à la sortie de son nouveau livre, elle comptait bien s'accorder quelques heures de répit au Metropolitan Museum of Art. Après l'histoire, l'art était sa plus grande passion et irriguait richement ses ouvrages. Passer un moment, même court, dans l'un des plus beaux musées du monde l'apaisait comme rien d'autre sur cette terre.

En ce début de matinée du mois de mars, le printemps explosait. Elle choisit donc de traverser Central Park à pied pour rejoindre le Met. Maureen adorait New York, et elle était bien décidée à profiter au maximum des quelques instants de liberté que lui laissait un emploi du temps surchargé. Sur la rive nord du plan d'eau des voiliers se dressait l'immense sculpture en bronze inspirée par *Alice au pays des merveilles*, le chef-d'œuvre de Lewis Carroll. L'œuvre possédait une beauté et une espiègle magie qui ravissaient l'enfant qu'elle avait su rester. Une Alice plus grande que nature trônait au milieu de ses amis du pays des merveilles, le jour de son non-anniversaire. Sur le socle étaient gravées des citations de ce classique de la littérature pour enfants, qui avait été l'un de ses livres de chevet. Elle en fit le tour. Mais sa citation préférée, celle qu'elle avait transcrite sur son ordinateur, n'y figurait pas.

Alice se mit à rire.
— Inutile d'essayer, dit-elle. On ne peut croire des choses impossibles.
— À mon sens, rétorqua la reine, tu manques de pratique. Quand j'avais ton âge, je l'ai toujours fait une demi-heure par jour. C'est pourquoi, parfois, j'ai cru jusqu'à six choses impossibles avant le petit-déjeuner.

Maureen avait suivi l'exemple de la reine. Avec l'irruption de Destino dans sa vie, elle dépassait même ce chiffre. Elle s'en amusa, tout en admirant la sculpture. Sa vie rivalisait désormais avec les plus extraordinaires des aventures d'Alice. Elle, une femme raisonnable et instruite, une femme du XXIe siècle, s'apprêtait à partir en Italie pour y suivre l'enseignement d'un individu du nom de Destino, qui se prétendait immortel. Et, à l'instar d'Alice, elle admettait l'existence de ce personnage extraordinaire comme un élément presque naturel du paysage étrange qu'était devenue sa vie.

Elle flâna cinq minutes de plus devant la sculpture avant de se diriger vers l'entrée du Met. Elle ne disposait que de peu de temps avant le déjeuner de lancement de son livre et avait donc décidé de se concentrer sur l'une des sections plutôt que d'essayer d'en voir le plus possible.

Son billet acheté, le badge accroché à son revers, elle se dirigea vers le département du Moyen Âge. Ses recherches sur la fameuse comtesse Matilda de Toscane et ses voyages en France lui avaient inspiré une admiration grandissante pour l'art et l'architecture gothiques.

Elle prit son temps, admirant chaque œuvre comme elle le méritait. Les sculptures sur bois allemandes, de délicate et habile facture, retinrent tout particulièrement son attention et lui rappelèrent les événements qui avaient à jamais bouleversé son existence lors de son séjour en France. Heureuse, Maureen s'emplit de cette beauté et du répit que l'art lui apportait.

La deuxième galerie était presque entièrement dédiée à la sculpture, mais l'attention de Maureen fut attirée par une œuvre, tout au fond de la pièce. Elle s'en approcha pour l'examiner de plus près, et retint un hoquet de stupéfaction devant le plus splendide des portraits grandeur nature qu'elle ait jamais vu de Marie Madeleine.

Notre-Dame. Ma Dame. Maureen ne pouvait donc lui échapper. Ni aujourd'hui, ni sans doute à l'avenir.

Ses yeux s'emplirent de larmes, comme cela lui arrivait souvent lorsqu'elle regardait une magnifique représentation de la femme hors du commun qui était devenue sa muse et son maître. En l'observant attentivement, Maureen s'aperçut qu'il ne s'agissait pas d'une banale icône religieuse. Madeleine, auréolée de sa chevelure rousse, était assise en majesté, vêtue d'une tunique écarlate. Dans une de ses mains, la jarre d'albâtre avec laquelle il était dit qu'elle avait oint Jésus, et dans l'autre, posée sur ses genoux, un crucifix. Elle était entourée d'anges aux trompettes célébrant sa gloire. Maureen se baissa pour mieux voir la partie basse de l'œuvre. Quatre hommes vêtus de tuniques blanches immaculées étaient agenouillés à ses pieds, leurs têtes recouvertes de capuchons où étaient ménagées d'étroites fentes à hauteur des yeux. Ils semblaient révérends et étranges à la fois. Des personnages pour le moins bizarres, sinon lugubres.

Maureen sentit son cœur s'emballer et une étrange chaleur battre à ses tempes. Elle connaissait ces sensations, il ne fallait pas les négliger. Cette pièce était importante. Terriblement importante. Elle fouilla sa mémoire, sans y trouver la moindre trace de cette œuvre. Pourtant, ses recherches pour son livre l'avaient familiarisée avec les dizaines de représentations de Marie Madeleine exposées dans les plus grands musées du monde. Qu'elle n'ait jamais entendu parler de celle-ci était incroyable. Et intrigant.

Le cartouche indiquait : « Spinello di Luca Spinelli – Bannière de procession de la confrérie de sainte Marie Madeleine. »

Sur la notice officielle du Met, à côté du tableau, le commentaire était le suivant :

Au Moyen Âge, des profanes rejoignaient souvent des confréries religieuses, afin de prier et de faire la charité. Ils se dissimulaient sous des tuniques à capuche pour préserver leur anonymat, car le Christ avait ordonné d'accomplir des bonnes actions sans en attendre de vaines louanges. Cette œuvre extrêmement rare fut commandée aux environs de 1365 par la confrérie de sainte Marie Madeleine de Borgo San Sepolcro. On la sortait pour les processions religieuses. Elle représente les membres de la confrérie agenouillés devant leur sainte patronne, qui est célébrée par un chœur d'anges. La jarre d'onguent de Marie orne les manches de leurs tuniques. Les traits délicatement dessinés du visage du Christ sont de facture moderne, car le dessin d'origine fut supprimé. Il se trouve désormais au Vatican. Par ailleurs, la bannière est en excellent état de préservation.

Quelque chose clochait. Maureen le sentait instinctivement. La notice était banale, trop simpliste pour une œuvre aussi mystérieuse. Les hommes encapuchonnés aux pieds de la sainte n'étaient pas seulement anonymes, ils étaient tout à fait perturbants. Ils arboraient si ostensiblement leurs capuches que dissimuler leur identité devait être une question de vie ou de mort. En poursuivant son examen, Maureen constata que des fentes avaient été pratiquées au dos des tuniques. C'étaient des pénitents. Par ces fentes, ils pouvaient se flageller et faire couler leur sang en signe de repentance.

Maureen avait toujours trouvé les pratiques pénitentielles du Moyen Âge déconcertantes. Elle était à peu près certaine que Dieu ne voulait pas que l'on s'autoflagelle pour sa plus grande gloire. Quant à Marie Madeleine, la Reine de Compassion, la grande inspiratrice de l'amour et du pardon, Maureen était convaincue qu'elle n'aurait jamais encouragé ces châtiments.

La composition de l'œuvre était d'autant plus surprenante qu'elle semblait imiter certaines des plus célèbres représentations de la sainte Trinité datant du début de la Renaissance. Dans ces représentations, on voyait Dieu le Père sur son trône, tenant le crucifix sur ses genoux pour symboliser son fils. Le Saint-Esprit y figurait en général sous la forme d'une colombe. Cette œuvre était composée de manière identique, sauf que Marie Madeleine en était le personnage en majesté, le crucifix dans sa main. Les hommes encapuchonnés semblaient rendre grâces à Marie Madeleine, reine des cieux. Ce qui passerait pour une hérésie aujourd'hui encore aurait entraîné la mort au Moyen Âge.

Sans oublier cette curieuse phrase : « Les traits délicatement dessinés du visage du Christ sont de facture moderne, car le dessin d'origine fut supprimé. Il se trouve désormais au Vatican. » Il y avait une preuve matérielle que l'on avait attenté à la bannière : une pièce recouvrait l'endroit où avait figuré à l'origine le visage du Christ, sur le crucifix. Ce visage que l'on avait découpé avec soin et emporté à Rome. Mais pourquoi ? Qui pourrait vouloir dégrader un superbe tableau d'un maître italien ?

Si Maureen avait appris quelque chose grâce à sa recherche de la vérité sur les secrets de l'histoire de la chrétienté, c'était de ne jamais rien prendre pour acquis et de ne pas s'en tenir à l'explication la plus évidente, surtout en ce qui concernait les symboles artistiques. Elle sortit son téléphone de son sac et photographia le tableau par segments. Ainsi pourrait-elle en étudier plus tard les significations cachées.

L'heure qu'indiquait son portable lui rappela que le temps dont elle disposait était écoulé. Maureen rangea le téléphone dans son sac et s'attarda un instant encore devant le tableau. Les questions qu'elle se posait depuis qu'elle étudiait l'art religieux s'imposaient une fois encore à son esprit.

Quelles histoires pouvez-vous me raconter, madame ? Qui vous a peinte ainsi, et pourquoi ? Que représentiez-vous en vérité pour ceux qui portaient cette bannière ? Et, plus pernicieuse encore, celle qui hantait Maureen jour après jour : *Que voulez-vous de moi ?*

Mais, aujourd'hui, Marie Madeleine se taisait et lui renvoyait un regard de tranquille autorité empreint d'une expression énigmatique qui aurait arraché des larmes de jalousie à Léonard de Vinci. Cette Marie Madeleine en remontrait à Mona Lisa.

Maureen relut la notice explicative. Soudain, elle remarqua le nom de ceux qui avaient commandé la bannière : la confrérie de sainte Marie Madeleine à Borgo San Sepolcro. Elle comprenait assez bien l'italien pour traduire. Le site du Saint-Sépulcre.

Son regard s'attarda un instant sur la bague ancienne qui ornait son doigt : la bague de Jérusalem, qui portait le sceau de Marie Madeleine. C'était le symbole de l'ordre du Saint-Sépulcre, l'Ordre qui avait offert Matilda au monde, l'Ordre où étaient intrinsèquement préservés les enseignements de Jésus et du Livre de l'Amour, l'Ordre enfin dont Destino était le maître et auquel elle serait bientôt initiée. Était-il concevable qu'il existe en Italie une ville tout entière consacrée à l'ordre du Saint-Sépulcre, et à Marie Madeleine ?

Maureen avait souvent décrit son travail de recherche et ses livres comme un processus similaire à celui des collages. Il existait de nombreuses petites preuves, chacune assez anodine. Mais, lorsqu'on commençait à les assembler, à voir comme elles allaient bien les unes avec les autres, comme elles se complétaient, on composait peu à peu un tableau intégral saisissant. Et cette œuvre pourrait bien être la pièce centrale de l'étonnante mosaïque que composait Maureen.

La majorité des visiteurs n'accordait qu'un regard distrait à la bannière. Maureen avait envie de leur crier : « Vous ne voyez donc rien ? Vous ne comprenez pas que ce tableau éclaire peut-être un aspect mystérieux de l'histoire ? Vous passez sans le voir ? »

Mais elle n'était encore sûre de rien. Où se situait Borgo San Sepolcro ? Ce peintre, Spinello, avait-il entretenu d'autres liens avec les traditions hérétiques de l'Italie médiévale ? Après avoir rempli ses obligations personnelles, elle contacterait des experts français et italiens pour connaître leur avis. À commencer bien entendu par Bérenger.

Penser à lui, dont elle était séparée depuis de nombreuses semaines, lui mit du baume au cœur. Il lui manquait tellement! Elle ferma les yeux et s'accorda quelques instants pour revivre en pensée leurs derniers et merveilleux moments ensemble. Puis, en soupirant, elle revint à la réalité. Il y avait de nouvelles découvertes à faire, et les partager avec lui ne les rendrait que plus douces.

Avant de sortir du musée, elle s'arrêta à la librairie, en quête d'une carte postale de la fabuleuse Marie Madeleine. Mais il n'y avait rien, pas même une mention dans le guide destiné aux visiteurs. En consultant la riche collection de livres d'art proposés à la vente, elle finit par trouver une référence à l'artiste de la bannière, cité sous le nom de Spinello Aretino. « Aretino » car originaire d'Arezzo, en Toscane.

La Toscane, évidemment! C'était bien l'endroit au monde où Maureen s'attendait à trouver pléthore de secrets sur les hérésies du début du Moyen Âge. Elle sourit. Elle avait déjà son billet pour Florence, et ce n'était pas une coïncidence. Dans une petite semaine, elle s'envolerait vers le centre de l'hérésie.

Rien! Il n'y avait rien sur Internet au sujet de la merveilleuse bannière du Met! Sur le site du musée, elle ne trouva que la notice descriptive qu'elle avait lue plus tôt.

Deux heures à surfer inlassablement, et pas une seule ligne sur l'œuvre. Elle eut plus de chance avec le nom de l'artiste et les lieux, dénichant des informations qui lui seraient certainement utiles. Elle prit des notes.

Spinello Aretino – prénom Luca (Luc) comme son père, peintre également, et comme le saint patron des peintres. Aretino : originaire d'Arezzo, ville de Toscane. Peintre de fresques, a travaillé à la Santa Trinita de Florence.

Maureen s'interrompit. Spinello avait peint dans l'église de la Santa Trinita de Florence, haut lieu de l'ordre du Saint-Sépulcre et l'un des bastions de Matilda. Manifestement, elle était sur la bonne piste. La mosaïque prenait forme.

BORGO SAN SEPOLCRO – Connu aujourd'hui sous le nom de Sansepolcro. Fondé en l'an mil par des pèlerins qui revinrent de Terre sainte avec de précieuses reliques et animés d'une révérence particulière pour le Saint-Sépulcre. L'un de ces pèlerins était appelé Santo Arcano. Borgo San Sepolcro est situé dans la région d'Arezzo. Piero della Francesca y est né.

Elle ne s'était donc pas trompée ! Il y avait bien en Toscane une ville consacrée au Saint-Sépulcre. Elle en frémit de plaisir, et son excitation s'accrut en lisant de nouveau la phrase :

L'un de ces pèlerins était appelé Santo Arcano.

Elle éclata de rire. L'Église prétendait donc qu'il y avait un saint nommé Arcano ! Son latin n'était pas parfait, mais elle en possédait d'assez bonnes notions pour avoir été capable de lire entre les lignes au cours de ses recherches. Santo Arcano n'était pas une référence à un obscur saint toscan. Ces mots signifiaient « saint secret ». Donc, si elle les décodait en langage clair : « Cette ville, qui doit son nom au Saint-Sépulcre, fut fondée sur le Saint Secret. »
Et cela faisait enfin sens.
Elle continua de prendre des notes. Maureen connaissait bien l'œuvre de Piero della Francesca, dont une représentation de Marie Madeleine figurait parmi ses œuvres préférées. Il en avait peint pour la cathédrale d'Arezzo une figure majestueuse et forte, qui irradiait d'autorité et de puissance. Cette Marie Madeleine n'avait rien d'une pénitente. L'homme qui l'avait créée ne pouvait pas avoir cru un instant la légende du vɪe siècle qui en faisait une pécheresse repentie. Sur cette fresque, elle

rayonnait d'un pouvoir incontesté. Maureen en possédait une reproduction encadrée, accrochée dans son
bureau. Son intérêt pour Piero della Francesca n'avait
pas faibli depuis ses années d'études en histoire de l'art.
Les fresques d'Arezzo étaient très vivantes, très
humaines, et racontaient beaucoup d'histoires. Maureen
ressentait avec lui une forme de parenté : Piero était un
conteur. *La Légende de la Vraie Croix* foisonnait d'une
abondance de détails curieux et intéressants, *La Rencontre de la reine de Saba et du roi Salomon* était peinte
avec un grand sentiment de sainteté, et toutes ses œuvres
reflétaient les enseignements sacrés de l'ordre du Saint-
Sépulcre.

Penser à l'Ordre rappela à Maureen qu'elle devait
organiser son voyage en Europe. Elle avait rendez-vous
avec son éditeur français pour préparer la sortie de son
livre et se réjouissait de retrouver Paris. Sa meilleure
amie, Tamara Wisdom, réalisatrice de films indépen-
dante, insistait depuis longtemps pour qu'elle vienne
passer quelque temps avec elle. Le cousin de Maureen,
Peter, vivait également à Paris pour l'instant. Dans le
passé, on l'appelait « père Peter Healy », mais cette
époque était révolue. Il avait tourné le dos au Vatican,
peut-être à jamais, ne se présentait plus comme prêtre et
n'en revêtait jamais l'habit. Maureen était impatiente de
poursuivre ses conversations avec celui qu'elle considérait comme son guide spirituel.

Elle se rendrait donc à Paris, s'occuperait des affaires
qu'elle avait à traiter, puis descendrait en voiture avec
Tammy vers le sud-ouest de la France et le château des
Pommes Bleues, où les attendaient les deux hommes
qu'elles aimaient. Bérenger Sinclair, le propriétaire du
château, et Roland Gélis, l'aimable géant languedocien
meilleur ami de Bérenger. Tous deux vivaient au château, qui se trouvait dans la magnifique vallée de l'Aude,
tout près du village d'Arques. Le grand-père de Bérenger,
un Écossais qui avait fait fortune dans le pétrole, lui
avait légué le château ainsi que toutes les traditions ancestrales qu'abritait ce lieu, véritable siège d'une société
secrète dont la mission était de protéger des traditions
considérées ailleurs comme de dangereuses hérésies.

Il était trop tard pour téléphoner à Bérenger, mais dès le lendemain elle lui proposerait de l'accompagner à Florence après son séjour à Arques. Destino lui avait écrit pour lui annoncer son intention de quitter Chartres pour retourner à Florence « pour de bon ». À la grande tristesse de Maureen, la lettre tenait quelque peu du testament, comme s'il se préparait à mourir en Italie. Certes, Destino était infiniment vieux, et sa mort, inévitable. Mais perdre un trésor aussi précieux, maintenant qu'elle avait accepté et compris qui il était et l'extraordinaire sagesse qu'il pouvait offrir au monde, la consternait.

Destino avait expliqué à Maureen qu'il n'aurait que peu de temps à lui consacrer et qu'elle devait se familiariser avec le Libro Rosso avant son arrivée, car il ne pourrait lui enseigner les principes de base de l'Ordre. Il avait à leur transmettre le savoir nécessaire pour remplir la mission importante qu'ils devraient accomplir ensemble. Et Destino avait insisté sur le terme de « mission ».

Maureen s'attela donc à la lecture du Libro Rosso. Destino leur en avait remis à tous une traduction. Bérenger, Tammy, Roland et Peter travaillaient de leur côté à assimiler les plus grands secrets de la chrétienté renfermés dans le livre sacré.

Elle s'en était servie pour écrire *Le Temps revient, la Légende du Livre de l'Amour*, mais l'heure avait sonné de travailler sérieusement et de mémoriser certains passages. Désormais, elle y consacrerait ses nuits.

Cela ne lui coûtait guère, car, dès qu'elle avait approché les enseignements du Libro Rosso, elle avait compris qu'ils dispensaient la vérité qu'elle avait toujours cherchée. Écrire un livre en l'honneur de ceux qui avaient dédié leur vie à sa sauvegarde à travers les siècles lui avait apporté une grande joie.

Maureen se mit au lit avec son livre. Chaque leçon parlait de l'amour, le plus grand cadeau que Dieu fit à l'homme. Cela pouvait paraître simple et, pourtant, c'était le premier sujet de controverse. Car, dans le Livre de l'Amour, Dieu n'était pas présenté comme un patriarche; il n'était pas seulement Dieu le Père. Il était Notre-Père, en parfaite union avec Notre-Mère. Un des passages préférés de Maureen se trouvait dans les premières pages.

Au commencement, Dieu créa le ciel et la terre. Mais Dieu n'était pas unique, il ne régnait pas seul sur l'univers. Il gouvernait avec sa compagne bien-aimée.

Dans la Genèse, Dieu déclare : « Faisons l'homme à Notre image et à Notre ressemblance. » Il parle à l'autre moitié de lui-même, qui est son épouse. Car la création est un miracle qui se produit le plus parfaitement lorsque les principes masculin et féminin sont présents. Et Dieu dit aussi : « Vois, cet homme est devenu l'un de nous. »

Et le Livre de Moïse dit : « Et Dieu créa l'homme à son image, homme et femme il les créa. »

Comment Dieu aurait-il pu créer une femme à son image s'il n'y avait pas de femme à son côté ? Mais il le fit, et elle fut nommée Athiret. Plus tard, les Hébreux la vénérèrent sous le nom d'Asherah, notre divine mère, et ils appelèrent le Seigneur El, notre divin père.

Ainsi en alla-t-il qu'El et Asherah s'unirent physiquement dans leur grand et divin amour et qu'ils en partagèrent la bénédiction avec les enfants qu'ils créèrent. Chacun était doté d'un double issu de la même essence et qui lui correspondait parfaitement. Dans la Genèse, il est dit qu'Adam fit naître son double d'une de ses côtes, c'est-à-dire de sa propre essence, chair de sa chair, os de ses os, esprit de son esprit.

— Et ils deviendront une seule chair, dit Dieu.

Ainsi naquit le hieros-gamos, *le mariage sacré de la confiance et de la conscience qui unit les bien-aimés en une seule chair. Tel est le présent magnifique que nous firent notre père et notre mère qui sont au ciel. Car, lorsque nous nous rejoignons dans la chambre nuptiale, nous connaissons la divine union, la lumière de la joie pure et*

43

l'essence du véritable amour qu'ont voulues El et Asherah pour leurs enfants sur terre.

À toi, qui as des oreilles pour entendre.

**« El et Asherah, et l'origine sacrée du *hieros-gamos* »,
Le Livre de l'Amour, tel que rapporté
dans le Libro Rosso.**

Les rêves de Maureen n'obéissaient qu'à leurs propres lois.

Ils étaient en général assez clairs : longues séquences, images cohérentes qui s'invitaient dans son sommeil, importants messages qui fournissaient des pistes à suivre. Jusqu'à cette nuit. Son rêve était chaotique, frénétique, images et sons s'entrechoquaient, certains en relation les uns avec les autres, d'autres non. Mais un élément constant s'imposait dans chaque fragment, quels que soient le lieu ou l'époque.

Le feu faisait rage sur la place de la ville, la substance qu'on avait répandue sur le bois pour qu'il s'enflamme plus vite et plus fort était efficace. Des centaines de personnes entouraient le bûcher et sa victime. Ou ses victimes ? La sueur ruisselait sur le visage des spectateurs, l'enfer semblait les dévorer. Tantôt la foule sanglotait, tantôt elle conspuait. Deux feux différents. Deux villes différentes. Tantôt l'une, tantôt l'autre, et ça recommençait. Dans la première ville, elle voyait les visages, bouleversés, terrifiés, tristes. Elle ne distinguait pas la victime, seulement les flammes qui s'élevaient et ceignaient de leurs tentacules la chair d'un être humain. Parmi les visages en larmes, Maureen en repéra un. L'homme était grand et vêtu simplement, un marchand sans doute, mais quelque chose dans son allure attirait l'attention. En dépit de son évidente détresse, il avait la prestance d'un roi. Elle vit une larme couler sur sa joue, sentit son insondable chagrin et sa culpabilité devant le drame dont il était témoin. Un éclair brillant explosa devant les yeux de Maureen, qui tourna son regard vers le bûcher. Il n'y avait plus de flammes ; une colonne de lumière blanche éblouissante s'élevait vers les cieux. Le ciel s'obscurcit, tourna au noir, et la lumière blanche scintilla un bref instant avant de disparaître.

Puis le rêve entraîna Maureen vers un autre feu et une autre victime, dans une autre ville, à une autre époque.

Dans cette multitude, les visages étaient hargneux. Tous appartenaient à des hommes, ceux en tout cas qui se pressaient le plus près du bûcher. Les huées qu'elle avait entendues au début de son rêve sortaient de leurs bouches. La foule vociférante jetait dans le feu des objets que Maureen ne pouvait identifier. Elle entonnait une étrange mélopée, un seul mot, répété à l'infini, que Maureen ne reconnaissait pas. Elle crut un instant entendre « nez de cochon », mais, même dans son rêve, l'hypothèse lui parut absurde. Elle ne voyait pas la victime, car les flammes semblaient plus hautes encore que dans sa première vision. L'atmosphère de cette ville était entièrement différente. La victime était manifestement honnie, et ceux qui étaient venus assister à son supplice se réjouissaient de sa mise à mort. Pour l'instant, la foule se maîtrisait, mais on sentait que la scène pouvait basculer dans le chaos d'un instant à l'autre. Les images commençaient à s'estomper, Maureen sentit qu'elle revenait à elle, mais, juste avant de reprendre conscience, elle eut une dernière vision de cette terrible exécution. À l'une des extrémités de la place, assez éloignée pour être à l'abri mais assez proche pour être effrayée à jamais par ce spectacle, se tenait une petite fille aux immenses yeux noirs écarquillés qui fixait la foule en colère et les flammes. Âgée de cinq ou six ans, guère plus, elle ressemblait à un pauvre petit oiseau sous-alimenté aux os fragiles. Pourtant, malgré son allure chétive, la fillette ne semblait ni affaiblie ni apeurée.

Le regard de l'enfant hanta Maureen longtemps après son réveil, mais elle n'y avait lu aucune crainte. Ses yeux reflétaient les flammes et Maureen y avait vu quelque chose qu'elle ne put identifier, quelque chose qui ne lui plut pas.

Dans les yeux de cette enfant, il y avait quelque chose de terrible, quelque chose de l'ordre de la folie.

**
* *

Congrégation de la Sainte-Apparition,

Le Vatican,

De nos jours

— Comment as-tu pu permettre ça? siffla Felicity DiPazzi en jetant un livre sur le bureau de son grand-oncle.

Les sourcils d'un noir charbonneux froncés sur ses grands yeux sombres, son visage étroit étincelait de colère. Peu lui importait qu'il soit vieux, faible et malade. Il avait des obligations. Et il avait échoué, lamentablement échoué, au moment où ils avaient le plus besoin de lui.

— Calme-toi, mon enfant, dit le père Girolamo DiPazzi en levant une main tremblante pour tenter d'apaiser son irascible petite-nièce.

Il l'aimait comme sa fille, et avait joué un grand rôle dans son éducation afin de faire d'elle son successeur incontestable au sein de la congrégation lorsqu'il n'aurait plus la force d'en assumer les responsabilités quotidiennes. Son indomptable passion pour leur cause lui donnait une force que rien n'arrêtait. Elle méritait bien son nom, soufflé à sa mère par Dieu, qui lui avait envoyé un rêve de la grande sainte Félicité alors qu'elle était enceinte de l'unique enfant qu'elle aurait jamais. Durant toute sa grossesse, elle eut d'autres visions de la sainte qui avait eu le courage de sacrifier ses sept fils

46

au nom de sa foi. Lorsque la fillette naquit un 10 juillet, le jour de la Sainte-Félicité, toute la famille DiPazzi comprit que revivraient en cette enfant le nom et la personnalité de la sainte venue d'un lointain passé.

Lors de ses études secondaires en Grande-Bretagne, elle avait anglicisé son prénom et il lui était resté, même après son renvoi de nombreux établissements pour « conduite aberrante ». Dès sa prime adolescence, elle avait été la proie de visions qui la possédaient littéralement, ce qui ne fut pas sans poser un sérieux problème aux écoles anglaises. On la ramena à Rome et elle entra dans une école religieuse où ses progrès seraient surveillés par des gens proches de sa famille et de sa foi. Lorsque ses visions furent authentifiées, la congrégation la choisit comme sainte patronne. Felicity était désormais une prophétesse reconnue, une visionnaire que les apparitions de Jésus et de la Sainte Vierge terrassaient au sol où elle se tordait en convulsions extatiques. Dans la mouvance intégriste, elle était depuis deux années l'objet d'un fanatisme exacerbé. Depuis que ses visions étaient devenues moins fréquentes, elle arborait des stigmates qui renforcèrent encore le culte qu'on lui portait. Lorsqu'on annonçait sa venue aux réunions de la congrégation, la foule s'y pressait, car assister à ses séances de vision était, certes, effrayant, mais aussi fascinant. Une de ces réunions avait lieu le soir même, et elle avait bien l'intention de faire sensation.

Lors de son retour en Italie, le père Girolamo DiPazzi avait offert une tablette à sa jeune nièce, afin de l'aider à s'adapter à sa nouvelle vie au couvent. Sur cette tablette en bois était gravée une citation de saint Augustin au sujet de sainte Félicité. La Felicity d'aujourd'hui l'avait apprise par cœur. Ce soir, elle comptait bien s'en servir.

Qu'il est beau, le spectacle offert à notre foi d'une mère qui choisit que ses enfants mettent fin à leur vie terrestre avant elle, en faisant fi de tous nos instincts humains. Elle ne se débarrassa pas de ses fils, elle les envoya à Dieu. Elle comprit qu'ils commençaient leur vie, plutôt qu'ils ne la finissaient. Non seulement elle assista à leur mort, mais encore elle les encouragea. Son courage est plus fertile que son deuil. En voyant leur force, elle fut forte. Et dans la victoire de chacun de ses enfants résida sa victoire.

Pour la famille DiPazzi, sainte Félicité était une mystique exceptionnelle, et la plus grande peut-être de tous les martyrs chrétiens si l'on considérait l'étendue de son sacrifice. Pour sa part, Felicity lui vouait un culte absolu. En plus de quatre-vingts années au service de l'Église, Girolamo n'avait jamais rencontré chez quiconque une ferveur religieuse comparable à celle de la jeune femme qui se tenait devant lui. Elle en tremblait, maintenant, incapable de contrôler sa vertueuse colère contre le livre qu'elle avait brandi devant lui. Il tenta de plaider sa cause.

— Qu'aurais-je pu faire pour l'empêcher ? Ce n'était pas en mon pouvoir, Felicity.

Le livre incriminé était posé sur le bureau, tel un silencieux ennemi. *Le Temps revient*, de Maureen Pascal. *La Légende du Livre de l'Amour.*

— Tu aurais pu l'en empêcher, elle, quand elle était ici.

Le prêtre secoua la tête. Il comprenait le sens de ces paroles. « Tu aurais pu l'en empêcher » signifiait en vérité : « Tu aurais dû la tuer. » À une époque de sa vie, il aurait été capable de donner un tel ordre. Mais il avait compris qu'il lui était impossible d'ordonner un meurtre en présence du Livre de l'Amour, et surtout pas ce meurtre-là. Pas après avoir ouvert le livre et compris ce qu'il était. Et ce qu'*elle* était.

Ce qu'il avait vécu ce soir-là, dans la cathédrale de Chartres, il se sentait incapable de le décrire à sa petite-nièce, ou à quiconque. Il avait attiré Maureen Pascal dans la crypte sous un prétexte fallacieux, afin de la mettre en présence du Livre de l'Amour, le plus précieux des trésors pour tout croyant en Jésus-Christ. Un évangile, écrit de sa main, mais indéchiffrable pour les théologiens érudits qui s'y essayaient depuis que le Vatican le dissimulait entre ses murs. Le texte résistait à la lecture depuis cinq siècles. Codé, écrit en diverses langues mystérieuses que les hommes ordinaires comme les chrétiens traditionalistes avaient oubliées depuis long-temps, le livre était verrouillé, à l'instar des précieux enseignements qu'il contenait. Pour les dévoiler, il fallait une clé.

Et cette clé était Maureen Pascal.

Tous les membres de la congrégation de la Sainte-Apparition avaient reconnu en Maureen une prophétesse aux immenses capacités. Ils avaient étudié la façon dont ses visions l'avaient conduite à la découverte de l'évangile d'Arques de Marie Madeleine, un fait unique dans les annales de la congrégation qui s'enorgueillissait pourtant d'avoir accueilli les plus grands visionnaires de tous les temps en ses huit siècles d'existence. Aucun n'y était parvenu. La découverte qu'elle avait faite en France lui conférait un statut tout à fait particulier. Ils avaient compris alors qu'elle était l'Élue, celle qui saurait aussi dévoiler les secrets du Livre de l'Amour. Ce qui hérissait Felicity DiPazzi.

Celle-ci avait été confrontée au livre sacré à plusieurs reprises. Les membres de la congrégation avaient alors prié avec ferveur pour qu'elle soit en mesure de leur en transmettre les secrets. Mais le livre se taisait, malgré les stigmates de Felicity, qui saignaient si abondamment lorsqu'elle se trouvait en sa présence que, la dernière fois, il avait fallu l'hospitaliser.

À chacune de ses visions, Felicity DiPazzi souffrait et saignait. C'est pourquoi elle croyait à leur authenticité. Pour mettre leur foi à l'épreuve, Dieu exigeait la souf-france des saints. Ceux qui prétendaient avoir des visions sans ressentir aucune douleur étaient des imposteurs, de faux prophètes. Il était vital pour elle de partager cette conviction avec les autres. Sa mission était de dire la terrible vérité contenue dans ses visions sur le Jugement dernier, et sur les pécheurs qui seraient jetés vivants dans leur propre sang bouillant s'ils ne se repentaient pas. La Vierge avait décrit avec précision le genre de mort qui attendait les incroyants et tous ceux qui n'étaient pas prêts à tous les sacrifices pour prouver leur amour de Dieu.

Felicity ne reculait devant aucune mortification. Elle portait sous ses vêtements un cilice d'une étoffe si rêche et si hérissée qu'elle lacérait ses chairs. Elle était si mince et d'une ossature si délicate qu'elle pouvait serrer l'instrument de torture étroitement autour de son corps, et le rendre invisible sous ses éternelles blouses à manches longues qui dissimulaient également les cicatrices sur ses bras. Elle se mutilait depuis l'âge de douze ou treize ans, lorsqu'elle avait commencé à graver dans la chair de ses bras et de ses jambes des croix, des épines et des clous. Les blessures qu'elle s'infligeait avaient laissé de profondes cicatrices. Mais elle savait que ces douleurs, cette souffrance et même le martyre étaient les plus belles offrandes que l'on puisse consacrer à Dieu. Comment aurait-elle admis l'authenticité d'une visionnaire comme Maureen Pascal? Cette femme ne pouvait être qu'une aberration, une blasphématrice, une hérétique qui ne méritait pas les dons dont Dieu l'avait comblée. Elle s'en servait à son profit, exploitait sa foi pour devenir riche et célèbre. Elle était pire que la putain de Babylone, plus abjecte que Jézabel; elle était Lilith, le serpent qui anéantirait le paradis.

Maureen Pascal devait être mise hors d'état de nuire. Si cela pouvait se produire – si la misérable existence d'une telle démone pouvait être annihilée –, Felicity pourrait peut-être accomplir enfin sa destinée. Cette horrible femme avait volé la place qui lui revenait de droit. Si Dieu n'accordait qu'à une seule prophétesse par époque le don d'ouvrir le Livre de l'Amour, éliminer l'indigne était indispensable. Tant que vivrait Maureen Pascal, les rôles étaient distribués. Mais si elle mourait, Felicity prendrait la place qui lui revenait de droit.

Elle fulminait de plus belle.

— Elle était la seule capable de déchiffrer le Livre de l'Amour. Tu l'as attirée ici pour qu'elle le fasse. Pour prouver une fois pour toutes qu'il n'était pas ce que prétendent les hérétiques. Et pour ensuite nous débarrasser d'elle.

La vérité redonna quelques forces au vieillard, qui se redressa dans son fauteuil.

— Mais il est ce que les hérétiques prétendent, mon enfant. Il est tout ce que nous redoutions, et même plus encore. Telle est, hélas! la situation dans laquelle nous sommes.

— Raison de plus pour en finir avec elle.

— Felicity, Dieu l'a choisie. Que cela nous plaise ou non, que nous comprenions ou pas son dessein, cela ne compte pas. Si Dieu l'a choisie, nous devons accepter sa décision.

— Tu as perdu tes esprits en même temps que ta foi, mon oncle.

Sa colère s'intensifiait. Elle semblait prête à le frapper et le vieil homme recula au fond de son siège tandis qu'elle se penchait au-dessus de son bureau.

— Tu ne comprends donc rien? Dieu me met à l'épreuve, afin que je prouve que je suis digne de la place que j'occupe en éliminant l'usurpatrice. C'est un don précieux, d'être sa prophétesse, de transmettre sa vérité telle que me l'a révélée la Sainte Vierge. La vérité ne peut pas sortir de la bouche impure d'une fornicatrice. C'est grâce à ma chasteté, à mes souffrances, que la vérité peut être dite et que nous sauverons les pécheurs qui se repentiront. Et que les impénitents mourront et rôtiront en enfer, en juste châtiment.

Impuissant, le père Girolamo observait sa petite-nièce. Il avait essayé de lui expliquer ce qu'il s'était passé à Chartres, mais elle n'avait pas voulu l'entendre. Les dirigeants de la congrégation avaient compris que Maureen ne coopérerait jamais avec des prêtres considérés comme la minorité la plus radicale au sein de l'Église – et en fait plutôt hors de l'Église. C'est pourquoi on l'avait amenée à Chartres sous un faux prétexte. Ils avaient imaginé de lui proposer un compromis, de la persuader, en l'achetant ou par d'autres moyens, de les rejoindre et de travailler pour la congrégation. Ils voulaient que Maureen se renie, et avoue qu'elle avait falsifié ses découvertes au sujet de Marie Madeleine. Or elle avait publié ses recherches et convaincu ses millions de lecteurs que Marie Madeleine était non seulement l'épouse de Jésus, mais aussi celle qu'il avait choisie pour lui succéder et la probable fondatrice de la chrétienté après la Crucifixion. En vérité, Marie Madeleine était l'apôtre des apôtres, mais lui reconnaître ce rôle, preuves à l'appui, affaiblirait l'autorité de l'Église. Le travail de Maureen remettait en question de nombreux points cruciaux de la tradition catholique, notamment l'interdiction d'ordonner des femmes. Mais le plus intolérable était l'affirmation selon laquelle Jésus et son épouse légitime et bien-aimée pratiquaient une sexualité sacrée et que cette tradition dite du *hieros-gamos* était la pierre angulaire des débuts de la chrétienté. Pour une institution qui, depuis un millier d'années, exigeait de son clergé le vœu de célibat, admettre que la sexualité était sainte et sacrée était absolument impensable et même blasphématoire.

La congrégation ne laisserait pas une profane américaine, une femme de surcroît, mettre à mal les traditions sans se battre. Ses membres les plus influents avaient décidé que le plus efficace serait d'amener l'hérétique à se renier. Ainsi avaient-ils fomenté le plan de la piéger et de la soumettre à un chantage pour qu'elle modifie sa version des faits. Ils savaient que ce n'était pas gagné d'avance. Si elle refusait, ils étaient prêts à l'éliminer.

Mais tout ceci s'était passé avant que Maureen ne soit mise en présence du Livre de l'Amour, sur le sol sacré de la cathédrale de Chartres, au soir du solstice d'été. Avant que le Livre ne soit ouvert et ne se dévoile, en auréolant le père Girolamo d'une exquise lumière bleue, en le plongeant dans le plus parfait des états d'amour, la sensation de la présence de Dieu sur terre. Avant que le père Girolamo DiPazzi ne comprenne que le Livre de l'Amour était l'authentique message de son Seigneur et qu'anéantir la seule femme qui savait ce qu'il était et ce qu'il disait serait un péché trop épouvantable pour qu'il le commette.

— Pourquoi l'as-tu laissée partir, et publier son histoire? cracha Felicity avec mépris en désignant le livre qui était sur le bureau. Ce n'était pas le plan, mon oncle. Aucun homme, aucune femme depuis les cinq cents ans d'existence de notre clan n'a montré une faiblesse égale à la tienne ce jour-là. Ah! après tout ce temps! Ahhhh!

Incapable de trouver les mots, elle hurlait sa rage.

— C'est inconcevable ! Et maintenant, regarde ce qu'elle a fait ! Ses blasphèmes contaminent le monde entier, toi compris !

Le coup était cruel. À la suite de son entrevue avec Maureen et de son contact avec le Livre de l'Amour, il avait fallu sortir le père Girolamo de la crypte sur une civière. Il avait eu une attaque la nuit même et n'en était pas complètement remis deux ans après. Bien qu'ayant recouvré la parole, il était très affaibli et en partie paralysé. Le prêtre avait considéré sa maladie comme le juste châtiment de Dieu, et comme un avertissement solennel : il ne fallait plus attenter à la vie de Maureen. Il avait essayé de l'expliquer à Felicity et aux plus enragés des membres de la congrégation, mais ils s'étaient montrés sourds à ses réflexions et n'en étaient devenus que plus farouchement fanatiques.

Cette nuit-là, deux membres de la congrégation l'avaient accompagné dans la crypte, des hommes de main choisis pour leur extrémisme. Sectaires parmi les sectaires, les deux hommes étaient prêts à tuer Maureen pour protéger les secrets de l'Église, ceux du moins dont ils avaient été instruits. Mais ils avaient subi eux aussi les conséquences des événements de la soirée. Le plus cruel des deux mourut dans son sommeil une semaine plus tard. Le cœur de cet homme jeune et bien portant cessa simplement de battre. L'autre vivait encore, mais dans un état végétatif. Il n'avait pas prononcé une seule parole en deux ans. Sa pitoyable existence se poursuivait dans une institution suisse pour handicapés mentaux.

Non, ceux qui n'y avaient pas assisté ne saisiraient jamais ce qui s'était passé ce soir-là.

— Tu ne peux pas comprendre, Felicity, mais je te conjure de ne pas t'en occuper. C'est plus... beaucoup plus grand que tu ne peux l'imaginer. J'ai peur pour toi. Peur que ce ne soit toi qui en pâtisses si tu t'en prends à Maureen Pascal. Dieu ne veut pas qu'on lui fasse de mal.

Felicity cracha sur son grand-oncle, ses yeux se levèrent vers le ciel et elle invoqua son inspiratrice Félicité, qui sembla soudain s'emparer d'elle et parler par sa voix.

— Comment oses-tu me dire quelle est la volonté de Dieu? gronda-t-elle avec la ferveur de la sainte ancestrale. Je l'entends clairement. Et je prie pour qu'il te pardonne ta faiblesse et tes mauvaises intentions. Seul le diable pourrait essayer de m'empêcher d'accomplir un sacrifice ultime pour la plus grande gloire de Notre-Seigneur!

Le père Girolamo s'appuya au dossier de son siège, épuisé et découragé. Apparemment, sa nièce avait repris possession de son corps, mais ses yeux brillaient encore d'un éclat fiévreux. Elle s'empara du livre infamant posé sur le bureau et fit brusquement volte-face pour sortir de la pièce.

— Que vas-tu faire, Felicity? lui demanda-t-il d'une voix faible.

Lorsqu'elle se retourna, elle affichait un petit sourire satisfait.

— J'apparais ce soir, mon oncle. Ne me dis pas que tu es fatigué au point de l'avoir oublié. Et je suis certaine que Notre-Dame aura beaucoup à dire sur la fornicatrice qui blasphème au nom de son chaste fils, dit-elle en crachant sur le livre. Je vais m'assurer que la congrégation comprenne bien qui est l'ennemi.

Il hocha tristement la tête, sachant qu'il n'avait aucun moyen de s'opposer à ce qui allait arriver.

— Et après? Où iras-tu après?

— À Florence.

— Pourquoi Florence?

— Savonarole, se contenta-t-elle de répondre, sachant qu'il comprendrait.

Après tout, son oncle portait le nom de leur célèbre ancêtre. Il s'appelait en fait Girolamo Savonarola DiPazzi. Un patronyme qu'il avait, jusqu'au cuisant échec de Chartres, dignement assumé.

— D'ailleurs, ajouta-t-elle, Destino y sera.

Elle prononça ce nom avec la haine qu'elle réservait d'ordinaire à sa bête noire personnelle, l'Américaine aux

cheveux rouges. Destino était l'ennemi de la congrégation depuis des siècles. De lui aussi, elle souhaitait se
débarrasser. Cependant, éliminer la créature maudite
une fois pour toutes était la priorité, car sa disparition
porterait un coup fatal à Destino. Elle représentait tout
ce qu'il avait espéré bâtir.

Felicity se détourna et sortit sans un regard pour son
oncle, qui la vit s'éloigner avec plus d'anxiété qu'il n'en
avait éprouvé tout au long de sa vie mouvementée.

Quelqu'un allait bientôt mourir. Il le savait avec certitude. Mais il ne savait ni qui ce serait ni, à ce stade, qui
il souhaitait que ce soit.

Villa Careggi,

Environs de Florence,

4 juillet 1442

Cosimo de Médicis attendait impatiemment l'arrivée
de son honorable invité. La venue de René d'Anjou à
Florence était une affaire d'État et les membres du
Conseil de la République, la *Signoria*, s'y préparaient
depuis des mois. En tout premier lieu sur le plan politique. René était extrêmement populaire en France, où
ses nombreux titres témoignaient de l'extraordinaire
puissance qu'il pouvait déployer en cas de nécessité. Il
était comte de Provence, roi de Naples et de Jérusalem
– des territoires avec lesquels il serait crucial pour Florence de nouer des alliances si la République florentine
avait besoin d'aide en période de crise. La puissance
militaire de Naples, surtout, était un atout d'une importance capitale dans les alliances italiennes.

Cependant, en dépit de sa réputation de bienveillance
et de son surnom de « bon roi René » – tous honneurs à

lui rendus par ses compatriotes français –, les Florentins, par nature, se méfiaient des étrangers et tout particulièrement de l'avidité territoriale de la noblesse française. Que Naples appartînt aux Français irritait bon nombre d'Italiens. Les Florentins, pour leur part, savaient que cela aurait pu être bien pire : la famille espagnole d'Aragon, plus agressive politiquement et spirituellement plus rigide, nourrissait également des visées sur Naples. Au moins le roi René était-il un jeune homme séduisant, instruit, courtois, et exaltait-il un idéal humaniste progressiste, des qualités que le peuple de Florence, épris de culture, appréciait à leur juste valeur. Demeurait que les négociations avec le roi aux multiples couronnes seraient délicates à mener.

La *Signoria* avait débattu des avantages et des inconvénients d'une alliance avec René, tout en ouvrant ses coffres pour offrir à son invité une fête de bienvenue somptueuse, digne de Florence. Cosimo de Médicis s'était tenu relativement à l'écart de ces grandes manœuvres politiques. Il était certes l'homme le plus puissant et le plus influent de la république de Florence, mais son intérêt pour René d'Anjou était purement personnel et profondément secret. Quel que soit le résultat des gesticulations diplomatiques qui se dérouleraient au cours des semaines à venir, Cosimo savait que René ne lui ferait jamais défaut s'il venait à avoir vraiment besoin de lui. La preuve en serait faite lors de ce rendez-vous dans l'intimité de la villa Careggi, à l'abri du regard des curieux qui pullulaient dans l'enceinte de la ville. L'arrivée officielle du roi et la réception offerte en son honneur auraient lieu dix jours plus tard. René était entré dans la région incognito, pour mener à bien une mission secrète. C'était un séjour dont les citoyens de Florence ne sauraient rien, une réunion dont seuls seraient témoins quelques rares élus et les pierres des murs de l'élégante retraite de Cosimo.

— Mon cousin ! Quel bonheur de te revoir !

Le noble Français, connu pour sa spontanéité chaleureuse, serra Cosimo sur son cœur aussitôt la porte refermée sur eux. Le sourire de Cosimo s'épanouit en entendant la formule qu'avait employée René. Il répondit sur le même registre.

— C'est un bonheur pour moi, mon cousin. Merci d'être venu.

Tout Florentin témoin de cet échange aurait été profondément intrigué. René d'Anjou appartenait à la famille royale de France et descendait de deux des lignées les plus prestigieuses d'Europe, la dynastie d'Anjou et celle d'Aragon en Espagne. Il pouvait s'enorgueillir de nombreux titres héréditaires. Comparé à lui, Cosimo de Médicis était un roturier, l'un des plus riches et des plus puissants d'Europe, certes, mais issu d'une famille de marchands. Comment un prince de sang royal pouvait-il appeler « cousin » un banquier italien ? Ce secret était plus précieux que l'or, il signifiait la vie ou la mort pour ceux qui le détenaient.

René raconta rapidement son voyage et Cosimo le fit entrer dans son élégant *studiolo*. Les portes de sa bibliothèque personnelle ne s'ouvraient que pour quelques amis intimes et les membres de sa famille. Dans la tradition florentine, même les épouses n'étaient pas admises dans les lieux d'étude privés de leur mari. Cosimo avait respecté cette tradition, bien que marié depuis longtemps à une femme qu'il aimait. Entre ces murs, ses secrets seraient bien gardés.

— Je viens de Sansepolcro. On me dit que tu as complètement pacifié ce territoire.

Cosimo hocha la tête. Il avait acheté Sansepolcro pour l'ajouter aux territoires florentins de Toscane, mais avait effectué cette dépense sur la fortune des Médicis. Ce n'était pas seulement une acquisition politique stratégique. C'était aussi un choix personnel. La ville médiévale cernée de remparts fondée au Xe siècle était une terre sacrée pour les Médicis, car les Mages y avaient vécu pendant cinq cents ans.

— Comment se porte notre maître bien-aimé ? Est-il en route ? s'enquit Cosimo.

— Fra Francesco est en bonne santé. Il me suit d'assez près. Je ne l'avais pas vu depuis mon enfance, et il n'a pas changé du tout. C'est stupéfiant.

Un sourire sagace effleura les lèvres de Cosimo, transformant son visage souvent grave et peu amène en un paysage où transparaissaient l'intelligence et l'esprit. Se souvenir de son maître et des périodes bénies qu'il avait passées sous sa houlette lui donnait toujours le sourire. Le vieillard connu sous le nom de Fra Francesco avait dispensé son enseignement aux deux hommes et leur avait fait comprendre qu'ils étaient cousins par un sang très ancien, ainsi que par l'esprit. Fra Francesco était un homme incomparable. Il était le doux et très impressionnant maître d'une société ancestrale à laquelle les deux hommes avaient juré fidélité jusqu'à la mort : l'ordre du Saint-Sépulcre. L'Ordre était solidement implanté à une journée de cheval de Florence, dans une petite ville fortifiée qui portait son nom et appartenait désormais aux Médicis : Sansepolcro.

— Tu sais bien qu'il ne changera jamais, répliqua Cosimo. Mais je te remercie d'avoir accepté de venir parler de cette date qui compte tellement. Nous devons nous y préparer activement.

— Comment aurais-je pu refuser ? La date est écrite dans les étoiles, et nous devons nous assurer de la célébrer comme il convient. Tous les membres de l'Ordre se sentent concernés, et je ferai mon devoir, comme cela a été décidé. Quand cet enfant est-il destiné à arriver ?

— Nous avons rassemblé les prédictions des Mages, comme nous l'a conseillé Fra Francesco. Toutes concordent. Vu le positionnement de Mars en Poissons, les étoiles indiquent l'année 1449. Si tout se passe bien, l'enfant naîtra le 1er janvier et sera baptisé cinq jours plus tard, lors de la fête de l'Épiphanie. Tout devra être soigneusement calculé d'avance, mais, comme tu le sais, nous avons déjà connu le succès dans le passé. Et, cette fois-ci, il faut réussir avec plus de précision encore. Une telle naissance donnera à l'enfant les exactes influences astrales exigées par la prophétie. Voilà pourquoi nous devons commencer les préparatifs dès maintenant. Dénicher la mère idéale peut prendre des années.

Nul ne connaissait plus intimement la puissance de cette ancienne prédiction que René d'Anjou. Il était le Prince Poète en titre, l'enfant béni reconnu par l'Ordre en vertu de sa naissance divine et de son destin. Sa voie avait été tracée par sa lignée et par sa date de naissance, et il s'était efforcé d'y répondre au mieux de ses capacités. La référence de Cosimo à la nécessité de précision avait fait tressaillir René, car elle le renvoyait à sa propre naissance, qui avait eu lieu deux semaines trop tard. Bien que le positionnement des étoiles fût encore celui préconisé par la prophétie, il avait compris dès son jeune âge qu'il décevrait toujours un peu. Certes, il était un Prince Poète, mais pas *le* Prince Poète. Le malheureux hasard de sa naissance le hantait chaque fois qu'il commettait une erreur ou semblait faillir à ses devoirs envers l'Ordre et sa mission sacrée.

René ferma les yeux et récita la prophétie du Prince Poète, qui avait coloré sa vie de nuances extrêmes de clair et de foncé depuis que sa naissance avait été prévue par les Mages.

Le Fils de l'Homme choisira
L'heure du retour du Prince Poète.
Lui qui est l'âme de la terre et de l'eau
Né du mystérieux royaume de la chèvre de mer
Et de la lignée des bénis.
Lui qui engloutira l'influence de Mars
Et exaltera celle de Vénus
Pour incarner le triomphe de la grâce sur la violence.
Il inspirera les esprits et les cœurs des peuples
Pour éclairer leur route
Et leur montrer le Chemin.
Tel est son destin,
Et de connaître un grand amour.

Les yeux embués de larmes, le bon roi René regarda son vieil ami.

— Comme tu le sais, je n'ai pas été le plus parfait des princes, mais j'ai eu la chance de connaître un grand amour. J'ai une fille née le jour de l'équinoxe, héritière de sa prophétie personnelle. Pour ma part, j'ai consacré tous mes efforts à accomplir de mon mieux toutes les tâches qui m'étaient confiées pour le bien de l'Ordre, et pour préserver nos traditions. Mais je dois t'avouer que je ne regrette pas de céder mon titre. Quand cet enfant sera né, je dormirai mieux, car il viendra dans le respect des règles voulues par Dieu. Je m'endormirai alors, pour de bon.

— Ne parle pas de la sorte, René. Tu es encore très jeune, et tu as encore de grandes choses à vivre et à accomplir sur cette terre.

Le duc d'Anjou était venu à Florence sur la requête de Fra Francesco, le très honoré maître de l'ordre du Saint-Sépulcre, afin d'abdiquer de son titre de Prince Poète en faveur de l'enfant dont la naissance était prédite. La date de cette rencontre avait été minutieusement calculée par les astrologues de l'Ordre, connus sous le nom de « mages », en l'honneur des prêtres-rois qui avaient annoncé la naissance de Jésus, quelque mille cinq cents ans plus tôt. Les Mages d'aujourd'hui étaient des hommes de grande culture, instruits de la pensée des anciens, familiers des enseignements de Zoroastre et de la Kabbale, experts en l'étude des Oracles sibyllins. Le mysticisme égyptien, la numérologie chaldéenne et la lecture des planètes n'avaient pas de secrets pour eux. Les Mages savaient que l'astrologie était un don de Dieu, le sceptre du pouvoir lorsqu'elle était pratiquée par l'intelligence, l'âme et la libre volonté de ceux qui étaient assez éclairés pour l'utiliser correctement. En fait, c'était l'outil suprême pour accomplir la volonté de Dieu.

Les Mages recherchaient inlassablement les enfants extraordinaires que devait voir naître cette génération. « Le Temps revient » était la devise ancestrale au nom de laquelle ils vivaient, et les étoiles indiquaient que des hommes et des femmes aux dons exceptionnels apparaîtraient au cours des décennies à venir. Il existe dans l'histoire des cycles de grandeur, des périodes prédéterminées par Dieu où naissent des âmes angéliques et évoluées, destinées à améliorer le sort de l'humanité. Les Mages et les sages de l'Ordre ne s'étaient jamais contentés de s'en remettre au hasard. Grâce à leur connaissance de l'astrologie, ils s'assuraient que certains enfants fussent conçus en temps et en heure, dans la pureté qui leur offrirait la bénédiction divine lors de leur naissance et tout au long de leur vie. Convenablement guidée et instruite, cette génération créerait un nouvel âge d'or, une renaissance de l'humanité qui allierait la sagesse ancestrale et la pensée progressiste pour se projeter dans une époque de paix et de prospérité. C'était une vision divine d'unité, un temps où tous les hommes et les femmes comprendraient ce que signifiait être *anthropos* – parfaitement accompli – comme le décrivait le texte sacré de l'Ordre, le Libro Rosso.

Ce grand cahier rouge se transmettait de génération en génération grâce à l'Ordre. Il renfermait une copie exacte du dernier Évangile, écrit par Jésus, connu sous le nom de « Livre de l'Amour ». Selon la tradition de l'Ordre, Jésus avait remis ce précieux document à Marie Madeleine afin qu'elle continuât de prêcher sa parole après son départ. L'Évangile original, de la main de Jésus, s'était perdu dans les méandres de l'histoire, mais l'apôtre Philippe l'avait recopié mot à mot. Cette copie était désormais reliée de cuir rouge, d'où son nom de « Libro Rosso ». On y lisait aussi l'histoire de l'Ordre et les vies de nombreux saints, dont beaucoup étaient reconnus par l'Église. Les récits de ceux qu'elle avait exclus, en revanche, s'écartaient considérablement de la version adoptée par Rome. On y trouvait enfin des prophéties, dont celle du Prince Poète. Le Libro Rosso était entre les mains de la famille royale française depuis des siècles et René, le Prince Poète de son temps, en était le dépositaire.

Le duc d'Anjou se passa une main dans les cheveux et soupira en s'enfonçant dans un fauteuil en velours rouge.

— Cet enfant, cet enfant... Il faut que tu saches, Cosimo, que son sort est une malédiction tout autant qu'une bénédiction. Il est difficile de vivre au nom de la prophétie. Mais nous tous qui avons été élus, nous devons nous rappeler que c'est Dieu qui nous a choisis. Jamais, au grand jamais, nous ne devons négliger cette responsabilité.

Selon les présages, le prochain Prince Poète appelé à éclairer le monde serait le fils de Piero, fils aîné de Cosimo. Il leur fallait maintenant trouver la bonne « Marie », qui épouserait Piero et préparerait à son grand destin l'enfant qu'ils engendreraient ensemble.

— Ton petit-fils recevra l'enseignement du maître, comme nous-mêmes, reprit René. Et notre exemple servira à éviter certaines erreurs.

— Tes conseils nous seront plus que précieux pour accomplir au mieux la tâche qui nous est impartie.

René y avait longuement réfléchi après avoir quitté Sansepolcro, la veille. Quand le maître lui avait annoncé que le prochain Prince Poète naîtrait chez les Médicis, il avait compris qu'il était temps pour lui de transmettre le flambeau et d'être déchargé de son fardeau. En vérité, cette éventualité le soulageait d'un grand poids. Il était encore jeune, mais il se sentait souvent las, écrasé par les responsabilités qu'il devait assumer. La tâche était devenue trop lourde pour ses épaules. Certes, René d'Anjou avait connu de grandes joies, mais il avait aussi subi sa part de tragédies. L'une d'elles le hantait jour après jour, et le hanterait jusqu'à son dernier souffle, jusqu'à ce qu'il pût implorer son pardon, au ciel.

Jeanne.

On la connaissait sous de nombreux noms depuis le funeste jour de son exécution, onze ans auparavant. La Pucelle d'Orléans. Jeanne d'Arc. Même les Anglais se signaient en parlant de celle qu'ils nommaient la « fille de Dieu », murmurant que l'Église avait commis une abominable erreur en la condamnant à mort pour hérésie. Pour le roi René, Jeanne avait représenté beaucoup plus encore : elle était sa sœur spirituelle, la protégée de sa famille, l'Élue, l'espoir de la France... et son plus cuisant échec personnel. Il était inimaginable qu'il n'eût pas réussi à la protéger; et impardonnable qu'il n'en eût pas eu le courage. Il se méprisait, telle était la cause des insomnies qui torturaient ses nuits depuis ce jour de mai 1431 où Jeanne avait été brûlée vive pour expier le crime d'entendre trop clairement les voix des saints et des anges.

En étant totalement honnête avec lui-même, avec l'Ordre et avec son Dieu, René reconnaissait que, son goût pour les plaisirs terrestres aidant, le courage lui avait manqué. Il en rejetait la responsabilité sur son jeune âge : il n'avait alors que vingt-deux ans, trois seulement de plus que Jeanne. Assez jeune, donc, pour faiblir sous ce lourd fardeau. Il n'avait pas voulu risquer tout ce qu'il possédait, tout ce qu'il était, pour tenter de sauver celle qu'il aimait plus qu'une sœur, la prophétesse qui dissimulait sous un corps de jeune fille son être angélique. René savait qu'elle avait été conçue et élevée en fille de Dieu, mais, par sa passivité, il l'avait laissée mourir au moment où elle avait le plus besoin de lui.

Depuis, le bon roi René vivait dans un enfer quotidien, qu'il ne souhaitait pas à l'enfant innocent qui allait bientôt naître de la terrible prophétie.

Il s'éclaircit la voix avant de répondre :

— Dis à ton futur petit-fils... qu'il devra avoir le courage de dix mille lions et, surtout, qu'il ne doit pas avoir peur de Rome et de ses menaces. Les anges et les innocents qui vivent parmi nous doivent être protégés à tout prix.

Il se tut un instant, au souvenir de sa propre forfaiture.

— Tu sais que les Mages annoncent la venue de nouveaux êtres angéliques, et que le Temps revient. Il faudra prendre soin d'eux. Le jeune prince va naître pour les guider. Il ne devra jamais renoncer à ce qu'il reconnaîtra comme son devoir, car un seul faux pas peut provoquer l'échec des grands projets de Dieu. Je ne le sais que trop. *Car, si Dieu dessine les contours de notre destin...*

Cosimo acheva la phrase commencée par son ami, qui était l'un des principes des enseignements de l'Ordre :

— ... *Il nous laisse libres de l'accomplir – ou pas.*

Puis il continua d'écouter attentivement les propos de René, en s'efforçant de les mémoriser. Il voyait les rides profondes qui creusaient le visage du roi, ce visage où autrefois seuls le rire et les mots d'esprit imprimaient leur marque. Ces onze années de remords l'avaient brutalement et prématurément vieilli.

— J'ai cédé aux pressions des chacals de Rome, Cosimo, et de leurs hommes de main de Paris, de soi-disant prêtres. Je les méprisais, je les savais corrompus, depuis toujours, mais je craignais plus encore leur pouvoir.

Sa voix tremblait tandis qu'il avouait sa faute à l'un de ses plus vieux amis, sans craindre qu'il le trahît un jour.

— Je... j'aurais pu la sauver.

Il ne réussit pas à poursuivre. Écrasé par toutes ces années de culpabilité et de douleur, le roi de Naples et de Jérusalem éclata en sanglots convulsifs. Cosimo ne dit mot, laissant son ami, son cousin par le sang et par l'esprit, donner libre cours à son chagrin.

René se calma enfin, s'essuya les yeux et releva la tête.

— Je l'ai trahie. J'ai trahi l'Ordre. J'ai trahi Dieu. Fra Francesco dit que j'ai été pardonné. Mais je ne peux le croire, car, moi, je ne me suis pas pardonné. Aide-moi, mon ami, à me repentir de mes fautes en élevant cet enfant jusqu'à la hauteur des tâches du Prince Poète de la prophétie. Qu'il connaisse mes erreurs, et qu'il sache ne pas les répéter. Au nom de ce qu'il peut devenir, je lui fais don du trésor le plus précieux de notre héritage, dont fait partie le très saint Libro Rosso, car il appartient à ceux qui en sont dignes.

René glissa une main derrière sa tête pour détacher une longue chaîne en argent dissimulée sous ses vêtements. Lorsqu'il eut enlevé ce collier, Cosimo aperçut le pendentif, un petit reliquaire orné d'un fermoir en argent. René se leva et vint placer l'objet entre les mains de son ami.

— C'était à Jeanne, reprit-il en marchant de long en large et en marquant une pause pour souligner l'importance de ses paroles. Son talisman, conservé à travers les temps par l'Ordre, et qui lui fut remis le jour de l'équinoxe lorsqu'il devint évident qu'elle était... ce qu'elle était. Dès qu'elle eut l'âge de comprendre son pouvoir, Jeanne le porta tous les jours de sa vie. Au matin de son arrestation, il tomba par terre et on le retrouva à l'endroit où on l'avait habillée pour la dernière fois. La chaîne était brisée. Elle n'a pas dû s'apercevoir qu'elle l'avait perdu, car elle ne serait pas partie sans lui. Je prétends qu'elle n'aurait pas été arrêtée si elle l'avait porté ; elle serait ici, avec nous. Son pouvoir de protection est illimité. Elle le portait pendant les plus farouches des batailles dont elle n'aurait jamais dû sortir vivante. Et pourtant, elle les remportait, sans souffrir aucune blessure.

René s'approcha de Cosimo et mit une main sur son épaule.

— Ce talisman détient un grand pouvoir, Cosimo. Explique cela à l'enfant, et assure-toi qu'il le portera tous les jours. C'est une protection plus puissante qu'une armure. Il sauvera peut-être un jour sa vie, comme il aurait pu sauver celle de Jeanne.

Cosimo s'approcha d'une lampe posée sur son bureau pour mieux voir l'amulette.

C'était un médaillon ovale, dont une des faces glissait vers le haut, comme le couvercle d'une petite boîte, et révélait le sceau de cire rouge qui servait à protéger et à authentifier les objets religieux. Le sceau était si ancien et si abîmé qu'il était impossible de préciser l'image d'origine, mais on distinguait de minuscules étoiles qui encadraient une forme ronde, gravée au centre de la cire.

Bien que plus petit que l'ongle du pouce de Cosimo, le boîtier était parfaitement conservé et s'ornait d'une miniature représentant Marie Madeleine, à genoux devant la croix et enlaçant les pieds de son bien-aimé agonisant. Le seul autre élément était un temple à colonnades de style résolument grec perché sur une colline derrière la scène de la Crucifixion. Il ressemblait à l'Acropole d'Athènes, l'autel édifié à la gloire de la sagesse et de la force féminines.

Cosimo retourna le boîtier pour voir la relique. Elle était minuscule, à peine visible : un éclat de bois, maintenu en place par une sorte de résine, au centre d'une fleur en or. Sous la relique se trouvait un copeau de papier où l'on déchiffrait difficilement les lettres « V. CROISE ».

C'était une abréviation que l'éducation de Cosimo lui permit de comprendre, même ainsi écrite dans l'ancien français des troubadours : *Vraie Croise*. Il releva la tête.

— Ceci est un morceau de la vraie Croix, mon ami, la relique la plus sacrée de l'Ordre.

— En effet. Elle protégera ton petit-fils des dangers d'un monde souvent hostile à ceux qui veulent le transformer.

Cosimo se saisit de l'amulette avec gratitude, conscient de la portée prophétique de cet ultime échange.

— Oui, elle lui sauvera la vie, pour déterminés que soient ses ennemis à la lui ôter.

Il devait s'écouler plusieurs heures avant l'arrivée des autres invités et la réunion officielle de l'Ordre. Cosimo avait imaginé la mélancolie que pourrait ressentir son ami en ce jour, et prévu pour lui une distraction qu'il apprécierait sans aucun doute. Dans la chaleur dorée de l'après-midi toscan, il guida le duc d'Anjou vers un cellier à pommes situé du côté des écuries. René le suivait, perplexe. Cosimo de Médicis lui réservait certainement une surprise. Et René était relativement sûr qu'il ne s'agissait pas de pommes.

— L'art sauvera le monde, dit Cosimo en souriant, et René répéta la phrase après lui.

Selon la tradition de l'Ordre, c'étaient des paroles prononcées par saint Nicodème, le premier artiste à avoir créé une œuvre d'art chrétien. Sa splendide sculpture du Christ crucifié était source de maintes légendes en Toscane, où elle était exposée de façon permanente en l'ancienne ville de Lucques. Nicodème et son protecteur Joseph d'Arimathie avaient assisté à la crucifixion et aidé à descendre le corps de Jésus de la croix. Après le vendredi saint, Nicodème avait sculpté le premier crucifix, en l'occurrence une version grandeur nature de l'image qu'il ne pouvait effacer de son esprit. Le visage de Jésus qu'il avait gravé était considéré comme si sacré que l'on appelait l'œuvre le *Volto Santo*, la Sainte Face.

Le jour de la première pâque, Joseph, Nicodème et un autre artiste respecté que l'histoire connaîtrait sous le nom de saint Luc avaient fondé l'ordre du Saint-Sépulcre, afin de perpétuer les enseignements de Jésus consignés dans le Livre de l'Amour. Lorsque, en ce jour béni, Jésus annonça sa résurrection à Marie Madeleine, les trois hommes furent convaincus qu'elle était le successeur choisi par leur Messie. Les enseignements du Livre perdureraient à travers celle que l'Ordre se donna pour mission de protéger, ainsi que ses enfants et tous ses descendants à travers les âges. Et ils jurèrent surtout de protéger les vrais enseignements, le Chemin de l'Amour que Jésus avait tracé pour ses disciples. Il arriva souvent que l'Ordre fût obligé de les préserver grâce à des symboles secrets codés, exprimés dans des œuvres d'art ou des livres.

De ce fait, René, à l'instar de Cosimo et des autres dignitaires de l'Ordre, était un mécène avisé. Il attendait avec joie le moment où il pourrait se consacrer à l'art, à la musique et à l'architecture plutôt qu'à la politique. L'art était le langage que partageaient les membres de l'Ordre pour transmettre la vérité, et Cosimo comme René ne cessèrent jamais d'explorer de nouvelles voies d'expression par la création de la beauté des enseignements secrets.

Tandis que les deux hommes approchaient du cellier, René s'arrêta pour écouter la douce mélodie qui en traversait les portes fermées.

— On chante, ici, Cosimo ? Les pommes de Toscane sont-elles donc magiques ?

— Non, ce sont des artistes capricieux qui sont en retard sur leurs commandes. Leur seule magie est de peindre.

René était stupéfait. Cosimo jouissait de la réputation d'un mécène bienveillant, généreux avec les créateurs, dont il entretenait parfois les familles, et qui ne manquait jamais de faire la morale aux autres mécènes afin qu'ils fussent plus magnanimes.

— Toi ! Tu enfermes tes artistes dans une cave !

— Je ne le fais pas d'habitude. Mais Lippi est l'exception à toutes les règles.

— Lippi ! hoqueta René. Tu as enfermé Fra Filippo Lippi là-dedans ?

— Eh oui ! fit Cosimo, désinvolte. Et, à l'entendre, il ne semble pas vraiment malheureux... n'est-ce pas ?

René ne put qu'acquiescer. Il émanait de la voix qui venait du cellier une joie bouillonnante, explosive, même. Que Filippo Lippi, le plus éminent des artistes florentins de l'époque, en fût la source, voilà qui avait de quoi surprendre. Les fresques de Lippi étaient considérées comme si sublimes que le roi de France en personne souhaitait l'attacher à sa cour. Mais Lippi n'aurait quitté Cosimo de Médicis et Florence pour rien ni personne au monde, roi de France, roi de l'univers ou salaire de roi. En dépit de ses extravagances, Fra Filippo Lippi était inconditionnellement fidèle au mécène qui le protégeait des périls du monde.

Ce qui rendait l'art de Lippi transcendant était son extraordinaire capacité à capter le divin, avec lequel il avait établi une communication directe. Il était l'un des membres de ce que Cosimo appelait son « armée des anges », un groupe d'artistes suprêmement doués qui possédaient le talent de transcrire les inspirations et les enseignements divins sur la toile et dans le marbre. Au sein de l'Ordre, on les appelait les « Angéliques ». La venue de ces scribes d'une nouvelle ère avait elle aussi été prédite par les Mages. Les dénicher et favoriser leur art était une des passions de Cosimo, qu'il avait satisfaite au-delà de toute espérance avec Lippi et un remarquable sculpteur connu à Florence sous le nom de Donatello. Ces hommes étaient des génies pétris d'inspiration divine et, par conséquent, peu susceptibles d'être impressionnés par une quelconque autorité terrestre. Les vertus qu'ils incarnaient n'étaient pas de nature à leur procurer une vie harmonieuse sur terre. Lippi et Donatello étaient réputés pour leur mauvais caractère et, seul de tous les mécènes de Florence, Cosimo avait réussi à s'entendre avec eux. Aucun autre mécène ne saisissait vraiment qui ils étaient ni ce qu'ils représentaient.

René d'Anjou, lui, en sa qualité de membre de l'Ordre, le comprenait, même s'il n'avait de sa vie eu l'occasion d'approcher de tels talents, ni de travailler avec des artistes de cette nature. Il était fasciné.

— Lippi est l'un des Angéliques annoncés ?

— Bien sûr. Et j'espère lui inculquer quelques notions de discipline, dont il a grand besoin, afin qu'il puisse un jour instruire de jeunes artistes montrant les mêmes dispositions – mais sans transmettre ses mauvaises habitudes.

Cosimo sortit une clé en fer de sa poche.

— Si je le tiens apparemment reclus, c'est pour son bien, et il le sait. Il doit être protégé contre lui-même.

Le cellier à pommes n'avait rien d'un caveau humide, René s'en aperçut rapidement. La lumière entrait de toutes parts, par des ouvertures aménagées dans les murs, et Lippi peignait tranquillement, pourvu de tout ce dont il pouvait avoir besoin pour travailler. L'artiste sourit en voyant entrer les deux hommes.

— Ah ! Cosimo ! Je suis content de te voir. Regarde ce que j'ai fait : j'ai ajouté quelques touches de couleur aux anges et j'ai soigneusement placé le livre ici. On n'y verra que du feu.

Cosimo présenta René à Lippi, mais l'artiste était bien trop absorbé par son chef-d'œuvre pour se soucier d'un visiteur, fût-il roi de Naples et de Jérusalem.

— Qu'en penses-tu ? poursuivit-il. Je peins le livre en rouge ? Pour en faire le vrai Libro Rosso ?

— Au point où nous en sommes, Lippi, tu peux le peindre en violet ou à rayures, du moment que tu termines. L'archevêque réclame ta tête. Je ne pourrai plus te soustraire longtemps à son courroux.

Cosimo se tourna vers René.

— Lippi est réputé pour livrer ses commandes avec un retard considérable. Le vin et les femmes le distraient.

— Que non ! s'exclama Lippi en levant une main. Une femme, Cosimo, pas des femmes. Une femme au singulier. Une seule et unique femme créée pour moi par Dieu à l'aube des temps, à partir de mon être même, mon âme jumelle. Et, oui, elle me distrait éperdument...

Lippi poursuivit son dithyrambe tandis que Cosimo expliquait à René les raisons du confinement de l'artiste.

— Il n'empêche qu'il est très en retard pour la livraison de ce retable destiné à Santa Annunziata et payé par un membre du clergé qui voit d'un très mauvais œil que Lippi ait renoncé à ses vœux. S'il ne le livre pas à temps, l'archevêque annulera sa commande et le fera enfermer – dans une vraie cellule, cette fois-ci. Tu peux constater que je ne fais rien d'inhumain.

— C'est vrai, acquiesça Lippi, mais ma ration de vin pourrait être plus généreuse ! ajouta-t-il cependant.

— Il suffit, mon lascar, répondit Cosimo avec un sourire qui adoucissait ses paroles. Tu seras au pain et à l'eau dans un trou, si tu ne finis pas cette commande à temps, alors, assez de lamentations !

Lippi cligna de l'œil et reprit son travail en beuglant une chanson grivoise qui parlait de faire l'amour au printemps sur les rives de l'Arno. Et, tout en chantant, il mélangea ses couleurs pour obtenir le rouge parfait, hérétique, dont il peindrait la couverture du livre de l'archevêque.

Florence,

1448

Première des nombreuses actions d'éclat qu'accomplirait Lucrezia Tornabuoni de Médicis pour parvenir à la perfection absolue, elle conçut un fils avec son mari Piero durant la célébration de l'Immaculée Conception, au printemps 1448.

Cosimo et la hiérarchie féminine de l'Ordre avaient eu à relever le défi de trouver la Florentine digne de porter l'enfant de leur prophétie. Il n'y avait pas que la question de la lignée, mais aussi celle du caractère et du potentiel spirituel. La jeune fille choisie serait instruite dans les règles des principes de l'Ordre et il était capital qu'elle ne se montrât pas rétive à un enseignement qui pouvait passer pour la pire des hérésies. Sa famille devait être convenable, il faudrait qu'elle reconnaisse la beauté et la vérité de ce que l'Ordre enseignait et qu'elle endosse le rôle de la nouvelle Marie pour que survienne le nouvel âge d'or.

Tous s'accordèrent pour élire Lucrezia Tornabuoni; elle entrerait dans la famille des Médicis et engendrerait le Prince Poète. Cette jeune fille très aimée et fort cultivée, issue d'une excellente famille florentine, était réputée tant pour sa brillante intelligence que pour son remarquable sens pratique. De plus, les cercles littéraires admiraient son talent de poète, une qualité non négligeable pour celle qui deviendrait la mère du futur Prince. Ultime bienfait de ce mariage arrangé, Piero et Lucrezia tombèrent éperdument amoureux l'un de l'autre durant les préparatifs de leur union.

Ils étaient mariés depuis presque cinq ans lorsque vint le moment de concevoir le Prince Poète. Leur union avait été célébrée au début de l'an 1444, une date particulièrement bénéfique choisie par les Mages. L'année contenait le chiffre 444, appelé « manifestation des anges » en numérologie antique. Et, en effet, la nouvelle famille avait été comblée par la naissance de trois filles belles et en parfaite santé.

Lucrezia et Piero de Médicis observèrent rigoureusement le rituel de l'Immaculée Conception, tel que le leur avait enseigné la maîtresse du *hieros-gamos*. Le rite de l'union sacrée dans la chambre nuptiale était le plus précieux sacrement au sein de l'Ordre, et les jeunes gens le respectèrent car ils avaient compris qu'« immaculée conception » signifiait conception consciente d'un enfant infiniment désiré. Le couple entrait dans la chambre nuptiale dans un sentiment d'amour absolu et de confiance réciproque en sachant qu'il allait accomplir un acte sacré dont le fruit serait un enfant, si telle était la volonté de Dieu. Pendant l'acte de chair, chacun priait pour l'entrée de l'enfant dans le corps de la femme.

Tous les sens étaient convoqués pour accomplir la cérémonie, qui symbolisait le paradis sur la terre et transformait la chambre nuptiale en terre sacrée. Les ombres des bougies dansaient sur les murs, le lit était tendu des plus doux et des plus blancs des lins et des soies. La pièce regorgeait de vases où s'épanouissaient des lis blancs, dont la fragrance, disait-on, stimulait les sens. Des siècles durant, les lis avaient symbolisé l'Immaculée Conception ; ils figuraient souvent sur des tableaux représentant l'instant béni de la conception de Marie, mais personne en dehors de l'Ordre ne savait qu'ils faisaient en fait référence au rituel de l'union sacrée, *hieros-gamos*. L'odeur des lis était l'odeur du paradis.

Lucrezia Tornabuoni apparut à son époux vêtue d'une robe de soie blanche brodée de fils d'or. Ensemble, ils invoquèrent les anges afin qu'ils guidassent l'âme de l'enfant dans le corps de Lucrezia. Et ils prièrent pour que s'assemblassent sur le berceau de l'enfant à venir des êtres angéliques qui l'aideraient à accomplir la volonté de Dieu et le protégeraient durant son séjour sur terre.

À l'extérieur de la chambre, un musicien jouait de la lyre et chantait de douces mélodies destinées à invoquer la présence angélique et à stimuler l'ouïe. Dans un coin de la pièce, on avait dressé un autel sur lequel trônait le livre sacré des vrais enseignements, le Libro Rosso. René d'Anjou l'avait offert aux Médicis avant l'arrivée du prince qui annoncerait un renouveau de lumière et de vérité. La restitution du Libro Rosso à la Toscane attestait la reconnaissance par la famille royale française – dont le cousin de René, le roi Louis XI – de la légitimité des Médicis en tant qu'héritiers du pouvoir en Europe. Louis XI avait également accordé aux Médicis le privilège d'inscrire pour toujours la fleur de lis sur leur emblème.

Ainsi donc, instruite par les Mages, au son d'une musique angélique, parmi les fragrances bénies des lis et en présence du plus sacré des textes, Lucrezia de Médicis conçut-elle un fils à l'exact moment déterminé par les astres.

La jeune femme avait la réputation d'accomplir à la perfection les tâches qui lui étaient confiées ; ainsi donc accoucha-t-elle le premier jour de janvier de l'an 1449 d'un garçon en parfaite santé, coiffé de brillants cheveux noirs. Ses parents lui donnèrent le prénom de Lorenzo, en l'honneur du saint du même nom, grand inspirateur de l'Ordre. On disait d'ailleurs que saint Lorenzo était le fruit d'une conception immaculée et qu'il avait été l'un des premiers Princes Poètes. Ce prénom trouvait son origine dans le laurier, ces feuilles dont, dans la Grèce antique et à Rome, on tressait des couronnes en l'honneur des plus grands poètes, qui recevaient alors le titre de *lauréat*, prince parmi les poètes.

L'enfant né sous de tels auspices ne pouvait porter un autre prénom que celui-ci, Lorenzo, évoquant à la fois la poésie, le pouvoir, le courage et l'infaillible détermination de mener à bien ses missions, pour la plus grande gloire de Dieu. Le fils de Piero et Lucrezia de Médicis en ferait rayonner le prestige plus haut encore qu'on aurait pu le prévoir au jour de sa naissance.

Lorenzo de Médicis, le grand Prince Poète, était arrivé sur terre au moment voulu par Dieu, pour annoncer le retour de l'âge d'or.

Château des Pommes Bleues,

Arques, France,

De nos jours

Tamara était en pleine crise d'énergie créatrice. Son métier de réalisatrice de films lui offrait un tel choix de sujets qu'elle ne savait par où commencer. Depuis des mois, elle réfléchissait à son documentaire sur le travail de Maureen, mais elle hésitait sur l'approche qu'elle adopterait. Dans un univers aussi cynique, ce serait un véritable défi que de raconter son histoire de façon à en rendre compréhensibles la beauté et le sens.

En outre, au cours de son travail sur le Libro Rosso, une autre idée lui était venue.

Destino.

Aucun sujet de documentaire ne pouvait être plus fascinant que celui-là. Mais Destino l'autoriserait-il à raconter son histoire ? Et, d'ailleurs, qu'était exactement son histoire ? Était-il possible que ce sage, cet homme d'une si grande douceur et au visage terrifiant soit réellement ce qu'il prétendait ? Ne serait-il pas plutôt un vieux fou italien, doué d'une extraordinaire imagination ? Le film de Tamara n'en serait que plus passionnant si elle parvenait à le convaincre de parler devant sa caméra. Qu'il raconte, et que le public décide s'il disait vrai ou s'il délirait.

Elle saisit sa traduction du Libro Rosso et lut une fois encore son histoire, en prenant des notes.

Et il en alla ainsi qu'au plus sombre jour du sacrifice de Notre-Seigneur un centurion romain du nom de Longinus Gaius ajouta encore à ses souffrances. Ce serviteur de Ponce Pilate avait fustigé Jésus-Christ et pris plaisir à supplicier le fils de Dieu. Et, pour ajouter encore à l'horreur de son crime, il avait transpercé de son épée le corps martyrisé du Seigneur sur la croix.

Le ciel s'obscurcit alors soudainement et on raconte que Notre-Père qui est aux cieux s'adressa directement au centurion :

— Longinus Gaius, tes vils actes de ce jour m'ont offensé et ont offensé tous les gens de cœur. Ton châtiment sera la damnation éternelle, mais tu le subiras sur terre. Tu erreras à jamais, sans prétendre au soulagement que t'apporterait la mort, afin que chaque nuit tes rêves soient

74

hantés par l'horreur de tes actes. Sache que tu endureras ce tourment jusqu'à la fin des temps, ou jusqu'à ce que tu te repentes sincèrement afin de racheter ton âme égarée au nom de mon fils Jésus-Christ.

À cette époque de sa vie, Longinus était apparemment aveugle à la vérité et sa cruauté était au-delà de toute rédemption. Mais il arriva que la sentence et la perspective d'une éternelle errance en enfer sur terre le rendirent fou, et qu'il se rendit en Gaule pour tenter d'obtenir le pardon de Notre-Dame Marie Madeleine. Dans son infinie compassion, cette dernière pardonna ses offenses, et lui dispensa son enseignement sans le juger, comme elle l'aurait fait pour tout autre nouveau disciple.

Le sort de Longinus Gaius est incertain. Il a disparu des registres romains et de ceux des disciples. On ignore s'il se repentit sincèrement et fut libéré de sa condamnation par la justice divine, ou s'il erre encore sur cette terre, damné pour l'éternité.

**Légende de Longinus le centurion,
telle que rapportée dans le Libro Rosso.**

Cette légende ne laissait pas de fasciner, surtout grâce à un vieillard du nom de Destino qui prétendait être Longinus et avoir assisté à tous les événements qui s'étaient déroulés dans le monde depuis deux mille ans. Il avait beau affirmer que Marie Madeleine l'avait pardonné, seul le pardon de Dieu pouvait le libérer de sa malédiction. Il était devenu maître de l'Ordre le jour où il avait juré à Marie Madeleine qu'il consacrerait sa vie éternelle à enseigner le Chemin de l'Amour. Telle était la pénitence qu'il accomplissait depuis deux millénaires. Destino évoquait l'enseignement qu'il avait dispensé à Matilda de Canossa, mille ans plus tôt, comme s'il l'avait eue pour élève l'année précédente. Et il parlait souvent de Marie Madeleine, avec le plus profond respect.

Tammy s'interrogeait sans relâche : Destino était-il, comme il le prétendait, celui qui avait transpercé le flanc du Christ crucifié et avait été condamné à l'errance éternelle ? Ou bien un pauvre fou, doté d'un remarquable talent de conteur ? Elle oscillait d'une certitude à l'autre, d'un jour à l'autre.

À l'instar de celui du centurion qui avait flagellé Jésus, le visage de Destino portait une hideuse cicatrice en forme d'éclair. Tammy avait effectué des recherches intensives sur les traces de l'homme à la balafre à travers l'histoire. Il était cité dans l'art et la littérature depuis des siècles, mais ces citations, pour intéressantes qu'elles fussent, ne la convainquaient pas. Il y avait certes des explications plus plausibles que l'immortalité : les cicatrices que portaient ces hommes étaient une pure coïncidence, ou il existait une sorte de culte, ou encore, pour une raison rituelle, les hommes qui se disaient maîtres de l'Ordre se marquaient eux-mêmes.

En tant que réalisatrice de films, Tammy croyait qu'il était de son devoir de se montrer neutre, de présenter Destino et de laisser le dernier mot aux spectateurs. Plus elle songeait au potentiel de cette histoire, plus celle-ci la passionnait. Et voilà que Destino les priait de se rendre à Florence. Il les initierait aux secrets les mieux cachés de la Renaissance et des chefs-d'œuvre sublimes qu'elle avait engendrés, afin de prouver une fois pour toutes qu'il était bien celui qu'il disait.

Elle posa le Libro Rosso et prit une obscure brochure anglaise du XIXe siècle consacrée à Botticelli, qu'elle avait trouvée dans la bibliothèque du château. Aucun artiste ne la touchait autant que celui-ci. Une copie de son *Printemps* était accrochée dans l'entrée du château de Bérenger. Cette allégorie du recommencement de la vie la bouleversait. Dans un luxuriant jardin, la déesse de l'amour, Vénus, drapée de rouge, bénissait le monde entourée des trois Grâces qui dansaient à côté de Mercure. Flore, la déesse du printemps, répandait des fleurs tout autour d'elle tandis que le vent nommé Zéphyr pourchassait la nymphe Chloris. Cupidon trônait, et se préparait à tirer une flèche sur l'une des trois Grâces.

Elle commença sa lecture.

Les historiens de l'art sont d'avis très divergents sur le sens du dernier chef-d'œuvre de Botticelli, qui ne s'appelait pas Le Printemps *durant la Renaissance. Ce titre apparaît au XIXᵉ siècle, sans qu'on en connaisse la première mention. Comme toutes les œuvres de la Renaissance, ce tableau a prêté à de multiples interprétations.* Le Printemps *est une énigme, qui laisse chacun libre de ses conclusions. Comme Botticelli n'a laissé aucune note explicative,* Le Printemps *restera l'un des grands mystères irrésolus de l'histoire de l'art dans le monde.*

Tammy allait parcourir rapidement le reste du texte lorsqu'une phrase attira soudain son attention.

L'humaniste de la Renaissance Pic de La Mirandole écrivit : « Celui qui, en étudiant Botticelli, comprendra pourquoi Vénus est séparée des trois Grâces fera un grand pas vers l'élucidation du mystère de ce chef-d'œuvre inégalé que nous connaissons sous le titre Le Temps revient. *»*

Tammy bondit sur ses pieds et se lança à la recherche de Roland et de Bérenger. Que, selon un de ses contemporains, Botticelli ait intitulé son tableau *Le Temps revient* était peut-être le détail le plus significatif, et le mieux occulté, de l'histoire de l'art de la Renaissance.

Bérenger Sinclair tenait au creux de sa main le minuscule reliquaire dont la chaîne jouait entre ses doigts. L'objet le passionnait depuis le jour où Destino le lui avait offert, bien qu'il nourrît des doutes sur son authenticité : il existait tant de prétendues reliques de la « vraie croix » !
Destino avait joint une petite carte à son cadeau.

Ceci appartint à un autre Prince Poète, le plus grand de tous. Vous êtes aujourd'hui le porteur de ce flambeau. Accomplissez votre mission et Dieu vous récompensera, comme le promet la prophétie.

Bérenger était relativement certain que ce plus grand des Princes Poètes était Lorenzo de Médicis, le parrain de la Renaissance. Mais, à sa grande honte, il n'en savait pas autant qu'il aurait dû sur Lorenzo. Pour obéir aux instructions de Destino, il avait décidé d'approfondir ses connaissances. En revanche, il connaissait bien l'homme que les hérétiques français vénéraient, leur Prince Poète, l'héritier de la dynastie des Anjou que l'on avait surnommé le bon roi René. L'éducation de Bérenger, né le jour de l'Épiphanie, l'avait conduit à comprendre qu'il était l'héritier du titre cité dans l'antique prophétie. Alors que son frère Alexandre demeurait en Écosse et s'initiait au commerce du pétrole, Bérenger était venu vivre en France, chez son grand-père, pour se préparer à son destin. Lorsqu'il avait acquis ce château en Languedoc, le grand-père de Bérenger avait fondé la Société des Pommes Bleues et consacré sa fortune à préserver et à transmettre les enseignements et les traditions hérétiques de la région, tout particulièrement ceux concernant Marie Madeleine, première des disciples de Jésus, qui s'était fixée en Languedoc quelques années après la Crucifixion.

En ce qui concernait la tradition hérétique française, Bérenger n'avait plus rien à apprendre, mais l'histoire italienne ne lui était pas familière. Certes, il savait qu'il y avait eu des cathares en Italie, mais, avant que Maureen n'ait découvert le destin étonnant de Matilda de Toscane, il ignorait l'étendue et l'importance des enseignements secrets qui s'étaient perpétués dans cette région.

Et maintenant, Destino insistait pour qu'ils viennent tous à Florence car il voulait, de toute urgence, les instruire de l'histoire de l'Ordre à l'époque de Lorenzo.

Bérenger porta le médaillon à ses lèvres et l'embrassa en priant Dieu de protéger Maureen.

*
* *

Florence,

Printemps 1458

Donatello s'était encore fourré dans de mauvais draps.
Le prolifique sculpteur florentin Donato di Nicolo di
Betto Bardi avait acquis de son vivant une immense
notoriété sous le nom de Donatello. Aucun autre artiste,
de Florence ou d'ailleurs en Italie, ne rivalisait avec son
talent ou sa réputation. En conséquence de son génie,
les commandes pleuvaient. Mais on connaissait aussi
son caractère exécrable, et Cosimo de Médicis, qui le
protégeait, avait prévenu ses éventuels mécènes des
excès auxquels ils s'exposaient. D'ailleurs, on faisait souvent appel au patriarche des Médicis pour arbitrer les
inévitables conflits qui survenaient entre l'artiste et ses
commanditaires.
Cosimo racontait le dernier éclat de son protégé à son
petit-fils de neuf ans, qui s'amusait depuis son plus jeune
âge des frasques et fredaines de l'artiste et s'initiait à
l'art de gouverner grâce à la sagesse de son grand-père.
— Car vois-tu, Lorenzo, plus l'artiste est doué, plus il
est proche du divin, et plus il lui est difficile de subir les
contraintes du monde. Et voici pourquoi il est de ton
devoir de protéger les artistes contre les philistins qui les
exploitent. Les riches Florentins commandent une sculpture à Donatello pour s'enorgueillir d'en posséder une
dans leur palais. Accepter de telles commandes, dictées
par la vanité, est indigne de lui. Pourtant, il ne peut pas
refuser, de crainte d'offenser des familles influentes.
Mais ces hommes ne comprennent pas la nature des
artistes. Toi et moi, nous la comprenons. Ils sont notre
véritable armée, les anges chargés de transmettre les
vrais enseignements et le sens du sacré. Ils sont les prêtres et les scribes de notre Ordre, qui écrivent les nouvelles traductions du plus ancien, du plus précieux des
Évangiles, le nôtre. Ainsi, lorsque ceux qui n'ont pas

d'oreilles pour entendre ni d'yeux pour voir les attaquent, notre mission est de les défendre et de les protéger.

— Est-il vrai que Donatello a jeté un de ses bustes depuis le balcon du palais de la *Signoria* ?

— Eh oui, répondit Cosimo en riant. Il a fait ça la semaine dernière, et c'est la raison de ses ennuis. Il a terrorisé les citoyens qui arpentaient la place, le buste s'est brisé en mille morceaux. J'aurais aimé assister au spectacle !

Lorenzo rit aussi, mais la curiosité du petit garçon était insatiable ; il ne lui suffisait pas de savoir Donatello capable de tels écarts de conduite, il voulait comprendre ce qui les motivait. Le comportement des hommes passionnait Lorenzo depuis toujours, et un personnage tel que Donatello était un fascinant sujet d'étude.

— Pourquoi a-t-il agi de la sorte, grand-père ?

— Le commanditaire était un imbécile vaniteux et un grippe-sou. Il a ordonné à Donatello d'apporter le buste à la *Signoria* et de le hisser jusqu'à l'étage. Après qu'il eut été exposé à la vue de tous, et acclamé comme un chef-d'œuvre, l'idiot a pris Donatello à part et a prétendu que l'œuvre présentait de nombreux défauts ! Il n'y en avait pas, évidemment, et tout le monde le savait. L'idiot croyait que s'il persuadait Donatello que l'œuvre n'était pas parfaite, il n'aurait pas à lui payer le solde de la commande. Bref, il voulait spolier l'artiste du prix de son travail.

— Mais c'est ignoble, de faire ça ! protesta Lorenzo.

— C'est ignoble, et c'est du vol. Au même titre que le brigandage de grands chemins. C'est priver par la force un homme de ce qui lui appartient en droit. Et voici, mon garçon, la leçon que tu peux en tirer pour te montrer un ardent défenseur des arts : on profite toujours des artistes, ceux qui ne comprennent ni leur cœur ni leur âme les dépouillent sans vergogne. L'art n'a pas de prix, Lorenzo, et nous le souillons en lui donnant une valeur monétaire. Mais ainsi va le monde où nous vivons, et voici pourquoi nous devons donner l'exemple. Si Dante était encore sur terre, je crois qu'il inventerait un cercle de l'enfer destiné aux hommes qui volent les artistes.

Cosimo savait que l'esprit aiguisé de l'enfant avait assimilé la leçon.

— Donc, poursuivit-il, Donatello a prétendu qu'il voulait voir la sculpture en pleine lumière, pour détecter ses défauts. On porta le buste sur le balcon et Donatello le tira jusque sur la balustrade, pour mieux l'exposer, dit-il, à la lumière du soleil. Et le fit basculer par-dessus bord, et le regarda exploser en mille morceaux. Puis il se retourna vers le malhonnête homme et déclara qu'il préférait voir son œuvre en miettes plutôt qu'entre les mains d'un porc de son genre.

Lorenzo et Cosimo éclatèrent ensemble de rire.

— Et maintenant, reprit Cosimo après avoir recouvré son calme, cet homme veut évidemment être remboursé. Je payerai, pour éviter à Donatello de croupir dans une cellule à Bargello. Mais il se fait beaucoup d'ennemis et, après l'avoir défendu devant le Conseil, nous irons lui rendre une petite visite et nous lui demanderons d'essayer de se conduire correctement pendant quelque temps – avant de mener la banque des Médicis à la ruine.

Ils se dirigèrent vers le Palazzo Vecchio et Cosimo expliqua à son petit-fils l'importance de la mission qu'ils avaient à accomplir ce jour-là. Plusieurs des commanditaires de Donatello avaient déposé une plainte officielle commune contre l'artiste, et une intervention diplomatique était indispensable.

— Mais de quoi l'accusent-ils, grand-père? Je ne comprends pas.

Cosimo prit le temps de réfléchir avant de répondre à Lorenzo. Il avait tenu à ce que l'enfant l'accompagnât afin de lui montrer qu'il était essentiel de défendre la vérité, même si elle était impopulaire. Surtout, d'ailleurs, si elle était impopulaire. L'affaire était certes délicate pour quelqu'un d'aussi jeune, mais Lorenzo avait en maintes occasions prouvé son exceptionnelle maturité.

— Peut-être as-tu constaté que Donatello apprécie beaucoup la beauté des jeunes hommes. Elle l'inspire. Et il l'était tout particulièrement quand il a créé notre superbe *David*.

Lorenzo acquiesça. Le bronze de Donatello était la pièce centrale du jardin de la villa des Médicis, via Larga. Tous s'accordaient pour reconnaître qu'il s'agissait d'un chef-d'œuvre, novateur et audacieux : la première sculpture d'un nu intégral depuis l'Antiquité.

— Eh bien, il se trouve à la *Signoria* des hommes à l'esprit étroit qui n'apprécient pas notre *David*, sous le prétexte que Donatello puise son inspiration chez des êtres du même sexe que lui. N'oublie pas, mon enfant, que nous avons choisi David comme thème central parce qu'il représente le berger dont la pureté triomphe de la corruption et du pouvoir des puissants. Et c'est ce que nous allons faire aujourd'hui : défendre le pur contre ceux qui pourraient l'abattre.

À Florence, la réputation d'équité de Cosimo était bien établie, et il était aimé du peuple comme de la noblesse. La majorité des membres qui siégeaient à la *Signoria* admiraient son intelligence et respectaient son influence. Il ne lui fallut donc pas attendre longtemps avant que le sujet qui l'amenait vînt en discussion. Lorenzo ne quittait pas son grand-père des yeux, et il garderait toujours en mémoire ce qui se dit ce jour-là.

Les hommes qui avaient porté plainte contre Donatello plaidèrent leur cause. Sur le conseil avisé de Cosimo, qui le savait incapable de tenir sa langue, le sculpteur n'assistait pas aux débats. Les accusateurs prétendirent tour à tour que l'immoralité de Donatello exerçait une influence nuisible à Florence et qu'il affichait son homosexualité avec une arrogance qui en encourageait d'autres à devenir des sodomites. Tous savaient parfaitement que cette accusation d'immoralité lui faisait encourir une lourde sentence.

Puis ce fut le tour de Cosimo de prendre la parole. L'assistance s'attendait à un discours calme et mesuré. Mais Cosimo de Médicis allait la surprendre. Il avait une cause à défendre, pour Florence et pour son petit-fils, qui était appelé à prendre un jour sa place. Et il n'y eut rien de mesuré dans le discours qu'il prononça.

— Comment osez-vous ! tonna le patriarche en tapant de la paume de la main sur la table qui était devant lui.

Comment osez-vous, tous autant que vous êtes, prétendre que vous êtes habilités à juger qui un homme peut ou ne peut pas aimer! Comment osez-vous prétendre dicter la source de l'inspiration d'un artiste?

Un silence embarrassé suivit cet éclat. Cosimo poursuivit un ton plus bas, en désignant les hommes un par un :

— Toi, Poggio. Et toi, Francesco. Vous avez tous deux dîné chez moi, vous avez admiré le *David* de mon jardin. Comment avez-vous réagi devant cette œuvre? Dites-le.

Le premier interpellé, Poggio Bracciolini, était un allié de Cosimo, qui l'avait prié d'être présent à la *Signoria*. Poggio était un humaniste sincère et un mécène. Il était aussi, sans que l'on pût s'en étonner, un membre de haut rang de l'Ordre. Par la suite, Cosimo expliquerait sa stratégie à Lorenzo : ne jamais poser une question sans être sûr d'obtenir la réponse souhaitée.

— C'est un chef-d'œuvre de la sculpture. Je n'ai jamais vu une œuvre plus parfaite que ce *David* créé pour votre maison.

Le deuxième homme fit une réponse analogue, et plusieurs membres du Conseil approuvèrent de la tête. Malgré leurs défauts, les Florentins aimaient passionnément les arts. Cosimo en profita pour poursuivre :

— En effet. Et le *David* de Donatello est une œuvre unique à notre époque. Il est sans doute le plus grand sculpteur depuis Praxitèle. Alors, je vous le demande : qui êtes-vous, qui suis-je, pour nous estimer capables de douter de l'inspiration d'un tel génie? Si l'amour est l'inspiration de telles œuvres, c'est un don de Dieu que nous n'avons pas le droit de remettre en question. Qui sont ses muses? Ce n'est certes pas à nous d'en décider. Comment choisit-il de les honorer? Cela ne nous regarde pas davantage. L'amour est un sacrement, un don divin. Nul homme sur cette terre n'a à en juger. Pour ma part, je remercie Dieu tous les jours d'avoir donné à quelques hommes le pouvoir d'aimer si ardemment qu'ils en viennent à créer des œuvres qui sont manifestement d'inspiration divine.

Seul le silence suivit ces paroles. Qui aurait pu rivaliser avec l'éloquence du discours qui venait d'être tenu?

Donatello fut absous et Lorenzo apprit ce jour-là une leçon qu'il n'oublierait jamais.

L'amour est un don de Dieu, et un sacrement. Nul homme sur cette terre n'a à en juger.

Lorenzo accompagna son grand-père à l'atelier de Donatello pour lui annoncer l'issue favorable de son procès. La porte en avait été ouverte, non par l'artiste, mais par un personnage calme et amical que Lorenzo connaissait et aimait infiniment : Andrea del Verrocchio, maître sculpteur, professeur, mais aussi membre de l'Ordre et l'un des artistes les plus estimés par Cosimo. Verrocchio avait jadis été l'apprenti de Donatello et il était l'un des rares à avoir surmonté l'épreuve.

— Andrea ! Quelle bonne surprise ! s'exclama Cosimo en prenant l'artiste dans ses bras. Qu'est-ce donc qui te pousse à t'offrir en pâture à ton ancien maître ?

— J'ai entendu ! rugit la voix bien reconnaissable de Donatello depuis une pièce adjacente.

— J'y comptais bien, répondit Cosimo sur le même ton. Fais-nous donc savoir si tu entends aussi nous faire la grâce de ta présence, veux-tu ? J'ai un message à te transmettre. Mais, si tu préfères, je peux le confier à Andrea.

On entendit grogner et remuer des objets. Donatello avait certes mauvais caractère, mais il adorait Cosimo et ne l'aurait jamais fait attendre trop longtemps.

Verrocchio se tourna vers un jeune garçon d'une beauté frappante qui mélangeait des pigments au fond de la pièce. Avec ses boucles dorées et ses yeux couleur d'ambre, il ressemblait à un lionceau. En s'avançant vers les visiteurs, qu'il salua avec un sourire gracieux, il regarda ses mains et les retira en s'excusant.

— C'est du vermillon. Je n'ose rien toucher, ni personne.

Verrocchio se chargea des présentations.

— Cosimo et Lorenzo de Médicis, je vous présente Alessandro di Mariano Filipepi. Nous l'appelons Sandro.

Sa réputation viendra bientôt à vos oreilles car je prétends n'avoir jamais rencontré d'apprenti doué d'un aussi formidable talent.

Sans manifester de fausse modestie, Sandro fit une grimace et haussa les épaules, en un geste d'une étonnante maturité pour quelqu'un d'aussi jeune. Lorenzo rit. Il éprouvait une sympathie spontanée pour l'apprenti, et lui demanda de lui montrer comment il obtenait son vermillon. L'héritier des Médicis avait grandi au milieu des éclaboussures de peinture et avait toujours manifesté un grand intérêt pour les techniques développées par les artistes pour piler les minéraux et obtenir leurs mélanges de couleurs. Se salir un peu les mains lui faisait plaisir d'avance.

Cosimo leva un sourcil, comme pour poser une question, et Verrocchio répondit à voix basse :

— Il est extraordinaire. Je n'ai jamais vu ça. Ce n'est pas seulement du talent. C'est un don.

— Serait-il un Angélique ?

— Il est peut-être l'Angélique que nous attendons. Son habileté est surnaturelle. Je travaillerai avec lui pour l'initier, mais, si tout se passe comme je le prévois, il aura besoin d'un professeur hors du commun. À mon avis, il est digne du maître.

Cosimo regarda les deux garçons travailler sur le pigment. Lorenzo pilait et écrasait avec ardeur, en suivant les conseils de Sandro. Ils paraissaient nimbés d'une aura, d'une conscience du destin à l'œuvre qui n'échappa ni à Cosimo ni à Andrea. Ces deux-là seraient des amis. En fait, ils l'étaient déjà.

— S'il est ce que tu dis, répondit Cosimo, je le ferai venir au palais, et je l'élèverai comme un Médicis.

L'entrée bruyante de Donatello interrompit la conversation.

— Ah ! Mon protecteur, mon sauveur ! Annonceras-tu à ton pauvre et humble artiste qu'il est libéré de la tyrannie des philistins de Florence ?

— Tu n'es pas pauvre, grâce à moi, ni humble, grâce à ton talent. Mais tu es libre, oui. Libre de poursuivre ton travail.

Donatello serra Cosimo dans ses bras.

— Merci ! Mille fois merci. Il n'y a jamais eu sur cette terre de meilleur protecteur que mon magnanime Médicis.

— N'en parlons plus, Donatello. Mais je pense que tu ne devrais plus accepter de commandes dictées par la vanité. D'ailleurs, j'ai l'intention de te monopoliser pour une commande personnelle : je veux que tu sculptes une statue de Notre-Dame, la Reine de Compassion.

— Marie Madeleine ?

— Oui. Grandeur nature. Nous l'offrirons au maître.

— Quelles sont tes recommandations ?

— De ma part, il n'y en a pas. Sinon celle d'y mettre tout ton cœur et ton amour pour elle. Les choix artistiques t'appartiennent. Qu'elle soit magnifique et inoubliable, qu'elle représente le véritable symbole de l'Ordre et de notre foi. Je te paierai d'avance, bien entendu, pour que tu ne sois pas tenté d'accepter une autre commande. Tu sais que cela finirait très mal. Nous sommes d'accord, Donatello ?

— Oui, mon très cher protecteur. Je sculpterai Notre-Dame telle qu'on ne l'a encore jamais vue. Fais-moi confiance.

Donatello consacra presque toute une année à la sculpture de Marie Madeleine. Il choisit de la réaliser en bois, ce qui représentait un défi en soi pour une œuvre de cette taille. Il voulait du peuplier blanc, particulièrement souple, et il lui fallut plusieurs mois pour dénicher une pièce de bois de la taille convenable.

Il exécuta son travail dans une solitude absolue et dans le plus grand secret. Personne, pas même ses assistants les plus proches, n'avait le droit d'entrer dans la pièce où il sculptait. Si Cosimo l'interrogeait sur l'avancée de son œuvre, il se contentait de sourire, les yeux brillants. « Tu verras », répondait-il.

Lorsque vint le jour du dévoilement, Cosimo fit apporter la statue en sa villa de Careggi, où devait se dérouler une réunion de l'Ordre à laquelle assisterait le maître. Donatello, fou d'excitation mais aussi légèrement inquiet, supervisa le voyage. En dépit de sa confiance bien connue en ses capacités, par ailleurs totalement justifiée, cette commande avait constitué le plus formidable défi qu'il eût jamais eu à relever. Il lui avait insufflé son cœur et son âme, selon une technique que les artistes de l'Ordre nommaient « infusion ». Si l'infusion était réussie, son effet dépassait le champ du visuel pour communiquer directement au spectateur l'émotion et la spiritualité de l'artiste. Seuls des créateurs de génie, tel Donatello qui l'avait perfectionnée, pouvaient prétendre à un tel résultat.

Ainsi donc, sa Marie Madeleine reflétait toute la dévotion qu'il éprouvait pour elle et une intense proximité. Il savait qu'elle pourrait transmettre son essence profonde à ceux qui la contempleraient. À condition qu'ils surmontent le premier choc, car sa statue ne ressemblait à aucune œuvre créée jusqu'alors.

Son intention n'avait pas été de la représenter ainsi, mais elle avait insisté. Sitôt que ses mains se posaient sur le bois, il sentait sa volonté, lui ordonnant de la montrer comme elle voulait l'être. À l'instar de tous les artistes de l'Ordre, à commencer par Nicodème, Donatello avait juré fidélité à l'héritage de Marie Madeleine. Et c'était ce qu'il avait fait, très exactement, en obéissant à ses ordres.

Fra Francesco, le maître, bénit les participants à la réunion et tous dirent la prière de l'ordre du Saint-Sépulcre.

Nous honorons Dieu tout en priant
pour qu'advienne le temps où régnera sur tous
la paix de ses enseignements,
où il n'y aura plus de martyrs.

Cosimo fit ensuite un bref discours pour dédier l'œuvre à Fra Francesco et louer le travail et le génie de Donatello.

Pourtant, comme l'avait redouté le sculpteur, un silence absolu succéda au dévoilement de la statue. Si les membres de l'Ordre s'attendaient à admirer leur Reine de Compassion en toute sa lumineuse beauté, ils ne pouvaient qu'être déçus et choqués.

La Marie Madeleine de Donatello était pitoyable.

Sa frêle silhouette était décharnée, elle était sale, son corps disparaissait presque entièrement sous de très longs cheveux hirsutes et poisseux. Un visage émacié, aux yeux enfoncés dans les orbites, une bouche presque édentée renforçaient l'impression dramatique de l'ensemble.

— On dirait une mendiante, murmura une femme.

— C'est un blasphème, marmonna un homme un peu plus fort.

Le maître de l'ordre du Saint-Sépulcre s'approcha de la statue, dont il caressa du doigt la chevelure emmêlée. Puis, après l'avoir longuement regardée, il se tourna vers Donatello.

— C'est parfait. C'est une œuvre d'art. Merci, mon fils, pour l'ineffable bénédiction que tu nous offres.

La louange du maître provoqua chez Donatello des sanglots d'émotion incontrôlés. La tension qui l'avait habité pendant toute une année, ainsi que l'angoisse que lui inspirait sa sculpture l'avaient durement éprouvé. Il savait qu'elle serait très probablement mal comprise, et les premières voix qui s'étaient timidement élevées avaient avivé ses craintes.

Mais c'est d'un enfant que viendrait l'ultime secours. Grâce à sa remarquable intelligence et à sa sensibilité exacerbée, ce fut Lorenzo de Médicis qui, du haut de ses neuf ans, expliqua la sculpture à ceux qui n'avaient pas d'yeux pour voir. Il avança vers la statue et s'immobilisa, comme hypnotisé, la tête un peu penchée sur le côté pour mieux voir Marie Madeleine, qu'il vénérait. L'assemblée de l'Ordre, suspendue aux lèvres de Lorenzo, attendit son verdict.

Donatello se tenait à côté de l'enfant.

— Tu l'entends, n'est-ce pas? murmura-t-il à l'oreille de Lorenzo.

L'enfant hocha la tête et fit le tour de la statue sans la quitter un instant des yeux, comme s'il entendait une voix fantomatique qu'il était seul à percevoir.

Une larme roula sur sa joue.

— Dis-nous ce que tu vois et ce que tu entends, Lorenzo, conseilla le maître.

Lorenzo s'éclaircit la gorge; il ne voulait pas pleurer devant l'assemblée, mais il mit du temps à maîtriser le tremblement de sa voix.

— Elle... elle est comme elle a demandé à être présentée. Car c'est ainsi qu'elle est vraiment. Pas à mes yeux, pas aux vôtres. Pour nous, elle est la plus belle femme qui ait jamais foulé cette terre; elle est notre Reine. Mais le monde ne la voit pas ainsi. Ce n'est pas ainsi que l'Église veut la montrer au monde. L'Église l'insulte, elle ment. Elle a volé sa vie, son amour, ses enfants. Elle en a fait une pécheresse. Elle s'est emparée de cette femme, dont la sagesse et le courage nous sauveraient tous, et elle en a fait une mendiante.

« La Madeleine de Donatello est pitoyable, car ainsi l'ont rendue ceux qui n'ont pas d'oreilles pour entendre, ni d'yeux pour voir. Il nous incombe de lui restituer son trône de Reine des Cieux. Et, pour y parvenir, nous devons nous rappeler comment les autres la voient et non comment nous la voyons.

Lorenzo, en proie à une intense émotion, retenait maintenant ses larmes. Tous les regards étaient braqués sur lui lorsqu'il prononça ces derniers mots qui prouvèrent à l'assistance, si besoin était, que Lorenzo de Médicis serait un prince plus grand encore qu'on ne le pressentait.

— À mon avis...

Lorenzo leva les yeux sur Donatello et refoula ses sanglots.

— Je pense que c'est la plus belle œuvre que j'aie jamais vue.

En guise de ponctuation, Donatello tomba à genoux et laissa libre cours à ses sanglots. L'infusion avait réussi. Son œuvre était comprise. Et, surtout, son message avait été délivré.

* * *

Siège de la confrérie des Mages,

Florence,

6 janvier 1459

— Comment me trouves-tu, mère ?

Lucrèce de Médicis regarda son fils, qui venait d'avoir dix ans, et refoula les larmes de joie et de fierté qui lui montaient aux yeux en ajustant la cape brodée d'or afin qu'elle tombât gracieusement sur le collant de son fils. En dépit du nez épaté hérité des Tornabuoni et du menton en galoche des Médicis, elle trouverait toujours son fils aîné absolument parfait. Lorenzo n'était pas un enfant particulièrement beau, mais il émanait de lui un indéniable rayonnement. Il était en outre d'une irréprochable courtoisie et d'une conscience de ses responsabilités inimaginable chez un enfant de cet âge.

C'était cette conscience qui le tourmentait tandis qu'il revêtait le costume de soie et de damas qu'il porterait pour le défilé des Mages. On célébrait en ce jour l'Épiphanie, la fête des trois Rois mages venus adorer l'Enfant Jésus dans l'étable. À Florence, la confrérie des Mages fêtait tous les ans l'événement sacré par une grande procession dans les rues de la ville. La célébration serait cette fois-ci plus munificente que jamais, Cosimo y avait veillé personnellement. La famille des Médicis avait fondé cette confrérie, et Lorenzo y jouerait le rôle du plus jeune des rois, Gaspard. Conscient de l'enjeu, il avait pris cette tâche très au sérieux. Il ne s'agissait pas seulement de tenir son rôle dans le défilé, mais aussi, comme le savait le peuple de Florence, d'annoncer au monde la venue du Prince Poète de son temps. Et la couronne qu'il portait pesait lourd sur sa jeune tête.

En Toscane, les confréries faisaient partie intégrante de la société, elles étaient le cœur spirituel de leurs villes. Dans les plus grandes d'entre elles, dont Florence, elles avaient même acquis, grâce à leurs œuvres charitables, un pouvoir politique incontestable. La première des confréries fondées à Florence était vouée à l'archange Raphaël, et se consacrait essentiellement à la guérison des malades. D'autres avaient été créées pour honorer un saint particulier. Les plus extrémistes prônaient la pénitence et la mortification de la chair.

En fondant la Confrérie des Mages, les Médicis avaient souhaité donner à ces savants la possibilité de manifester ouvertement leurs croyances ésotériques sans offenser la population catholique. En dépit de ses secrètes convictions hérétiques, la famille Médicis s'était toujours souciée de respecter les apparences, et Cosimo appartenait à une dizaine de confréries. Il s'était récemment fait aménager une cellule au sein du monastère dominicain de San Marco, où il se retirait pour méditer et prier avec les frères. Les catholiques lui étaient particulièrement reconnaissants d'avoir dépensé une fortune pour en restaurer les bâtiments et les faire décorer de fresques par un moine discret mais talentueux, Fra Angelico. Aux yeux du monde, Cosimo de Médicis était un fervent catholique, qui avait à cœur de prouver sa dévotion par sa prodigalité.

En ce jour de fête, on allait célébrer la venue du Prince et Cosimo avait effectué de généreuses donations au profit de nombreux groupes et comités de la ville, au nom de son petit-fils. Âgé de dix ans, Lorenzo comptait désormais parmi les plus prodigues des bienfaiteurs de la cité. Et le peuple de Florence ne lui ménageait ni sa gratitude ni son amour.

Lucrèce de Médicis redressa la lourde couronne incrustée de pierres précieuses sur le front de son fils et l'embrassa avant de le confier à son père, qui le conduirait à l'étalon blanc richement caparaçonné que monterait le jeune roi Gaspard. Elle soupira en voyant s'éloigner la frêle silhouette alourdie par le poids de son riche costume. Peut-être était-il l'enfant de la prophétie divine, mais, pour son cœur de mère, il était son tout jeune fils.

— Lorenzo, appela-t-elle, n'oublie pas de t'amuser!

Florence était connue pour ses fêtes somptueuses, et même décadentes; mais aucune n'égala en faste celle de l'Épiphanie de l'an 1459. La procession des Mages fut stupéfiante : en tête du cortège, Cosimo, monté sur une mule blanche, personnifiait le vieux roi Melchior, suivi d'une série de chariots chargés de bijoux et de soies et d'un chameau que l'on avait fait venir de Constantinople par bateau. En guise de suite, il était entouré de partisans des Médicis, tous membres de l'Ordre, guidés par le plus fidèle des amis de Cosimo, l'écrivain et humaniste Poggio Bracciolini. Son fils, Jacopo Bracciolini, avait le même âge que Lorenzo, et chevauchait à son côté. Les deux garçons étaient amis et avaient suivi l'enseignement des mêmes maîtres. Jacopo, un enfant aux traits délicats, à la stature élancée et à la chevelure dorée, était remarquablement beau. Le contraste physique avec Lorenzo, massif et trapu, sautait aux yeux.

Jacopo avait protesté contre le rôle de serviteur de Lorenzo qu'on lui avait attribué dans la procession. Pour l'apaiser, on l'avait nommé Gardien des Chats. Il défilait donc avec un félin africain au caractère sauvage, ressemblant à un léopard en réduction.

— Lorenzo! Regarde ce que je fais faire au chat! s'écria-t-il à l'adresse de son ami perché sur l'étalon blanc.

Il tira sur la laisse en velours du chat attachée à un collier incrusté de pierres précieuses. L'animal grogna, mais se dressa sur ses pattes arrière et fit quelques pas maladroits. Jacopo éclata d'un rire heureux.

Lorenzo imita son ami, pour lui faire plaisir, mais il n'appréciait pas l'humiliante contrainte ainsi exercée sur le pauvre animal. Pour distraire son ami, il tenta de lui montrer les autres animaux de la procession, mais sans succès. Des spectateurs s'amusaient des singeries de Jacopo, qui était trop heureux d'attirer sur lui l'attention. « Regardez ! s'écria-t-il. Je suis le Maître des Chats ! » Et il tirait de plus belle sur la laisse du félin.

Lorenzo poursuivit son chemin, chevauchant avec la majesté d'un jeune roi, et laissa Jacopo jouer les bouffons. Il était le point de mire incontesté du défilé, celui qu'acclamaient les Florentins dans un débordement d'enthousiasme. Le jeune garçon, très sérieux au début de la parade, se laissa bientôt submerger par l'excitation et l'apparat. Il adressa à la population, à son peuple, le sourire contagieux qui le rendrait un jour célèbre. Il salua les Florentins, qui le saluèrent en retour en criant des bénédictions et en jetant des roses sur son passage.

— Il est magnifique ! s'écria une femme, et le mot fut repris et scandé par la foule : « *Magnifico ! Magnifico !* »

Lorsque la procession parvint au monastère de San Marco, où était dressée une crèche, Lorenzo avait trouvé sa place dans le cœur des Florentins.

Il serait à jamais connu sous le nom prophétique et admiratif qui lui fut décerné ce jour-là : *Lorenzo il Magnifico*.

Laurent le Magnifique.

New York,

De nos jours

Le 22 mars, la sonnerie d'annonce de message téléphonique réveilla Maureen à l'aube. Dans l'obscurité, elle tâtonna pour s'emparer de l'appareil posé sur sa table de nuit. En dépit de l'heure matinale, elle n'était pas vraiment agacée, car elle supposait que le message émanait de l'un de ses très chers amis européens qui, dans sa hâte à lui présenter ses vœux en ce jour très spécial, avait mal calculé le décalage horaire. Elle appuya sur le bouton de lecture.

Bon anniversaire. Mon cadeau est prêt.

Maureen se redressa sur son lit et se frotta les yeux tout en se demandant qui était l'expéditeur du message dont elle ne reconnaissait pas le numéro. Il venait d'Europe, à l'évidence, car l'indicatif était italien.

Elle se leva pour se préparer du café dans la petite cuisine. Il lui fallait de la caféine avant toute chose. Encore ensommeillée, elle fouilla dans les placards pour y trouver l'arsenal nécessaire à un début de journée convenable : du café en grains, un moulin et une cafetière française.

Elle était certaine de les trouver, se dit-elle en souriant, car elle aurait volontiers parié sur sa vie que Bérenger aurait au moins deux choses à sa disposition en toutes circonstances : de l'excellent café et de grands vins. Elle avait raison sur les deux points. La veille au soir, elle avait exploré la réserve de vins qui se trouvait dans la salle à manger et y avait déniché de précieuses bouteilles d'origine languedocienne provenant de vignobles réputés et rarement exportés. Mais Bérenger n'était pas exactement un client ordinaire.

Il avait acheté cet appartement sur la Cinquième Avenue quelques années auparavant, séduit par son exceptionnelle situation, juste en face de l'entrée du Metropolitan Museum of Art. Bérenger appréciait et connaissait les arts ; au cours des années, il avait réussi à acquérir dans le monde entier des logements proches des plus grands musées. Il en possédait un rue de Rivoli, en face du Louvre, et un autre à Madrid, à quelques pas du Prado. Mais le Met était son préféré. Il avait rarement le temps de se rendre à New York et se réjouissait d'autant plus de confier les clés de son pied-à-terre à sa Maureen tant aimée, qui appréciait cette faveur à sa juste valeur. Sa carrière d'écrivain l'obligeait à se rendre régulièrement à New York, elle y disposait ainsi d'un lieu où elle se sentait chez elle.

94

Maureen ouvrit le sachet de café italien qu'elle avait trouvé dans un tiroir et respira sa voluptueuse fragrance. La simple odeur du café suffit à l'éveiller tout à fait, et à mettre de l'ordre dans ses pensées. Qui en Italie pouvait bien connaître la date de son anniversaire ? Son mentor spirituel, l'énigmatique Destino ? Il vivait désormais à Florence, et messages mystérieux et comportement secret étaient tout à fait compatibles avec sa personnalité.

Elle mit de l'eau à bouillir et reprit son téléphone mobile, afin de répondre à son correspondant.

Merci. Qui êtes-vous ?

Puis elle alluma la télévision et se brancha sur une chaîne nationale qui diffusait l'habituel pot-pourri de culture populaire et d'informations, qu'elle écouta distraitement tout en préparant le café. Une soudaine excitation dans les voix de toutes les femmes du studio attira son attention. La célèbre top model Vittoria Buondelmonti allait annoncer une nouvelle qui faisait frétiller d'avance les commères des journaux à scandale. La reine italienne des podiums avait un fils de deux ans qu'elle avait jusqu'alors protégé de la curiosité des journalistes. L'identité du père de l'enfant avait donné lieu aux plus folles spéculations, car Vittoria avait refusé de la révéler. La jeune femme avait eu beaucoup de liaisons connues avant la naissance de son fils, et les journalistes avaient diffusé de nombreuses photos d'elle dînant avec des célébrités : un champion international de football, une idole du rock, un pilote de course, un milliardaire grec, un magnat du pétrole, un petit ami de jeunesse...

Et le lendemain, Vittoria Buondelmonti révélerait l'identité du père de son fils à la presse internationale. On ignorait les raisons de ce revirement. Indifférente, Maureen changea de chaîne, afin de savoir s'il s'était passé quelque chose de plus intéressant dans le monde, mais ce fut pour s'apercevoir que Vittoria et son enfant de l'amour faisaient la une de tous les bulletins d'information. Elle éteignit le poste en grommelant.

Et oublia toute l'histoire de Vittoria en découvrant un nouveau message sur son téléphone.

Je suis un ami de Destino et de Bérenger. Nous nous verrons ce soir.

— De plus en plus curieux, dit Maureen à haute voix.

Depuis quelques jours, elle se surprenait à citer Lewis Carroll, sans doute parce qu'elle avait l'impression d'être tombée dans le terrier du lapin, ou peut-être de ne plus jamais revenir à la réalité. La réalité, apparemment, appartenait au passé. S'habituerait-elle un jour au tour surnaturel qu'avait pris sa vie ? Elle n'en était pas sûre.

Le voyage avait commencé quelques années plus tôt, quand elle avait rencontré Bérenger Sinclair qui l'avait initiée au monde mystérieux de l'ésotérisme et des hérétiques, monde qu'il présidait depuis sa demeure ancestrale du sud-ouest de la France. Sa vie avait explosé lorsqu'elle avait découvert un manuscrit ancien dans un village français appelé Arques, un Évangile légendaire écrit de la main même de l'apôtre Marie Madeleine. On recherchait ce manuscrit depuis deux mille ans. Nombreux furent ceux qui en déduisirent que Maureen seule était destinée à le trouver. Au sein de l'histoire occultée de la chrétienté, qui se dévoila tandis qu'elle s'enfonçait de plus en plus profondément dans le monde des sociétés secrètes d'Europe, on trouvait une série de prophéties qui se transmettaient de génération en génération depuis des centaines d'années. La prophétie de l'Élue parlait d'une femme qui mettrait au jour la vérité, les enseignements inédits de Jésus et de ses descendants, et la partagerait avec le reste du monde le moment venu.

Maureen était cette Élue.

L'expérience était vertigineuse, électrisante et souvent périlleuse.

Grâce à la découverte de ce que l'on appelait désormais l'Évangile d'Arques, Maureen avait écrit son premier livre, un succès international, sur l'héritage de Marie Madeleine. Le manuscrit était un document explosif présentant Marie Madeleine comme l'épouse légitime de Jésus et la mère de ses enfants. Mais la révélation majeure n'était ni la lignée ni le mariage, plutôt l'héritage spirituel. L'Évangile d'Arques proclamait Marie Madeleine comme celle choisie par Jésus pour lui succéder, et l'apôtre à qui il avait confié ses enseignements les plus sacrés. Après sa mort sur la croix, Jésus avait remis à Marie Madeleine un texte écrit de sa main, qu'il appelait le Livre de l'Amour.

Qu'un tel Évangile existe était la révélation qui avait posé le plus de problèmes à Maureen. Comment envisager que Jésus ait écrit son propre livre d'enseignements, de sa main, et que nul n'en ait jamais entendu parler ? Au cours de ses recherches, elle découvrit que le Livre de l'Amour était si controversé, si bouleversant, que ceux-là mêmes qui le vénéraient, tout comme ceux qui le méprisaient, avaient été contraints de le garder secret. Pour élucider la question, Maureen s'était plongée dans les dossiers de l'Inquisition et dans l'histoire de France et d'Italie. Elle avait appris l'existence d'une société secrète, l'ordre du Saint-Sépulcre, qui avait protégé le Livre ainsi que ceux qui avaient fait vœu de préserver l'Évangile perdu de Jésus et de transmettre ses enseignements. La découverte de cet ordre occulte, qui existait encore aujourd'hui, lui avait fait croiser le chemin de Matilda de Canossa, une comtesse toscane du XIe siècle.

Matilda était fille de l'héritage secret. Née le jour de l'équinoxe d'hiver, comme prévu dans la prophétie, elle était l'Élue de son temps et possédait le don de prophétie et de vision qui habitait Maureen depuis son enfance.

Toute l'éducation de Matilda était fondée sur le Livre de l'Amour. Elle fut la fidèle gardienne d'une copie de l'Évangile effectuée au Ier siècle par l'apôtre Philippe et apportée en Italie par la suite. Matilda et les générations suivantes d'hérétiques italiens appelaient ce texte le Libro Rosso. On y trouvait une série de prophéties que se transmirent les femmes de la lignée, ainsi que leurs histoires individuelles. Le Libro Rosso, riche d'enseignements spirituels d'amour, de prophéties concernant l'humanité et de détails sur la lignée des descendants de

Jésus, était sans doute le livre le plus précieux de l'histoire humaine. Matilda l'avait eu en sa possession, et s'en était servie pour transformer le monde.

Au cours de son travail sur Matilda, Maureen avait souvent eu l'impression qu'elles ne formaient qu'une seule et même personne. Elle ressentait ses chagrins et ses joies, et s'identifiait à elle au point d'avoir parfois l'impression d'écrire ses propres mémoires ; elle revivait ses sentiments les plus personnels, amours ou amitiés, craintes ou nostalgies. En cours d'écriture, les consciences et les souvenirs des deux femmes s'étaient fondus pour ne plus faire qu'un.

Maureen avait déjà éprouvé cette sensation troublante et exaltante lorsqu'elle écrivait son premier livre sur Marie Madeleine. Contempler ce premier siècle avec les yeux de Marie Madeleine avait conduit Maureen au bord de la folie. Elle ne prétendait certes à rien d'aussi fantasmagorique que d'être une réincarnation de Marie Madeleine. Non. C'était très différent : elle possédait simplement la capacité étrange et magique de raconter une histoire, cette même histoire que les femmes de sa lignée se transmettaient depuis des milliers d'années. Maureen considérait cet acquis comme une mémoire génétique où elle pouvait puiser, une sorte de conscience collective inscrite dans l'ADN de la lignée de femmes à laquelle elle avait le privilège d'appartenir. Le temps ne comptait plus, comme si l'on pouvait vivre plusieurs époques simultanément.

C'était un miracle, certes, mais aussi un don tragique, et une intimidante responsabilité.

Il n'était pas question pour elle de maudire ce don d'origine manifestement divine, mais elle avait passé la majeure partie des quatre années écoulées à tenter de le comprendre. Maureen hésitait à en parler avec quiconque à part Bérenger, le seul capable d'appréhender cet aspect – parmi tous les autres – de sa personnalité. Elle avait ainsi appris qu'il était véritablement son âme sœur, son autre moitié, de cœur et d'esprit, avec qui il était merveilleusement facile d'aborder tous les sujets. Bérenger était son unique refuge dans un monde qui ne pouvait admettre son don et s'efforçait souvent de le détruire.

Matilda de Canossa avait obsédé Maureen pendant ces deux dernières années, depuis qu'elle avait lu l'autobiographie de la comtesse si controversée, et pendant tout le temps qu'elle avait consacré à écrire un livre sur cette femme exceptionnelle. *Le Temps revient, la Légende du Livre de l'Amour* relatait en détail la vie et les actions d'éclat de Matilda. Aujourd'hui, le jour de son anniversaire, le livre paraissait aux États-Unis et Maureen était à New York pour assister à la soirée de lancement qui aurait lieu aux Cloîtres, la section médiévale du Met, en l'honneur de Maureen et de Matilda.

À l'extrême nord de Manhattan, et jouissant d'une vue unique sur l'Hudson, se dressent les Cloîtres, la section médiévale du Metropolitan Museum of Art. On y découvre une superbe collection d'art et d'architecture de l'Europe du Moyen Âge, à l'intérieur d'un édifice reconstruit à partir d'éléments architecturaux importés de monastères européens de la même époque. Presque cinq mille œuvres y sont exposées, dont de multiples trésors, mais la tapisserie *La Chasse à la licorne* en est l'incontestable joyau. Les sept somptueuses images, créées en Flandre à l'époque de la Renaissance, décrivent en détail la chasse et la mise à mort d'une majestueuse licorne.

Maureen en avait admiré des reproductions en France, lors de sa rencontre avec l'énigmatique maître spirituel connu sous le seul nom de Destino, au siège de l'ordre du Saint-Sépulcre. Pour l'Ordre, la licorne était le symbole du pur enseignement de Jésus-Christ, tel que transmis dans le Livre de l'Amour. Les tapisseries représentaient pour ses membres une sorte de manuel, une magnifique leçon tissée de fils de laine qui illustrait la tragédie de la destruction de la beauté pure et de la perte de la vérité. Puisque énoncer la vérité en mots de tous les jours signifiait hérésie et mort certaine, l'Ordre avait trouvé d'autres moyens de transmettre les symboles et les secrets, destinés à ceux qui ont des yeux pour voir et des oreilles pour entendre. *La Chasse à la licorne* représentait de manière symbolique la destruction des enseignements authentiques de Jésus, le Chemin de l'Amour.

Maureen s'attarda devant les tapisseries des Cloîtres avant de se résoudre à remplir ses obligations d'invitée d'honneur de la réception.

Lorsque son attachée de presse vint la chercher pour la ramener à la réalité, elle se disait que ces merveilleuses tapisseries lui rappelaient la triste vérité du monde où elle vivait, un monde où l'amour n'était pas honoré comme il le faudrait, un monde où les hommes étaient trop souvent enclins à tuer les licornes.

Maureen sentit sa présence avant de l'avoir vue. Ces intuitions bizarres faisaient partie de sa vie, et l'avaient souvent protégée. Un tremblement soudain la mit sur ses gardes tandis qu'elle signait un livre pour un lecteur impatient. Il allait se passer quelque chose d'important.

La file de lecteurs qui attendaient de se faire dédicacer un livre s'allongeait jusque dans les splendides jardins où s'épanouissait la même flore que sur les tapisseries à la licorne. Au-delà de cette file se tenait une femme, différente de toutes les autres personnes ici réunies.

De très haute taille, indépendamment des talons de huit centimètres de ses escarpins, la femme était remarquable : on aurait dit une déesse réincarnée. Elle se déplaçait avec la grâce et l'autorité que donne la conscience de toujours susciter l'admiration. Ses longs cheveux noirs caressaient sa taille et encadraient un visage parfait. Ses yeux de chat couleur d'ambre fixaient intensément Maureen, sans ciller.

Maureen retint son souffle en la reconnaissant : c'était la vedette du jour, Vittoria Buondelmonti, qui dépassa élégamment la file des lecteurs avides d'un autographe. Tout le monde la reconnut. Plusieurs personnes la photo-

graphièrent avec leur téléphone. Vittoria les ignora superbement et posa devant Maureen, en la saluant, une grande
enveloppe en papier kraft. Son accent italien donnait à
ses paroles un goût de miel.

— Bon anniversaire, Maureen. Voici le cadeau que je
vous ai promis. Mais je vous en prie, ne l'ouvrez pas
avant d'être seule.

Maureen constata que l'enveloppe était fermée par un
large ruban adhésif; malgré sa curiosité, elle ne pouvait
l'ouvrir sans un couteau ou des ciseaux.

— Vous êtes une amie de Destino? et de Bérenger?
lui demanda-t-elle.

— Exactement. Je les connais très bien tous les deux.
Je suis certaine qu'ils trouveront ce cadeau aussi intéressant que vous.

De la main, elle balaya la foule des admirateurs de
Maureen.

— Félicitations pour votre succès. Bérenger me dit
que vous êtes... la vraie.

Pour marquer son scepticisme, elle eut un sourire
moqueur puis pivota élégamment sur elle-même en lançant par-dessus son épaule :

— *Buonasera* et *buon compleanno*.

Et elle s'éloigna sans se retourner.

Maureen brûlait d'impatience d'ouvrir la lettre; bien
que distraite par la curiosité, elle dut cependant rester
deux heures encore à sa table de dédicace, et répondre
aimablement à ses lecteurs. Vittoria se réclamait de
Bérenger, l'amour de sa vie, et de Destino, le maître en
qui elle avait placé sa confiance, mais Maureen avait
senti que ses vœux manquaient de chaleur et de sincérité.

Sitôt le dernier livre signé, Maureen se précipita vers
la limousine qui devait la ramener en ville. Elle se servit
des ciseaux à ongles qui se trouvaient dans son sac pour
ouvrir l'enveloppe et en sortit une page de journal qu'elle
déplia fébrilement. C'était apparemment une épreuve de

la une de l'édition du lendemain d'un quotidien à grand tirage britannique. On pouvait y lire en manchette :

« Vittoria : "L'héritier des pétroles Sinclair est le père de mon enfant." »

— Elle ment, Maureen.

Bérenger, qu'elle avait réussi à joindre au téléphone pour lui faire part de son émoi, niait avec acharnement.

— Je connais Vittoria, en effet. Mais je n'ai pas couché avec elle. Et, tu ne me croiras peut-être pas, je n'en ai pas la moindre envie. C'est toi que j'aime. C'est avec toi que je veux être.

— Aujourd'hui, peut-être, soupira Maureen. Mais nous avons été si longtemps séparés...

— Nous avons été séparés parce que tu l'as choisi. J'ai accepté, et je t'ai élue.

Maureen ne pouvait le nier. Elle s'était en effet obstinée dans sa volonté de s'éloigner de Bérenger, à une époque où la puissance des liens qui s'établissaient entre eux l'effrayait encore. Elle n'avait pas voulu se laisser submerger, elle avait fui. Et cela faisait presque un an qu'ils ne s'étaient pas vus.

— Étant donné l'âge de l'enfant, il aurait très bien pu avoir été conçu pendant notre séparation, poursuivit-elle.

Rongé d'angoisse, Bérenger répondit plus rudement qu'il ne l'aurait souhaité. Les révélations de Vittoria l'avaient scandalisé et il était encore sous le choc.

— Tu me condamnes sans m'entendre ! Je te dis, je t'affirme que Vittoria ne compte pas, qu'elle ne comptera jamais. Tu es la seule femme au monde pour moi. Tu es l'amour de ma vie. Mon cœur, mon âme.

— Et ces photos en couverture de *News of the World* ? Et le *Daily Mail* ?

Bérenger s'astreignit à la patience.

— D'abord, il n'y a qu'une photo. Une photo où je l'enlace. Je ne fais pas l'amour avec elle. Elle a été prise à Cannes, devant environ cinq cents personnes. J'y étais avec mon frère, pour représenter les intérêts de la famille dans un film indépendant sur la tradition mystique écossaise. Vittoria était là; nos familles se connaissent depuis longtemps. Elle est de la Lignée.

— Elle est quoi?

— Tu l'ignorais? Vittoria est une princesse de la Lignée. Sa mère est une baronne autrichienne de la famille des Habsbourg qui m'a facilité l'accès au musée de Vienne lors de mes recherches sur la Sainte Lance. Son père est un Buondelmonti, une vieille famille toscane. Vittoria et moi, nous avons fréquenté les mêmes cercles ésotériques et mondains.

Son explication aggrava encore la situation. Non seulement Vittoria était l'une des plus belles femmes du monde, mais elle était aussi fille de la noble lignée. Ses deux parents appartenaient à des familles qui se revendiquaient comme descendantes de l'union entre Jésus et Marie Madeleine. Et, comme par hasard, ces familles, dont les Sinclair, comptaient parmi les plus riches et les plus influentes du monde. Bérenger et Vittoria étaient faits pour s'entendre. Et Maureen avait l'impression d'être une banale étrangère.

— Vittoria prétend qu'elle connaît Destino, rétorqua la jeune femme, qui souffrait mille morts à l'idée que sa rivale se réclame de son cher mentor.

— C'est tout à fait possible. Je ne savais rien de Destino la dernière fois que je l'ai vue, donc je ne peux pas te le confirmer. Écoute-moi, Maureen. Je n'ai eu aucun contact avec Vittoria depuis le jour où cette photo a été prise. Nous avons donc de sérieuses questions à nous poser.

— Lesquelles?

— Pourquoi ment-elle? Pourquoi a-t-elle éprouvé le besoin de t'informer personnellement?

Bérenger s'interrompit, et Maureen l'entendit respirer péniblement tout en réfléchissant.

— Je n'ai pas les réponses à ces questions, poursuivit-il, mais je te jure de les trouver au plus vite. Et je suis consterné que tu sois mêlée à tout ça. Mais, entre-temps, tu dois me croire. Je t'aime. Je ne laisserai rien ni personne s'interposer entre nous, et je prie pour que tu agisses de même.

— D'accord, murmura Maureen d'une voix éteinte.

Elle était triste, épuisée par sa journée, elle avait besoin de temps, de solitude.

Le lendemain après-midi, dans l'avion, elle s'efforça d'imaginer tous les scénarios possibles, mais elle en revenait toujours au même, qui mettait en scène l'amour de sa vie entre les interminables jambes de la femme la plus excitante du monde.

Siège de la congrégation de la Sainte-Apparition,

Le Vatican,

De nos jours

Felicity DiPazzi serra les dents en enfonçant le clou acéré dans la paume de sa main gauche. Le sang coulait plus abondamment, maintenant; il aurait le temps de sécher et de produire le genre de croûte dont elle aurait besoin dans la soirée. Pour les stigmates, tout était une question de minutage. Quelques heures, pour que les blessures sèchent, mais qu'elles s'ouvrent dès qu'elle arrachait la fine croûte de sang séché au cours de la séance publique. Il fallait maintenant attendre une heure, pour qu'elle puisse bander sa main gauche et entamer le processus sur sa main droite.

Felicity avait constaté les premières traces de stigmates alors qu'elle était au collège en Angleterre. Elle avait des visions de plus en plus régulièrement et s'écroulait à terre, en extase, lorsque le Saint-Esprit s'emparait de son corps. Mais la directrice n'était pas convaincue, et ce qu'elle appelait les crises de Felicity ne l'amusait pas du tout. Après qu'elle était passée en conseil de discipline et avait été menacée de renvoi, les stigmates se manifestèrent pour la première fois.

Le jour où les blessures sanglantes apparurent sur ses paumes, la jeune fille pleura de joie. Il y avait enfin une preuve qu'elle était bien élue de Dieu. Tous devraient la croire, désormais. Comment pourraient-ils nier, alors qu'il suffisait de regarder ?

Pourtant, lorsque Felicity exhiba ses stigmates devant ses camarades de classe, le professeur principal et la directrice, ils la considérèrent avec un mélange de pitié et d'horreur. Elle était seule à voir ses stigmates.

Désespérée, Felicity sanglota éperdument, puis se mit à trembler de tous ses membres. Comment Dieu l'avait-il ainsi trahie ? Comment expliquer qu'elle seule voie si clairement les blessures du Christ sur les paumes de ses mains ?

Au plus profond de cette abominable nuit, elle comprit. La plupart des gens qui l'entouraient ne croyaient pas en Dieu ; ils n'avaient donc pas la faculté de voir les signes qu'Il envoyait, ces signes divins que Dieu lui réservait. Elle seule avait ce don. Mais, pour accomplir sa mission d'enfant préférée du Seigneur, il lui faudrait convaincre les mécréants ordinaires. Et la solution lui apparut clairement.

Elle aiderait les masses ignorantes à voir les blessures sanguinolentes que provoquait un clou en fer. Et elles ne douteraient plus.

La nuit même, dans son dortoir, elle mit sa résolution en œuvre. Comme elle ne disposait pas de clous, elle vola la lame d'un rasoir dans la trousse de toilette d'une camarade. Ce n'était pas l'outil idéal ; elle eut du mal à donner à la blessure l'apparence d'un trou fait par un clou, mais elle ne se débrouilla pas trop mal. Malheureusement, elle s'évanouit en cours de travail. Et fut renvoyée illico dans sa famille, en Italie.

En dix ans, elle avait perfectionné sa technique. Désormais, lorsqu'elle apparaissait aux yeux des foules qui se pressaient de plus en plus nombreuses pour la voir, elle était l'incarnation de la Passion et nul ne résistait à son magnétisme. Lorsqu'elle parlait de sa propre voix, elle était convaincante et charismatique. Fanatique, certes, mais comment se détourner d'elle si l'on croyait sincèrement qu'il fallait craindre Dieu et qu'il restait peu de temps pour gagner le salut ? C'était lorsqu'elle s'adressait au Saint-Esprit que la scène atteignait son apogée. Elle tombait par terre, se tordait dans d'atroces convulsions, puis les stigmates apparaissaient et saignaient abondamment. Parfois, sainte Félicité s'emparait d'elle et sa voix s'exprimait à travers l'extatique Felicity. Elle était désormais célèbre dans tout Rome et, lorsqu'elle devait apparaître, la queue se formait des heures à l'avance devant les portes de la congrégation, dont certains membres étaient persuadés que cette petite prophétesse était une messagère divine.

Désormais experte en manipulation, Felicity ne mettait que quelques minutes à fasciner la foule. Et elle savait exactement comment trouer sa chair pour que les mécréants comprennent enfin l'étendue des souffrances qu'elle subissait au nom de ses visions. Pour Felicity, la souffrance était essentielle. Être une prophétesse de Dieu exigeait le martyre, les tourments et la pénitence. Seules les mortifications de la chair, la chasteté absolue et l'acceptation de la douleur physique garantissaient la pureté des visions.

Les gens devaient comprendre combien il fallait souffrir pour entendre distinctement la voix de Dieu.

Paris,

De nos jours

Tammy et Maureen se retrouvèrent dans le petit hôtel où cette dernière descendait toujours quand elle venait à

Paris. Il était installé dans une ancienne annexe du palais du Louvre, peu fréquentée par les touristes, très calme et proche de tous les lieux où elle aimait se rendre.

Lorsqu'elle ouvrait les fenêtres, elle avait l'impression de voir bondir jusque dans sa chambre les gargouilles, toutes différentes, de la façade de l'église médiévale voisine. Certaines étaient farouches, d'autres comiques, mais elle les aimait toutes et se sentait étrangement protégée lorsqu'elle dormait sous leur surveillance. La rue était si étroite qu'en tendant la main elle pouvait presque toucher ses chiens de garde gothiques ; ainsi choisissait-elle toujours une chambre de ce côté de l'hôtel.

L'après-midi de son arrivée, assise sur son lit, elle regardait tomber une pluie printanière en attendant Tammy, qui s'habillait dans la chambre voisine.

Lorsqu'il pleuvait, les gargouilles crachaient. Les architectes du Moyen Âge, songea Maureen, étaient vraiment de merveilleux ingénieurs : les gargouilles, outre leur fonction décorative, constituaient également un canal d'évacuation des eaux. Les gouttières s'écoulaient au-dessus des gargouilles dont les gueules recrachaient l'eau en un jet vigoureux.

Tammy frappa, et elle la fit entrer.

Vêtue simplement d'un jean et d'un T-shirt blanc où l'on pouvait lire, en lettres noires, « L'HÉRÉSIE EST FÉMININE », ses longs cheveux noirs noués en queue de cheval, Tammy traversa gracieusement la pièce, un dossier à la main. Le contraste entre les deux jeunes femmes était frappant : Tamara Wisdom, une sculpturale beauté à la peau mate, impétueuse, effrontée et pleine de vivacité ; Maureen, rousse à la peau claire, au caractère fougueux des Irlandais mais plus réservée. Cependant, sur le plan de la spiritualité, elles étaient sœurs de cœur et s'aimaient profondément.

— Tu veux qu'on parle d'abord de Bérenger ? demanda Tammy qui n'était pas femme à mâcher ses mots ni à éviter les conflits. Parce que j'ai un point de vue.

— Évidemment, rétorqua Maureen, et je suis sûre que c'est le sien.

Tammy et Roland vivaient au château de Bérenger et se considéraient comme de la famille. La jeune femme défendait farouchement Bérenger qui avait été extrêmement généreux avec elle, financièrement et spirituellement. Il était rare qu'elle ne vole pas inconditionnellement à son secours.

— Tais-toi! Il t'aime. Et il n'aime que toi. D'un amour absolu, éternel, unique. Et tu le sais. Dieu vous a faits l'un pour l'autre, tu le sais aussi. Quelle importance, s'il a couché avec Vittoria pendant votre séparation? C'est un homme! Et un homme dans la force de l'âge. Ce genre de choses peut arriver.

— Oui, fit Maureen après quelques instants de réflexion. Mais c'est arrivé à l'époque où il m'aimait. Pas avant. Il était déjà sûr que j'étais son âme sœur, il m'a répété inlassablement que j'étais la seule femme qu'il désirerait jamais. Apparemment, il a oublié d'ajouter « à l'exception des top models italiens ».

— Tu l'as fait souffrir, Maureen, tu te rappelles? Tu as voulu t'éloigner de lui. Il était désespéré quand tu l'as quitté.

— C'est ça! Tellement désespéré qu'il a fait un enfant à Vittoria en guise de consolation. C'est sans doute une coutume européenne que j'ignore.

— D'accord, il a commis une erreur, dit Tammy, irritée. Résultat, il y a un gosse. Et ce gosse n'y est pour rien.

— Bien sûr que non! Si cet enfant est de Bérenger, il doit prendre ses responsabilités.

— Et toi? Que feras-tu?

— Ça dépendra de la réaction de Bérenger. Il nie avoir couché avec Vittoria, mais je ne le crois pas. Je le connais trop bien, je sais quand il me ment. Je préférerais qu'il soit franc et qu'il avoue sa faute. D'ailleurs, pourquoi Vittoria inventerait-elle ça?

— Tu plaisantes? Je peux imaginer mille raisons.

— Non, fit Maureen. C'est une héritière et sa carrière lui rapporte une fortune. Ce n'est pas une question d'argent. Si tu l'avais vue! Je ne sais comment l'expliquer, Tammy, mais quand elle m'a donné cette enveloppe elle avait un air... pas vraiment méchant, non, mais l'air d'une femme bien décidée à remplir une mission. Et sa mission, à ce moment-là, était de me faire du mal. Sinon, pourquoi aurait-elle choisi le jour de mon anniversaire et un lieu public?

— La garce! gronda Tammy. Comme je regrette que tu aies dû subir ça! Mais tu as raison. Elle avait bien calculé son coup. De la jalousie, peut-être? La moitié des Européennes branchées te reprochent de leur avoir piqué Bérenger. Ne le prends pas à cœur.

— J'essaie de ne pas...

Maureen s'interrompit au milieu de sa phrase, alertée par un changement brutal dans l'apparence de son amie. Sans dire un mot, Tammy se précipita dans la salle de bains et referma la porte sur elle. Maureen l'entendit vomir violemment.

Inquiète, elle finit par frapper à la porte.

— Ça va?

Elle entendit couler l'eau et, peu après, Tammy émergea, le visage humide.

— Que racontent les matrones, déjà? Que plus on est malade, plus il y a de chances que ce soit un garçon, non? Ou une fille, je ne sais plus.

Maureen se jeta dans les bras de son amie.

— Pourquoi ne m'as-tu rien dit?

— Ce n'était pas vraiment le bon moment... Je pensais que tu n'étais pas d'humeur à entendre le mot bébé! Mais... voilà. Maintenant, tu sais.

Les deux femmes s'embrassèrent chaleureusement, puis Maureen abreuva Tammy de questions auxquelles cette dernière répondit patiemment. Oui, Roland et elle étaient parfaitement heureux, même si sa grossesse était imprévue. Oui, Bérenger était au courant, mais on lui avait fait jurer de ne rien dire à Maureen car Tammy voulait lui annoncer personnellement la nouvelle. Et oui, elle était sans arrêt malade, mais elle espérait bien que ça se tasserait au quatrième mois.

Et, oui, ils allaient se marier au début de l'été, avant que Tammy soit trop énorme pour porter une robe fabuleuse.

Maureen laissa Tammy se reposer et descendit à pied la rue de Rivoli, sous la pluie. Elle dépassa le Louvre et les boutiques de souvenirs avant de parvenir chez Gallignani, la première librairie de langue anglaise ouverte sur le continent, en 1801. Maureen avait adopté ce lieu lors de son premier séjour à Paris, quand elle n'était encore qu'une adolescente. Elle savait pouvoir y glaner des trésors entre les pages des milliers d'ouvrages consacrés à de grandes figures de l'histoire européenne et avait souvent déniché des raretés introuvables aux États-Unis.

Elle ne put réprimer un cri de ravissement en découvrant son dernier livre, *The Time Returns*, dans la vitrine de la plus réputée des librairies de langue anglaise d'Europe, entourée d'une édition critique des *Œuvres complètes* d'Alexandre Dumas et du chef-d'œuvre romantique d'Emily Brontë, *Wuthering Heights* [1]. En espérant que la pluie déguiserait les larmes qui lui étaient montées aux yeux, elle s'attarda un instant devant la vitrine. Se trouver sur la même étagère que Dumas et Emily Brontë ! C'était mieux que tout ce qu'elle avait osé espérer, c'était la concrétisation du rêve de devenir un écrivain qu'elle nourrissait depuis qu'elle avait remporté un concours d'écriture, à l'école. Dumas faisait partie de son panthéon, elle avait palpité aux aventures de d'Artagnan et des mousquetaires, du comte de Monte-Cristo et de l'infortuné Masque de Fer. Quant au chef-d'œuvre d'Emily Brontë, il lui avait arraché des sanglots interminables, comme à tant d'autres jeunes filles de par le monde. Maureen avait même appris par cœur des passages de la déchirante histoire de Heathcliff et Catherine, en se demandant si une passion aussi éternelle, aussi épique, était possible dans le monde moderne.

---

1. Titre original des *Hauts de Hurlevent*.

Il ne saura jamais combien je l'aime... car il est moi,
plus que moi-même. De quelque matériau que soient faites
nos âmes, la sienne et la mienne sont identiques... Il ne
quitte jamais mon esprit – non comme un plaisir – mais
comme mon être même... Hante-moi, rends-moi folle,
mais ne me laisse pas dans cet abîme où tu n'es pas... Je
ne peux vivre sans ma vie ! Je ne peux vivre sans mon
âme !

C'était si beau, si bouleversant ! Pourquoi l'amour engendrait-il si souvent la douleur ? Pourquoi nous souvenions-nous le mieux des histoires d'amour tragiques ? Pourquoi les aimions-nous davantage que toutes les autres ? Pourquoi résonnaient-elles pour toujours quelque part, au plus profond de nous ?

Alors, le visage aristocratique de Bérenger lui apparut, et aussi la vague conscience d'une très ancienne promesse, sacrée et éternelle.

De quelque matériau que soient faites nos âmes, la
sienne et la mienne sont identiques...

— Oui, murmura-t-elle *in petto*.

De cela au moins, elle était certaine. Quoi que Bérenger ait pu faire auparavant, elle savait, de toute évidence, qu'il l'aimait et qu'elle l'aimait. Tel serait donc le défi qu'elle aurait à relever : permettre à l'amour de triompher du scandale public auquel ils seraient confrontés.

Elle referma son parapluie et leva son visage vers le ciel. Une pluie fine tombait en fraîches gouttelettes. Parfois, dans la vie, il arrivait que l'on ait besoin de se soumettre au pouvoir de quelque chose de plus grand que sa pauvre humanité. Dieu avait un plan, et il faisait à Maureen la grâce de lui envoyer des signes qui prouvaient qu'elle était sur la bonne piste. En des moments comme celui-ci, seule sa foi en des choses inconnues, et même inconnaissables, lui donnait le courage de poursuivre sa route.

— Merci, murmura-t-elle au ciel tandis qu'un rayon de soleil perçait les nuages.

Sans doute n'était-ce qu'un effet d'optique, mais il semblait éclairer tout particulièrement la couverture de son livre sur l'amour dans cette vitrine parisienne.

Château des Pommes Bleues,

Arques,

De nos jours

La Lance de la Destinée.

L'arme légendaire du centurion Longinus, qui en perça le flanc du Christ sur la croix. Bérenger Sinclair avait consacré une partie de sa bibliothèque à cet objet qui l'obsédait depuis l'adolescence. Il possédait tous les livres qui s'y référaient, en toutes les langues, il avait collaboré avec des équipes de recherche chargées d'en authentifier de prétendus fragments et en avait fait fabriquer de nombreuses copies.

Maintenant, grâce à Destino, il pourrait sans doute résoudre l'une des énigmes majeures de l'histoire de la chrétienté. Destino était la source, mais accepterait-il de divulguer un tel secret? Tant de siècles avaient passé!

Au même titre que le Saint-Graal et l'Arche d'Alliance, la lance avait fait l'objet d'une quête incessante. Mais l'arme, disait-on, était dotée de pouvoirs maléfiques. Démoniaque ou non, elle était convoitée par les chefs militaires, qui croyaient que sa possession leur accorderait la victoire sur le champ de bataille. Selon la légende, Charlemagne avait remporté plus de quarante batailles grâce à ce talisman secret, jusqu'au jour où le plus grand des empereurs d'Europe l'avait perdu, au cours de sa quarante-huitième campagne. Une perte fatale, puisque Charlemagne mourut dans la mêlée. La réputation légendaire de la lance en fut encore renforcée. On savait désormais que la posséder menait à la victoire, et même à la conquête du monde. La perdre, en revanche, était signe d'inéluctable défaite.

Adolf Hitler avait convoité la lance, et tout entrepris afin de se l'approprier. Il racontait lui-même qu'il avait vu l'arme pour la première fois lors d'une visite au château impérial des Hofburg, en Autriche, et qu'il avait été littéralement transporté. « J'ai senti, avait-il déclaré, que je l'avais portée bien des siècles auparavant. Qu'elle fut mon talisman personnel et que j'avais alors le destin du monde entre mes mains. »

Suite à cet épisode, la lance devint son obsession. Il croyait qu'il lui fallait la posséder pour mener à bien son projet de domination du monde. Selon certains, acquérir la lance était pour lui une idée fixe. Dès l'annexion de l'Autriche, Hitler exigea que la lance lui fût apportée à Nuremberg. Lorsque les Alliés gagnèrent du terrain, il la fit enfermer dans un bunker spécialement construit à cet effet, avec d'autres trésors. En 1945, les forces américaines s'emparèrent du bunker et confisquèrent la Lance de la Destinée. Deux heures plus tard, Hitler était mort.

Le chef des armées américaines de l'époque était le général George Patton, qui crut au pouvoir de la lance et en étudia la légende. Il écrivit même des poèmes à son sujet. Mais la Lance de la Destinée fut restituée à l'Autriche, avec les autres objets de la collection Hofburg.

Une décennie plus tard, Bérenger Sinclair avait fait partie de l'équipe de chercheurs chargée d'évaluer l'âge et l'authenticité de l'arme. Ces travaux étaient financés par la mère de Vittoria Buondelmonti, la baronne von Hapsburg, qui s'était assurée que Bérenger y participerait au côté de sa fille. Ainsi Vittoria et Bérenger s'étaient-ils connus et avaient-ils noué des liens. Malgré la différence d'âge entre la jeune beauté et le richissime Écossais, de vingt ans plus vieux qu'elle, la famille de la jeune femme était plus que favorable à leur union, le rêve des sociétés secrètes ésotériques, car elle conjuguerait l'alliance des fortunes et des lignées, et participerait à la perpétuation des secrets les mieux gardés d'Europe.

Le couple s'entendait bien, au moins superficiellement. Elle s'impliquait à fond dans la recherche; ils partageaient une même passion pour les objets religieux et l'histoire de leurs familles.

Les résultats des tests effectués sur la lance de Hofburg avaient hélas prouvé qu'il ne pouvait s'agir de la lance de Longinus. Un tel métal n'avait pu être forgé avant le VIIᵉ siècle. Nul ne fut plus amèrement déçu que la baronne, qui mettait un point d'honneur à affirmer que la lance appartenait aux Habsbourg depuis la nuit des temps. Bérenger se rappelait que Vittoria avait sangloté en apprenant que la lance de Hofburg était, au pire, un faux, au mieux une copie.

La recherche terminée, Bérenger était rentré en France et Vittoria en Italie. Bérenger n'avait vu aucun intérêt à poursuivre ses relations avec la jeune fille, qu'il considérait comme une enfant. Elle était belle et intelligente, certes, mais il avait deux fois son âge. Il avait suivi avec intérêt l'évolution de sa carrière dans la mode, mais ne l'avait jamais revue jusqu'au jour fatal de leurs retrouvailles à Cannes, moins de trois ans plus tôt.

Il y songeait lorsque le téléphone sonna.

— Bon sang, Vittoria, à quoi joues-tu? aboya-t-il dès qu'il eut reconnu le numéro d'appel.

Cela faisait des heures qu'il essayait de la joindre et il l'avait bombardée de messages depuis sa conversation avec Maureen.

— Je ne joue à rien du tout. C'est la vérité. Dante est ton fils.

— Ne me prends pas pour un imbécile. Les dates ne collent pas. Il est né le 1ᵉʳ janvier, cela fait deux ans. Et nous ne nous sommes pas vus depuis ce mois de mai à Cannes. C'est bien essayé, mais ça ne marche pas. Tu étais déjà enceinte quand tu m'as séduit.

Vittoria gloussa.

— Quand je t'ai séduit? Allons, Bérenger! Tu prétends que c'était une manœuvre, que j'ai fait un effort? Ne fais pas semblant, s'il te plaît. Il s'est toujours passé quelque chose entre nous.

— Ne change pas de sujet. Dante est né trop tôt pour être mon fils.

— Tu as raison sur un point. Dante est en effet né trop tôt. C'est un prématuré, et j'en ai la preuve. Sur son acte de naissance, son poids est indiqué : deux kilos. Mais la véritable preuve, tu l'auras quand tu le verras, Bérenger. Il suffit d'avoir des yeux pour reconnaître un Sinclair. Je t'ai protégé aussi longtemps que possible, mais il commencera bientôt à poser des questions sur son père. Il est temps que lui et toi connaissiez la vérité.

— Alors, pourquoi n'es-tu pas venue me parler directement ? Pourquoi mêler Maureen à tout cela ? Est-ce que tu réalises le mal que tu lui as fait ?

— C'est à cause d'elle que j'ai agi ainsi. Pour te rendre service. Elle n'est pas digne de toi, Bérenger. Elle n'est pas comme nous. Elle n'est pas de notre monde. Et, ajouta-t-elle en baissant la voix, souviens-toi des bons moments que nous avons passés ensemble. Ma famille t'adore, elle a toujours espéré qu'on se marie. Pourquoi ne pas essayer de nous unir et d'élever Dante ensemble ?

— Il y a une très bonne raison. La meilleure des raisons. J'aime quelqu'un d'autre, quoi que tu penses d'elle, et je ne la laisserai pas m'échapper. Si Dante est mon fils, Vittoria, je ne fuirai pas mes responsabilités. Mais il faudra que tu me le prouves. J'exige un test ADN de paternité, et je refuse qu'il soit effectué en Italie.

— Pourquoi ?

— Pour la raison même qui te pousse à le faire faire en Italie, où on peut acheter les résultats. Dans ton pays, ta famille peut acheter n'importe quoi.

— Je n'ai aucun besoin de le faire. Je sais que Dante est ton fils et je le prouverai. Et alors, Bérenger ? As-tu réalisé que notre enfant est le fruit des trois lignées sacrées ? Habsbourg, Buondelmonti, Sinclair. Notre fils a le sang le plus bleu d'Europe.

Bérenger en eut le souffle coupé. Puis il posa une dernière question :

— Que dis-tu ? Tu l'aurais fait exprès ? Tu t'es débrouillée pour créer un enfant de nos lignées ?

— Arrête de faire semblant de ne pas avoir apprécié, s'il te plaît. Que je sache, tu n'as guère protesté, au moment de la conception. Réfléchis, Bérenger. Dante est

115

un enfant très spécial. Il est beau et intelligent. Et c'est un prince.

Vittoria s'interrompit un instant avant de lancer sa dernière flèche :

— En fait, il est le Prince Poète. C'est pourquoi je l'ai appelé Dante, comme notre grand poète toscan. Vérifie ton courrier, Bérenger. Je t'ai envoyé quelque chose de New York, par porteur spécial. Appelle-moi quand tu en auras pris connaissance.

Bérenger était rarement réduit au silence, mais les dernières paroles de Vittoria l'avaient pétrifié. Elle baissa d'un ton sa voix de velours.

— Tu comprends, n'est-ce pas, mon chéri ? Un Prince Poète, fils d'un Prince Poète ?

Elle ne s'interrompit pas assez longtemps pour qu'il puisse répondre.

— Maintenant, tu voudras bien m'excuser, mais je dois aller nourrir notre enfant, qui me réclame. Il ressemble aux Sinclair, mais de caractère il est incontestablement Buondelmonti.

Bérenger était assis dans son bureau avec son meilleur ami, Roland Gélis, qui l'aimait comme un frère mais paraissait aujourd'hui exaspéré par son attitude.

— Et pour couronner le tout, tu as menti à Maureen !

Bérenger hocha honteusement la tête. Il se détestait.

— Pourquoi ? poursuivit Roland, impitoyable.

— Parce que je l'aime comme un fou et que je suis terrifié à l'idée de la perdre. Je savais que les dates ne concordaient pas et que l'enfant était né trop tôt pour être mon fils. J'étais sûr que les tests ADN conforteraient ma position. J'ai donc décidé que la meilleure stratégie était de tout nier en bloc. Si cela ne pouvait être prouvé, mieux valait qu'elle ignore tout. Pourquoi lui faire du mal inutilement ? Dorénavant, entre nous, c'est solide. Je ne la tromperai jamais plus. Jamais.

— Mais tu as couché avec Vittoria.

— Oui. Et si Dante est prématuré, comme elle l'affirme, il pourrait être de moi. Selon Vittoria, il me ressemble comme deux gouttes d'eau. Je n'en sais rien, je n'ai pas encore vu de photos. Mais ce seront les atouts maîtres de Vittoria avec la presse. Dieu seul sait quand et où elle choisira de les publier.

— Pour l'instant, rétorqua Roland en désignant la table, c'est de ça qu'il faut s'occuper.

L'enveloppe qu'avait fait envoyer Vittoria contenait l'acte de naissance qui confirmait le faible poids du nouveau-né, manifestement prématuré, et son thème astrologique assorti d'une analyse. Bérenger gémit en lisant le titre du document : « Informations sur la naissance de Dante Buondelmonti Sinclair ».

Les deux hommes relurent les résultats. Issues des ancestrales prophéties, les spécificités d'un Prince Poète y figuraient :

Lui, qui est l'âme de la terre et de l'eau
Né du mystérieux royaume de la chèvre de mer
Et de la lignée des bénis.
Lui qui engloutira l'influence de Mars
Et exaltera celle de Vénus
Pour incarner le triomphe de la grâce sur la violence.

Selon ce document, si tant est que l'on puisse croire aux assertions de Vittoria, Dante répondait exactement aux critères requis par la prophétie, à l'instar de Bérenger lui-même. Il était né sous le signe du Capricorne, la chèvre de mer, et l'eau et la terre figuraient dans son thème astrologique. La planète Mars était engloutie dans le signe d'eau des Poissons, et Vénus était en position « exaltée » au moment de la naissance de Dante. En outre, il était né un 1er janvier, comme le plus grand des Princes Poètes, Lorenzo de Médicis.

— Bérenger, je n'ai pas à te dire à quel point cela est grave. Tu es le serviteur du Graal. Tu ne peux ignorer ton devoir, quoi qu'il t'en coûte.

Accablé, Bérenger hocha la tête. Jamais il ne pourrait ignorer un enfant de son sang. Mais si Dante était effectivement son fils et si son thème astrologique reflétait avec précision la position des planètes lors de sa naissance, la situation se compliquait encore plus. Bérenger était plus que l'héritier d'un empire du pétrole; il était l'héritier d'une puissante tradition spirituelle datant de Jésus et de Marie Madeleine, et partagée par les plus grandes familles d'Europe. Sa dévotion aux enseignements de la Lignée était totale et il avait juré de protéger et de défendre ces traditions au péril de sa vie lorsqu'il avait prononcé ses vœux de chevalier du Graal devant son grand-père, dans ce château, au côté de Roland.

Si Dante était un enfant de la prophétie, Bérenger devrait s'impliquer activement dans son éducation; c'était une obligation morale tout autant que spirituelle.

Était-il concevable qu'on exige de lui le sacrifice de son bonheur pour accomplir son devoir? Il n'était même plus certain de savoir en quoi consistait ce devoir. Pourtant, les crampes qui tordaient son estomac le forçaient à prendre conscience que l'obligation d'épouser Vittoria et d'élever Dante était fort probable.

Mais il y avait autre chose en jeu, dont personne n'avait encore parlé – un élément que Vittoria ne pouvait ignorer et que Bérenger redoutait plus que tout. La prophétie du Prince Poète renfermait une autre prédiction : l'avenir de l'humanité reposait sur les épaules de ce petit garçon, et sur celles de Bérenger Sinclair.

Il n'eut pas le loisir de s'appesantir sur cette funeste éventualité, car le téléphone sonnait. Reconnaissant le numéro du siège de la société familiale en Écosse, il décrocha.

Quartier du Marais,

Paris,

De nos jours

Sur son papier à lettres habituel, aux lettres A et E gravées en référence à Asherah et El, le message de Destino tenait de l'énigme. D'une écriture tremblée, le maître avait écrit :

Es-tu aussi sage que Salomon ?
Si oui, l'âge d'Or t'attend. Viens à Florence, toi et les tiens, tandis que le Printemps est à son apogée.

Toi et les tiens. Peter était sûr que sa cousine Maureen, et tous les amis qui l'accompagnaient dans la grande aventure qu'était devenue la vie répondraient à l'appel de Destino. Le rôle de Maureen était évident et central, celui de Bérenger aussi. Ensemble ou séparément, ils avaient une longue route à parcourir. Ils étaient tous deux les enfants d'une prophétie ancestrale aux prises avec le monde moderne ; ils désiraient ardemment, tous les deux, révéler la vérité et améliorer le sort de l'humanité par leur travail. Tammy et Roland partageaient leur passion et, à eux quatre, ils constituaient une force dynamique de recherche et d'exploration.

Pour sa part, Peter n'était pas encore sûr d'appartenir à cette aventure.

Avec son admirable intuition, Destino avait ajouté une phrase qui le concernait personnellement.

Viens, Peter, mets tes pas dans ceux de Lorenzo et vois où te conduit ce chemin.

Oui, en vérité, où ce chemin le conduirait-il ?

En deux ans, son existence avait subi un bouleversement radical. Il vivait dans le doute. Après une vie consacrée à l'Église en tant que professeur de l'ordre des

119

Jésuites, Peter était désormais au ban du Vatican. Deux ans auparavant, en compagnie d'un petit groupe de cardinaux italiens, il avait dérobé l'Évangile d'Arques de Marie Madeleine enfermé dans les caves de leur Église, de crainte que les dirigeants actuels de la chrétienté n'en modifient le contenu ou, pis encore, ne le détruisent. Peter avait assisté au moment de sa découverte, il avait été le premier à le traduire. Il savait qu'il était authentique et connaissait son contenu. En outre, il avait vu ce que Maureen avait enduré lors de sa découverte de l'Évangile, et pour communiquer au monde son message d'amour et de pardon. Il n'avait pu, en conscience, participer à son occultation et bien au contraire il avait agi dans la mesure de ses moyens et fait le vœu de protéger la vérité à tout prix, ainsi que ceux qui s'étaient joints à lui dans cette croisade.

Et le prix avait été élevé.

Peter, qui avait accepté d'endosser la plus grande part des responsabilités, avait passé dix-huit mois en prison en France, pour vol. Ses compagnons, des hommes beaucoup plus âgés que lui et qu'il respectait, avaient été condamnés à six mois seulement de réclusion. Réduire leur peine avait fait l'objet de furieuses négociations, et même de chantage. En effet, grâce à sa position passée au Vatican, Peter connaissait les placards où étaient dissimulés un certain nombre de cadavres. L'Église n'avait donc pas osé aller trop loin. Quant à l'Évangile d'Arques, il était en sécurité sous la garde d'une famille belge apparentée à l'Ordre depuis un millénaire.

Depuis sa libération, Peter avait passé six mois à aider Maureen et Bérenger dans leur quête de la vérité sur les enseignements perdus de Jésus. Il s'était engagé pleinement dans cette tâche et avait joué les gardes du corps de Maureen en attendant la sortie de son livre si controversé. Songer à sa cousine, qu'il considérait davantage comme une sœur, apporta un sourire sur ses lèvres. Elle était si naïve! S'imaginait-elle vraiment qu'elle pourrait publier un livre qui prétendait révéler les enseignements secrets de Jésus sans en subir les conséquences? C'était en fait l'un de ses traits de caractère qu'il préférait : elle privilégiait la vérité, à tout prix. Maureen ne comprenait pas que l'on puisse trouver ces enseignements dangereux ou insultants ; ils ne parlaient que d'amour, de foi et de solidarité. Qui pourrait s'en offenser ?

Qui, en effet ? Peter avait été prêtre toute sa vie et il connaissait la réponse : cette vérité contestait les traditions établies. Cette vérité avait le pouvoir d'ébranler un empire vieux de deux mille ans, fondé sur l'argent, le pouvoir, la politique, la superstition et les ambitions personnelles. Le travail de Maureen menaçait tous ceux qui étaient partie prenante de ces institutions – dont le Vatican.

En conséquence, sa vie était en danger. Pas moins de dix-neuf menaces de mort en six mois, dont certaines farfelues, mais d'autres qui méritaient d'être prises au sérieux.

Il était ravi qu'elle soit en Europe, et qu'ils aillent ensemble à Florence. Flanquée de Bérenger et de Peter, Maureen ne risquerait plus grand-chose. Les plus graves des menaces avaient beau sembler venir des États-Unis, Maureen n'était jamais en sécurité en Italie, et ils le savaient tous.

Peter écoutait distraitement CNN lorsque son attention fut attirée par le nom de Sinclair. Il leva alors les yeux et vit un homme menotté que l'on sortait d'un immeuble de bureaux.

— La semaine a été éprouvante pour la famille de Sinclair Oil, en Écosse, disait le journaliste. Le président de la société, Alexandre Sinclair, a été arrêté aujourd'hui et accusé de corruption. On ne possède encore aucun détail sur les supposées activités délictueuses de la famille. Nous y reviendrons. Mais vous n'avez sans doute pas oublié la nouvelle qui faisait la une hier : la top model italienne Vittoria Buondelmonti annonçait que l'aîné des Sinclair, Bérenger, était le père de son fils.

Peter, sidéré, n'en croyait pas ses oreilles. Bérenger adorait Maureen, il la vénérait, il était prêt à mourir pour elle. Du moins Peter le croyait-il ; mais, voué au célibat par son statut de prêtre, il ne comprenait pas vraiment les histoires sentimentales. Il saisit son téléphone mobile pour joindre Maureen, sans succès. Puis il essaya d'appeler Bérenger, tombant immédiatement sur sa boîte vocale.

L'énigmatique invitation de Destino l'intriguait. « Êtes-vous aussi sage que Salomon ? » *A priori*, il était tenté de répondre non. En de telles circonstances, il se sentait incapable d'aider les gens qu'il aimait. La prêtrise ne l'avait pas préparé à affronter la complexité des problèmes des hommes, notamment en matière de sexualité.

Mais Peter savait aussi que Destino ne posait jamais une question sans avoir une idée derrière la tête.

Congrégation de la Sainte-Apparition,

Le Vatican,

De nos jours

— La Sainte Vierge a laissé son fils unique mourir dans la douleur, et il est mort pour nous tous, dans cette douleur.

Felicity scrutait la foule rassemblée dans la salle de réunion de la congrégation. L'assemblée n'avait jamais été aussi nombreuse. L'affluence était telle qu'il avait fallu refuser l'entrée à de nombreuses personnes, de peur que les pompiers ne prennent la décision d'annuler la réunion. Elle tendit le bras vers la foule.

— Combien d'entre vous sont prêts à imiter son exemple ? Combien d'entre vous sont prêts à souffrir au nom de Dieu ?

Le public n'eut pas le temps de répondre. Sa dernière question à peine proférée, Felicity se renversa en arrière et ses yeux se révulsèrent. Silencieuse, la foule attendait la suite, car c'était ce qu'elle était venue voir : le grand spectacle de la possession par les saints et le Saint-Esprit.

La jeune femme se mit à marmonner dans un langage incompréhensible.

— Elle parle en langues ! s'écria quelqu'un que la foule fit taire sans s'apercevoir que la voix émanait de sœur Ursula, la supérieure de la congrégation, qui avait aidé Felicity à prendre l'organisation en main après que la maladie avait rendu Girolamo DiPazzi incapable de s'en occuper. Sœur Ursula protégeait Felicity depuis le retour en Italie de la jeune fille, une dizaine d'années plus tôt. Au cours des apparitions publiques, c'était elle qui se chargeait d'entretenir l'émotion incontrôlable des spectateurs. D'autres membres de la confrérie, disséminés parmi le public, obéissaient au même objectif.

Un grondement viscéral s'éleva de la gorge de Felicity, suivi d'un hurlement si strident et déchirant qu'il ébranla les fenêtres de la pièce.

— Mes enfants ! cria-t-elle, et l'excitation des spectateurs crût encore, car ils étaient venus pour cela, pour entendre sainte Félicité s'exprimer par la voix qu'elle avait choisie pour véhiculer son message.

« Mes enfants ne sont pas morts en vain ! J'ai offert mes fils à Dieu. Chacun a souffert et saigné pour l'honneur d'être martyrisé au nom de Jésus-Christ.

Elle tomba à genoux et saisit à pleines mains sa chevelure.

— Vous, les mères, pleurez-vous pour moi ?

De la foule émanèrent de nombreuses voix : « Oui ! Oui ! Dieu vous bénisse ! »

— Ne pleurez pas ! rugit Felicity. Je fus heureuse le jour où mes fils préférèrent mourir plutôt que de renier leur foi. Comme la Sainte Vierge avant moi, je me réjouissais de leur mort, car mes fils vivraient éternellement.

Les yeux de nouveau révulsés, elle s'écroula au sol, en convulsions. Son dos se cambra et sa main heurta violemment le ciment. Sous le choc, la blessure des stigmates s'ouvrit. La foule retint son souffle tandis que des gouttes de sang éclaboussaient ceux qui étaient le plus près d'elle. Lorsque les convulsions s'apaisèrent, elle parla d'une autre voix.

— Vous tous, vous devez commencer à vous préparer. Ne pensez plus à la vie terrestre, qui ne signifie rien du tout. La vie éternelle est plus belle que vous ne pouvez l'imaginer sur cette terre.

Sœur Ursula intervint :

— C'est la voix du Saint-Esprit ! Louez Dieu pour cette bénédiction. Louez Dieu pour cette sainte qui souffre pour nous !

La foule, acquise, bouleversée par la frénésie de l'apparition de sainte Félicité, reprit son cri. « Louez Dieu ! Louez ses saints ! »

Felicity roula sur le côté, épuisée, en sang, mais prêchant toujours dans son grondement bizarre.

— Vous pouvez réserver votre place au ciel, mais vous devez prouver à Dieu que vous en êtes digne. Vous devez honorer Dieu et la sainte vérité. Tous ceux qui lutteront contre le mal et s'attaqueront aux blasphémateurs seront récompensés. Mais il plane une hideuse menace sur notre sainte voie, une hérésie à laquelle il faut mettre un terme...

Son énergie la quittait, elle n'allait pas tarder à perdre conscience et à s'évanouir. Juste avant que sa tête ne se renverse, elle murmura :

— Arrêtez les blasphémateurs. Arrêtez les fornicateurs qui mentent au sujet de la chasteté de Notre-Seigneur. Vous devez... arrêter...

Elle s'effondra avant de finir sa phrase. Des membres de la congrégation, bien entraînés, apportèrent une civière, y allongèrent Felicity et sortirent de la pièce avec elle.

Sœur Ursula en profita pour s'emparer du micro placé sur le podium.

— Mes frères, mes sœurs, ne partez pas sans avoir compris l'avertissement qui vous a été donné par le Saint-Esprit. Une blasphématrice démoniaque nous menace, nous trompe et nous ment. Je vous conjure de nous écouter et d'agir. Votre place au ciel en dépend.

Empêchez Satan de continuer à proférer ses mensonges. Aidez-nous à effacer le diable. Nous nous réunirons ici tous les soirs de cette semaine, afin de réfléchir ensemble aux actions à entreprendre.

L'assistance, plus que jamais décidée à gagner le paradis, agita frénétiquement les tracts qui lui avaient été distribués.

Un ordre clair y était inscrit : « Non au blasphème ! »

Sous ces mots étaient reproduites la couverture du nouveau livre de Maureen Pascal, *Le Temps revient*, ainsi qu'une photo du diable fornicateur en personne.

Careggi,

Printemps 1463

Le soleil réchauffait les pierres de Careggi d'un ocre doré tandis que Lucrezia Tornabuoni regardait son fils aîné s'éloigner à cheval, ses cheveux bruns brillants flottant derrière lui. Elle demeura à sa fenêtre jusqu'à ce qu'il fût hors de vue. Comme s'il avait senti le regard de sa mère, Lorenzo se retourna et lui fit un signe de la main en souriant avant de s'enfoncer dans la forêt. Âgé de quatorze ans, Lorenzo était devenu un beau jeune homme ; il était grand et large d'épaules, athlétique, et très séduisant. Une intelligence remarquable s'alliait chez lui à un cœur aimant, et Lucrezia veillait avec un soin jaloux à son éducation, afin que ces deux qualités perdurent et s'épanouissent.

Lucrezia était devenue profondément croyante, mais, selon sa propre expression, pas dévote. Elle écrivait des poèmes à la gloire de Dieu, pour le remercier des bienfaits dont il avait comblé sa famille, et avait brodé de sa propre main un extrait du Psaume 127 qui exaltait la gloire du lit nuptial.

Les enfants sont un don du Seigneur et la récompense qu'il vous accorde.

Et les siens l'étaient, en vérité. Elle en avait cinq : trois filles, Maria, Bianca et Nannina, toutes plus intelligentes l'une que l'autre, et deux fils exceptionnels. Lorenzo était l'aîné, et celui qui lui ressemblait le plus, physiquement comme intellectuellement. Lucrezia n'était pas ce qu'on appelle une belle femme, mais sa grâce et son charme transcendaient aisément la creuse perfection de la beauté. Elle avait transmis à son fils une malheureuse caractéristique familiale : un nez épaté à l'arête aplatie qui les privait tous deux du sens de l'odorat et de toute prétention à chanter. Mais Lorenzo avait également hérité de ses plus grandes qualités : haute taille, démarche royale et extraordinaire acuité mentale qui justifiaient qu'elle passât pour la plus accomplie des matrones florentines. Intellectuellement, aucun enfant qu'elle eût jamais connu ne pouvait se comparer à Lorenzo. Sa soif de connaissances était inextinguible, son don pour les langues pouvait sembler surnaturel et sa capacité à mémoriser et à comprendre les enseignements les plus complexes était stupéfiante. Son premier précepteur, le renommé Gentile Becchi, avait un jour déclaré qu'il n'existait pas assez de superlatifs pour décrire les aptitudes de Lorenzo.

À l'instar de sa mère, Lorenzo possédait un charisme exceptionnel, qui compensait ses défauts physiques. La passion pour la vie qui animait son visage le rendait irrésistible, et le peuple de Florence, pourtant porté au cynisme, l'avait adopté, et le nommait « notre prince ». En dépit de sa jeunesse, Lorenzo avait déjà mené à bien d'importantes missions diplomatiques, tant pour sa famille que pour Florence.

— Maman, où va Lorenzo ?

Lucrezia se tourna en souriant vers son plus jeune fils, Giuliano, qui l'interpellait de la porte de sa chambre, ses immenses yeux noisette pleins de larmes.

— Le chef des écuries est venu lui dire que son cheval préféré était agité et qu'il refusait de manger. Lorenzo est donc allé le nourrir et lui donner un peu d'exercice.

— Mais il m'avait promis de monter avec moi, aujourd'hui ! Pourquoi ne m'a-t-il pas emmené ?

— S'il te l'a promis, je suis sûre qu'il reviendra te chercher. Lorenzo n'oublie jamais une promesse.

C'était la vérité. Lorenzo était parfaitement fiable et tenait toujours parole, surtout vis-à-vis de son jeune frère, qu'il adorait.

Lucrezia ébouriffa affectueusement les boucles brunes du jeune garçon, qui possédait toutes les qualités physiques que la nature avait refusées à Lorenzo. Giuliano était non seulement beau, mais aussi d'une sensibilité exacerbée. Dans l'intimité de leur chambre à coucher, Piero disait souvent que Dieu ne s'était pas trompé en faisant de Lorenzo son prince, car Giuliano pour sa part n'avait pas les dispositions requises par le rôle : il était trop doux, trop gentil.

Ils surveillaient attentivement chez leur jeune fils l'apparition d'une vocation religieuse, qui aurait parfaitement convenu aux Médicis, à plus d'un titre. Mais Lucrezia, en dépit de sa position clé dans les décisions de la plus puissante des familles de Florence, était aussi une mère aimante qui désirait que ses enfants trouvent le bonheur dans un monde parfois trop dur. Elle n'obligerait jamais Giuliano à embrasser l'Église si ce n'était de sa propre volonté. C'était son privilège de cadet d'être déchargé du fardeau de l'écrasante prophétie. Giuliano serait beaucoup plus libre de choisir son destin que son frère aîné. Lucrezia connaissait Lorenzo mieux que son père et avait décelé chez lui le cœur tendre dissimulé sous le sens des responsabilités, ainsi que l'authentique et délicat poète caché sous le manteau de prince. Si Dieu avait décidé de la destinée de Lorenzo, Lucrezia s'inquiétait pour son bonheur. Serait-il capable de remplir son rôle de chef des Médicis, d'être un banquier, un politicien et un homme d'État, tout en connaissant la paix et le contentement personnel ?

Et, surtout, il y avait cette autre responsabilité, que l'on n'évoquait que parmi le cercle des intimes : l'écrasante prophétie que Lorenzo était censé incarner. Il était indubitable qu'il était le Prince Poète, du jour de sa conception parfaite à celui de sa naissance un 1er janvier, sous le signe du Capricorne, avec Mars en Poissons comme l'avaient prédit les Mages. L'éducation de Lorenzo se poursuivait dans ce sens. Cosimo de Médicis, le légendaire patriarche et le grand-père de Lorenzo, la finaliserait bientôt, avec l'aide de l'Ordre.

Le poids de son destin pèserait bientôt sur les épaules de Lorenzo. Cosimo était mourant et son fils Piero avait toujours eu une santé fragile. Ainsi l'avait-on surnommé à Florence « le Goutteux ».

Lucrezia soupira. Giuliano ne saurait jamais la chance qu'il avait eue de naître avec tous les privilèges mais presque aucune responsabilité. On ne pouvait en dire autant de Lorenzo. *Ah ! mon pauvre prince*, ajouta-t-elle intérieurement en jetant un dernier regard à la fenêtre d'où elle l'avait vu disparaître, *profite de ta liberté tant que tu le peux, mon enfant. Avant que la conscience de ce que tu es et de ce que tu dois accomplir ne te submerge.*

Puis elle prit la main de Giuliano.

— Viens, mon enfant. C'est l'heure de poser pour Sandro, pour qu'il termine ton beau portrait. Et ne gigote pas, cette fois-ci !

D'une légère pression des talons, Lorenzo lança Morello au petit galop. Jamais il n'éperonnait ni ne cravachait ses chevaux. Il les vénérait, et on disait même qu'il savait communiquer avec eux. L'astrologue de Lorenzo, Marsilio Ficino, avait décelé ce talent dans son thème astral. Son signe de naissance, le signe de terre du Capricorne, la mythique chèvre de mer, ainsi que d'autres éléments le prédisposaient à une extraordinaire affinité avec les animaux. Selon l'astrologue, ces derniers auraient également une influence imprévue sur sa destinée.

Lorenzo était particulièrement à l'aise avec les chevaux, qui lui rendaient son amour. Ils hennissaient lorsqu'ils entendaient Lorenzo approcher des écuries. Sa monture préférée, le tempétueux Morello, n'acceptait aucune nourriture de quelqu'un d'autre que Lorenzo s'il sentait la présence de son jeune maître en la villégiature familiale de Careggi.

Lorenzo poussa son cheval vers la forêt, sur un chemin qu'il connaissait bien. Il avait promis à son jeune frère de l'emmener monter cet après-midi, il devait donc se dépêcher, car il savait que l'enfant aurait le cœur brisé s'il ne tenait pas sa promesse, et il ne voulait en aucun cas que cela se produisît. Giuliano l'adorait, et il ne voulait lui donner aucune raison de changer de sentiments. Mais Lorenzo avait besoin de ces instants de solitude, où il montait au soleil, sentait la chaleur caresser sa chevelure et écoutait les frémissements du printemps qui émanaient de la forêt. Il composait en secret un poème à cette saison et souhaitait en savourer une fois encore les goûts et les odeurs avant de le terminer. Le printemps, la saison du renouvellement, des promesses. À Florence, où le calendrier commençait le 25 mars, on fêtait la nouvelle année le jour de l'arrivée du printemps, celui de l'Annonciation. Il disposait encore de trois jours avant les célébrations. Son sonnet serait achevé.

Un bruit soudain interrompit ses réflexions. Il tira doucement sur les rênes de Morello. C'était un son venu avec le vent, inhabituel en ces lieux. Lorenzo se raidit sur sa selle, aux aguets. Il chevauchait sur les terres des Médicis, où il se sentait d'ordinaire en sécurité, mais une famille aussi fortunée et aussi puissante s'attirait forcément des ennemis. Il devait être prudent. Le son se fit entendre de nouveau. C'était indiscutablement un son humain, faible, triste, absolument pas menaçant. Il dirigea Morello vers la source du bruit puis l'arrêta soudain lorsqu'il entendit un hoquet de surprise.

Assise sur les feuilles, les yeux levés vers lui, se tenait la plus merveilleuse créature qu'il eût jamais vue.

À peine un peu plus jeune que lui, elle ressemblait à une des nymphes que Sandro dessinait pour lui lorsqu'ils parlaient de la mythologie grecque qu'ils aimaient tant tous les deux. Des boucles châtaines parsemées d'or encadraient un ravissant visage en forme de cœur, des traits fins et des lèvres charnues. Elle était échevelée, et ses vêtements, bien que déchirés, semblaient de la meilleure facture. Ses yeux brillaient de larmes qui exaltaient leur couleur noisette. Plus tard, Lorenzo constaterait que cette nuance était changeante, au gré de son humeur : entre l'ambre et le vert clair. Mais, pour l'instant, elle était un parfait et délicieux mystère.

— Pourquoi pleures-tu ?

Elle s'approcha de lui, et lui montra ce qu'elle avait dans les mains, qui couinait en battant des ailes.

— Tu as attrapé une colombe ?

— Je ne l'ai pas attrapée, répondit-elle avec colère. Je l'ai sauvée. Elle était prise au piège, dans cet arbre. Mais elle est blessée. Je pense qu'elle a une aile cassée.

La nymphe des bois se leva pour lui montrer l'oiseau blessé qu'elle serrait contre son corps frêle. Il devrait informer son père de la présence de braconniers sur ses terres, mais il y avait plus urgent. Il descendit de cheval et posa sa main sur l'oiseau, qu'il caressa doucement.

— Chut, petite chose. Tout va bien.

À la grande surprise de la jeune fille, l'oiseau se calma et se laissa caresser.

— Lorenzo de Médicis, dit la nymphe d'une voix empreinte de crainte.

Jamais il n'avait entendu son plus doux. Son nom, prononcé par sa bouche.

— Oui, dit-il, pris d'une soudaine timidité. Mais ce n'est pas juste, tu sais qui je suis et je ne connais pas ton nom.

— À Florence, tout le monde te connaît. Je t'ai vu à la procession des Mages, sur le même cheval. Tu vas me faire arrêter pour être entrée sur tes terres ? demanda-t-elle après un bref silence.

Lorenzo se retint de rire, et de son maintien le plus sérieux l'interrogea à son tour :

— À Florence, dit-on aussi que je suis un tyran ?

— Mais non ! Ce n'est pas ce que je voulais dire. Pardon, Lorenzo. À Florence, tout le monde dit que tu es magnifique. Mon père me dit toujours de rester sur nos terres, mais tes forêts sont si tentantes que je m'y aventure de temps en temps, quand personne ne me surveille.

— Me diras-tu qui est ton père ? s'enquit-il pour apaiser son malaise manifeste.

— Je suis Lucrezia Donati, répondit la jeune fille en ébauchant une courte révérence tout en retenant la colombe.

— Ah ! Une Donati !

Il aurait dû deviner sa qualité à la perfection de ses atours. Les vastes terres des Donati jouxtaient celles des Médicis et la famille était apparentée à la plus ancienne noblesse de la Rome antique. Le célèbre poète toscan Dante avait épousé une Donati et ajouté cette gloire à ce nom héroïque.

— Eh bien, Altesse, fit Lorenzo en la saluant profondément, étant donné la qualité de votre famille, comment un simple Médicis pourrait-il avoir l'outrecuidance de vouloir vous arrêter ? J'aimerais bien, pourtant. Non, votre punition sera seulement de me donner cette colombe.

— Qu'en ferez-vous ? Vous n'allez pas la manger, quand même !

— Bien sûr que non ! Pour qui me prenez-vous ? Je vais l'apporter à Ficino, c'est un de mes précepteurs, qui est aussi médecin. Et l'un des meilleurs dans tous ses domaines de compétence. Si quelqu'un peut raccommoder cette aile, c'est bien lui. Il habite tout près, à Montevecchio, derrière notre demeure.

Lucrezia le considéra attentivement avant de poursuivre, sur un ton de commandement et non de prière :

— Je viens avec toi. Après tout, je suis tombée d'un arbre pour la sauver. Je mérite bien d'y aller aussi. En plus, c'est aujourd'hui mon anniversaire, et tu serais bien cruel de me refuser cette grâce.

Lorenzo éclata de rire devant la détermination de l'enchanteresse créature.

— Dame Lucrezia, je crois que je n'aurai jamais la force de te refuser quoi que ce soit. T'es-tu fait mal, en tombant de l'arbre ?

— Rien à voir avec ce que je vais souffrir quand ma mère verra l'état de ma nouvelle robe !

Elle s'efforça de se débarrasser des feuilles et de la poussière qui souillaient son vêtement, tout en se redressant, ce qui permit à Lorenzo, captivé, de tourner autour d'elle afin d'admirer toutes les faces de sa beauté.

— Tu as eu de la chance, cette fois, fit-il observer avec un sérieux feint. La saleté s'en va, et rien n'est déchiré. Et si Mona Donati te pose la question, tu n'auras qu'à dire que ton maladroit de voisin, Lorenzo de Médicis, est tombé de cheval et que tu es accourue à son secours. Je raconterai la même histoire à mon père et tu recevras une pluie de cadeaux pour ton anniversaire.

Lucrezia éclata de rire.

— C'est ingénieux, Lorenzo, mais tu as oublié un détail : tout le monde sait que tu es un excellent cavalier et personne ne croira que tu es tombé de cheval, surtout de ce cheval-ci. Non, j'assumerai ma faute. D'ailleurs, je mens très mal. La franchise me convient mieux.

— Tu es donc une noble femme, dans tous les sens du terme. Sais-tu monter ?

— Évidemment, rétorqua-t-elle en secouant sa chevelure châtaine. Crois-tu que ta famille est la seule de Florence à éduquer ses filles ?

À cet instant, la colombe frémit entre ses mains et la jeune fille perdit de son aplomb.

— Bien que cela soit peut-être difficile en tenant notre petite amie, ajouta-t-elle.

Lorenzo proposa une solution. Il aida Lucrezia à monter sur Morello, qui ne protesta pas. Puis il grimpa derrière elle et la maintint par les épaules pour qu'elle pût continuer de tenir l'oiseau dans sa main. Ils chevauchèrent lentement sous le soleil printanier. Le spectacle qu'ils donnaient à voir ressemblait infiniment à celui qu'offrent des jeunes gens en proie aux premiers émois amoureux, depuis l'aube des temps.

Tout en examinant l'oiseau blessé, Marsilio Ficino surveillait Lorenzo du coin de l'œil. Il assurait son bien-être intellectuel et philosophique depuis son plus jeune âge et l'aimait comme un fils. Il ne l'avait jamais vu aussi maladroit et embarrassé que devant l'héritière des Donati. Au moins, cette dernière était digne de lui, et non une fille de ferme de Pistoia. Pourtant, une telle alliance susciterait bien des complications. Comment réagirait le patriarche des Donati en apprenant que sa précieuse fille folâtrait dans les bois avec le fils des Médicis? La famille de Lorenzo était certes la plus riche et la plus influente de Florence, mais elle n'était pas de noble extraction. Aux yeux de l'aristocratie italienne, les Médicis n'étaient que des commerçants parvenus. Et les Donati n'accepteraient certainement pas plus qu'une simple amitié entre ces deux enfants. Et peut-être même pas cela.

— Il a une aile brisée, mais ce n'est pas grave, déclara enfin Ficino qui vit s'éclairer le visage de Lucrezia.

— Peut-on le sauver, le guérir? le pressa la jeune fille, transfigurée par un espoir contagieux.

— Seul Dieu sauve ses créatures, mon enfant. Mais nous ferons de notre mieux, avec nos pauvres moyens humains. Lorenzo, prends-le un instant, pendant que je vais chercher ce qu'il me faut.

Le jeune homme saisit l'oiseau avec précaution, et s'efforça de le rassurer en lui murmurant de douces paroles. Lorsqu'il releva les yeux, il s'aperçut que Lucrezia était au bord des larmes.

— Ne t'inquiète pas, il guérira. Mon maître l'aidera et nous, nous prierons ensemble.

Ficino revint avec deux petits bâtons et quelques bandes de tissu afin d'attacher l'aile de l'oiseau à son corps. Lorenzo retint l'oiseau pendant l'opération, qui se déroula sous le regard fasciné de Lucrezia.

— Je vais le garder ici, mais il faudra le nourrir à la becquée, déclara Ficino, et moi, je n'aurai pas le temps de m'en occuper. Débrouillez-vous tous les deux pour qu'il soit convenablement alimenté.

Lorenzo interrogea Lucrezia du regard. La jeune fille hocha solennellement la tête.

— Je viendrai chaque jour, si je le peux.

Son père était à Florence, et sa mère lâchait volontiers la bride à sa fille lorsqu'ils résidaient dans leur maison de campagne. Ainsi Lucrezia était-elle libre de ses mouvements, dans la mesure où elle ne suscitait pas d'inquiétude en demeurant trop longtemps absente.

— Moi aussi, dit Lorenzo. J'irai chercher Lucrezia au bord de ses terres et je l'amènerai jusqu'ici à cheval.

— Parfait, grommela Ficino. Et maintenant, filez tous les deux, j'ai du travail. Je traduis un texte important pour ton grand-père, Lorenzo, et ni l'âge ni la maladie ne l'ont rendu moins impatient. Et ne vous attirez plus d'ennuis, au moins pour aujourd'hui.

Lorenzo prit Lucrezia par la main et l'entraîna.

— Par ici, murmura-t-il.

— Où allons-nous ?

— Chut ! Tu verras.

Il la guida le long d'un sentier mal défini, sinueux et envahi par des branchages qu'il écartait pour elle, sans hésiter un instant. Il aurait retrouvé cet endroit les yeux fermés ; c'était le lieu qu'il préférait au monde, et qu'il préférerait toute sa vie. Il s'arrêta enfin, devant une ouverture aménagée dans un mur.

— Où sommes-nous ? demanda Lucrezia.

Devant eux s'ouvrait un jardin clos où s'élevait, parmi un enchevêtrement de fleurs, un temple à la grecque : une coupole, soutenue par des colonnes, où trônait une statue de Cupidon sur un socle où était inscrite une devise : *Amor vincit omnia*.

— L'amour triomphe de tout, traduisit Lorenzo. C'est de Virgile. Et c'est autre chose aussi. Ce temple a été construit par le grand Alberti.

— Mais c'est païen ! s'exclama Lucrezia, horrifiée.

— Tu crois ? Viens voir, ajouta-t-il en la guidant vers un autel en pierre où reposait une stèle en marbre représentant la Crucifixion. C'est Verrocchio qui l'a sculptée, et c'est chrétien, ça, n'est-ce pas ?

— C'est magnifique, dit Lucrezia, stupéfaite. Mais… je ne comprends pas.

Lorenzo sourit. Il était strictement interdit d'amener ici quiconque n'était pas initié au sein de l'Ordre, mais le

134

jeune homme voulait partager avec elle ce lieu magique. Instinctivement, il savait qu'elle apprendrait à l'aimer autant que lui, et que, en quelque sorte, elle en faisait partie. Comme lui. Il l'avait compris aussitôt qu'il avait posé les yeux sur elle. Elle faisait partie de tous les lieux qu'il aimait, à son côté.

— Selon Ficino, la sagesse des anciens et les enseignements de Notre-Seigneur peuvent et doivent vivre en harmonie. Toutes les connaissances divines émanent de la même source et nous devons l'honorer, afin d'accomplir notre destin d'être humain, et devenir meilleur. En grec, cela se dit *anthropos*. En latin, *humanitas*. Mon grand-père a consacré sa vie à cette croyance, et j'espère en faire autant.

— Mon grand-père à moi, il dirait que c'est de l'hérésie, rétorqua Lucrezia dans un éclat de rire.

— Et le mien que c'est de l'harmonie. C'est ici que je viens prier, donc, pour moi, c'est un lieu sacré. Je t'y ai amenée... pour que nous priions ensemble, pour la colombe. Ça m'a semblé juste.

Lucrezia admirait la superbe sculpture et la caressa de sa main tendue aussi haut que possible, le long de la croix. Une soudaine timidité l'empêchait de parler. Lorenzo, qui serait sensible à chacun de ses changements d'humeur tout au long de sa vie, s'aperçut immédiatement de son trouble.

— Qu'as-tu?

Elle leva les yeux sur la douloureuse beauté du visage du Christ sculpté par le grand artiste.

— J'en ai rêvé, murmura-t-elle.

— De quoi?

— De la Crucifixion. Je la vois comme si j'y étais. Il pleut, et je regarde, sous la pluie. J'ai fait ce rêve au moins trois fois.

Lorenzo ne parla pas immédiatement. Il l'observa attentivement.

— Viens, dit-il enfin.

Et, par un chemin bordé d'exubérants rosiers blancs, il la mena vers un autre autel, où s'élevait la statue en marbre d'une femme, une colombe posée dans sa main tendue.

— Qu'elle est belle ! s'écria Lucrezia. Qui est-ce ?

— Marie Madeleine. Notre-Dame, la Reine de Compassion.

— Elle est dans mon rêve, elle aussi !

— Tu rêves de Marie Madeleine ?

Lorenzo avait le souffle coupé. Elle hocha la tête.

— C'est mal ?

— Oh, non ! s'écria Lorenzo en riant. Je pense que c'est très bien, au contraire.

Il lui prit de nouveau la main et s'agenouilla devant la statue, en lui faisant signe de l'imiter. Lucrezia obéit, sans lui lâcher la main. Elle comprenait mal le mélange de paganisme et de christianisme qui régnait en ces lieux, mais il la ravissait, par sa magie, par son harmonie, comme disait Lorenzo. D'ailleurs, s'il venait prier ici, le lieu ne pouvait qu'être bénéfique.

— Tu m'apprendras, Lorenzo ? Tu m'expliqueras ?

Il acquiesça en souriant.

— Prie avec moi. Remercions d'abord Dieu d'avoir épargné notre colombe. Et ensuite...

Il s'interrompit, submergé par une soudaine timidité. Quand il poursuivit, ses paroles lui échappèrent en un flot incoercible.

— Ensuite, nous remercierons Dieu d'avoir provoqué notre rencontre.

— Je prierai avec joie, et je remercierai aussi Dieu de t'avoir offert à moi le jour de mon anniversaire.

Lucrezia Donati rougit et serra plus fort la main de Lorenzo. Puis elle s'abîma dans sa prière. Lorenzo l'imita. À cet instant, le soleil illumina la statue devant eux. Et tous deux entendirent, à quelque distance, le roucoulement d'une colombe.

Fidèle à sa parole, Lucrezia Donati vint presque tous les jours rejoindre Lorenzo à la limite de ses terres. Puis ils se rendaient chez Ficino pour donner la becquée à la colombe, qui semblait se rétablir, et allaient ensuite au jardin secret que les Médicis appelaient le Temple de l'Amour.

Lorenzo l'instruisait de tout ce qu'il avait appris. Lucrezia était une élève vive et curieuse ; elle se souvenait de tout ce qu'il lui disait, et posait maintes questions.

Un jour, une de ses requêtes étonna le jeune homme.

— Lorenzo, je voudrais que tu m'apprennes le grec.

— Le grec ? Vraiment ? Mais pourquoi ?

— Oui, vraiment. Pour une fille, j'ai reçu une solide éducation et je suis une élève studieuse, comme tu pourras le constater, répliqua la jeune fille en relevant fièrement la tête. Je veux apprendre le grec parce que c'est une langue que tu aimes, et que je veux connaître tout ce que tu aimes et tout partager avec toi. Tu m'apprendras le grec, Lorenzo ?

— Je t'apprendrai tout ce que désire ton cœur. Nous commencerons demain, après notre visite à notre amie à plume.

Le lendemain, Lorenzo lui apporta un manuel d'initiation au grec enveloppé d'un ruban de soie rouge. Un sourire radieux de Lucrezia, enchantée, fut sa récompense. Les cours commencèrent immédiatement et il se confirma qu'elle était une élève exceptionnellement douée. À la fin de la quatrième semaine, Lorenzo lui montra un parchemin sur lequel étaient inscrites des lettres grecques qu'il avait tracées de sa main.

— Qu'est-ce que c'est ? demanda Lucrezia.

— La leçon d'aujourd'hui. Je veux que tu traduises la question et que tu y répondes. En grec, naturellement.

Lucrezia, les sourcils froncés, se concentra sur le texte. Elle avait certes beaucoup travaillé, mais pendant quelques semaines seulement. Elle trébucha sur certaines lettres et Lorenzo corrigea gentiment ses erreurs. Elle comprit enfin la phrase et poussa un petit cri de ravissement en l'énonçant à haute voix.

— Puis-je t'embrasser ?

Elle répondit en grec, par l'un des rares mots qu'elle connaissait : *Nai*. « Oui. »

**

À la fin de la cinquième semaine, Ficino déclara que l'oiseau était guéri et qu'on pouvait désormais le libérer. Le succès de leur entreprise exalta les jeunes gens. Ils décidèrent de faire le même voyage que lors de leur première rencontre. Lorenzo se hissa sur Morello derrière Lucrezia qui tenait la colombe contre sa poitrine. Parvenus à l'orée de la forêt, ils mirent pied à terre et Lorenzo délaça doucement les petites bandes de tissu qui maintenaient en place l'aile de l'oiseau. Les minuscules attelles tombèrent et la colombe battit doucement des ailes en roucoulant.

— Elle nous remercie, dit Lorenzo.

Lucrezia, les larmes aux yeux, caressa la nuque de l'oiseau.

— Au revoir, ma petite amie. Comme tu vas me manquer!

Des larmes s'écrasèrent doucement sur l'aile guérie. En relevant la tête, elle s'aperçut que Lorenzo pleurait lui aussi.

— Tu es prête? murmura-t-il.

Elle hocha la tête et ils tinrent ensemble la colombe à bout de bras. Elle battit plusieurs fois des ailes, roucoula encore et s'envola en ébouriffant un nuage de plumes blanches. Ils la suivirent des yeux. Tout d'abord incertain, son vol se fit de plus en plus régulier. Elle se percha alors sur une branche, roucoulant de plus belle.

— Lorenzo, regarde, elle s'est posée sur un laurier!

Lorenzo secoua la tête, stupéfait tant par le choix de l'oiseau que par la compréhension du symbolisme que manifestait Lucrezia. En effet, le laurier était son emblème personnel et la racine de son prénom.

— Elle te remercie de lui avoir sauvé la vie, poursuivit-elle.

Lorenzo détourna son regard de l'oiseau pour le poser sur la magnifique jeune femme qui se tenait près de lui.

— C'est toi qui l'as sauvée. Tu as mis beaucoup de ton âme dans cette colombe, répondit Lorenzo en prenant le visage de Lucrezia dans ses mains pour l'embrasser doucement.

Soudain, il se redressa.

— Je viens de penser à quelque chose.

— À quoi? demanda Lucrezia un peu haletante, comme toujours lorsqu'il l'embrassait.

— Je me demandais comment j'allais t'appeler. Ma mère s'appelle Lucrezia, et à mon avis ce prénom ne te va pas. Mais l'oiseau a tout résolu. Pour moi, tu seras Colombina, ma petite colombe.

— C'est le plus beau prénom du monde, murmura-t-elle.

Et ce fut elle qui se hissa sur la pointe des pieds pour trouver ses lèvres. Puis, à l'orée de la forêt, dans le renouveau éclatant de la vie qui s'épanouissait tout autour d'eux, ils s'avouèrent leur amour pour la première fois. Un amour qui perdurerait tout au long de leurs vies mouvementées et sur le chemin ardu que Dieu tracerait pour eux, ensemble ou séparément.

C'était un amour éternel. Du début jusqu'à la fin des temps.

À propos de la Madone de l'Humilité, *également appelée* Madone du Magnificat.

Mme Lucrezia m'a commandé un portrait de sa famille pour célébrer ses vingt années d'union avec son mari Pietro.

Je l'ai peinte en Madone. Quelle Madone? Aucune importance. N'y en a-t-il pas une seule, finalement? La mère éternelle, Notre-Dame de Compassion et d'Humilité. Mais cette œuvre est une célébration de la maternité qui ne sied pas à une vierge et en vérité j'ai représenté donna *Lucrezia en Marie Madeleine. Elle écrit un Magnificat, un hymne à la gloire de Dieu, car* donna *Lucrezia est une grande poétesse et il court beaucoup de rumeurs sur les écrits de Madeleine. J'ai peint sa chevelure à l'or fin, afin que le monde sache la valeur des femmes qui ont inspiré mon travail.*

Comme c'est bon d'avoir les Médicis pour mécènes!

Parmi les anges qui entourent Notre-Dame, j'ai représenté Lorenzo. C'est lui qui tient son encrier, car il est le

Prince Poète d'où surgira l'inspiration de demain. J'ai dessiné Lorenzo de profil pendant un de nos cours, sans qu'il s'en aperçoive. Il regardait le maître, qui nous racontait l'histoire du centurion Longinus. C'est ainsi que je voulais montrer Lorenzo, en pleine dévotion, afin que l'énergie dégagée par son émotion imprègne le tableau. Et Lorenzo est plus beau de profil.

L'angélique Giuliano soutient le livre ; il contemple son frère aîné et semble solliciter ses conseils. Tel sera toujours le rôle de Giuliano : soutenir Lorenzo et suivre ses avis. S'il est sage, il en tirera profit. Giuliano a un visage d'ange, je l'ai donc peint de face. Il n'a pas été facile de lui imposer ces longues séances de pose. Heureusement, donna Lucrezia m'a aidé. L'immobilité n'est pas naturelle, chez un garçon de son âge.

L'aînée des sœurs Médicis, Maria, pose une main protectrice sur chacun de ses frères bien-aimés, car il est dans sa nature d'être aimante. Les deux autres sœurs, Nannina et Bianca, sont les anges qui tiennent la couronne sur la tête de la Madone. Le premier petit-enfant de Pietro et Lucrezia représente tous les bienheureux et prospères descendants des Médicis. Sa main est posée sur le mot Humilité. Selon le Libro Rosso, c'est l'une des grandes vertus et le contraire de l'orgueil et de la prétention. Donna Lucrezia a considéré que c'était un message essentiel à transmettre à sa descendance. Pour être un grand prince, il faut être humble.

L'enfant tient une grenade. Comme le maître nous l'a enseigné, et Ficino, qui a étudié le grec, le confirme, la grenade symbolise l'union sacrée des époux. Elle est l'emblème d'un mariage indissoluble, car ceux que Dieu a réunis, l'homme ne peut les séparer.

Le mariage de Lucrezia et Pietro en est le plus merveilleux exemple. Ils marchent dans les pas de Notre-Seigneur et de Notre-Dame.

J'ai été très heureux de peindre notre bien-aimée Madeleine sous les traits de donna Lucrezia. Je me suis permis quelques libertés sur son teint, et je l'ai un peu adoucie, pour montrer Lucrezia de Médicis comme la voient ceux qui la vénèrent : elle irradie, elle est solaire, elle est « par-

140

faite ». En fond, j'ai peint le courant souterrain qui coule droit vers Careggi, ce lieu de grande connaissance et ce refuge pour ceux qui veulent aiguiser leur regard et affûter leurs oreilles. Il émane des femmes de la lignée une artère de vie et de beauté qui irrigue tous ceux d'entre nous qui ont des yeux pour voir et des oreilles pour entendre.

Je demeure.

Alessandro di Filipepi, alias Botticelli

Extrait des *Mémoires secrets* de Sandro Botticelli.

Montevecchio,

1463

Lors de l'un de ses séjours à Careggi, Lorenzo emmena Lucrezia dans la petite villa de Montevecchio où se retirait Ficino; Cosimo l'avait fait construire pour lui afin d'y installer le siège de l'Académie platonique. Sous la houlette de Ficino, l'Académie s'était développée et était devenue l'un des hauts lieux intellectuels de Florence, où aimaient à se réunir les clercs afin d'étudier les classiques dans une ambiance détendue, de dialoguer sans contrainte et de débattre. Poètes, philosophes, artistes et érudits accouraient dans la retraite de Ficino sitôt qu'il annonçait que s'y tiendrait une réunion. Dans les intervalles, Ficino y dispensait son enseignement à Lorenzo et parfois à Sandro, quand ce dernier n'était pas à Florence où il effectuait son apprentissage auprès de Verrocchio. Sandro passait de plus en plus de temps à

Careggi, car le doyen des Médicis souhaitait qu'il s'initiât aux techniques de l'infusion artistique auprès de Fra Filippo. Le jeune artiste s'améliorait de jour en jour, et Cosimo en vint à penser qu'il était temps pour lui de perfectionner aussi son éducation classique.

Lucrezia Donati, que tous appelaient désormais Colombina, avait persuadé ses parents de la laisser prolonger ses séjours à Careggi au prétexte qu'elle apprenait l'art de la broderie auprès de Lucrezia de Médicis, en compagnie de ses filles. Se perfectionner auprès d'un professeur aussi renommé pour son habileté que l'était *donna* Lucrezia était inutile pour l'héritière des Donati. Mais ses parents s'intéressaient beaucoup trop à leur statut social en ville pour se préoccuper des lubies de leur fille. Sachant qu'elle se consacrait à un passe-temps féminin convenable en compagnie de femmes respectables et influentes, ils la laissaient libre de ses choix.

Lorenzo, Colombina et Sandro formèrent bientôt un trio inséparable. Comme tout le monde, apparemment, Sandro adorait Colombina, qui servait souvent de modèle aux madones qu'il exécutait dans son atelier. La réticence initiale de Ficino envers la jeune fille avait fondu devant son intelligence et sa passion pour l'étude. Pour l'impressionner, Lorenzo travaillait avec une ardeur inconnue, sans toutefois manquer de la féliciter pour ses multiples progrès, dont il se montrait très fier.

Ficino aimait à dire à Colombina que, si elle était née du sexe masculin, sa vivacité d'esprit et son esprit audacieux l'auraient amenée à régner sur le monde. Mais, en tant que précepteur de Lorenzo, il veillait à ce que les relations des deux jeunes gens en restent à un stade littéralement platonique. Il les comparait à Apollon et Artémis, et soulignait qu'en tant que frère et sœur ils formaient un duo qui éclairerait Florence grâce à l'influence conjuguée de la masculinité du Soleil et de la féminité de la Lune. Il espérait ainsi les préparer au destin de tous les fils et filles des grandes familles florentines : les dures réalités d'un mariage arrangé au nom d'alliances politiques. S'ils trouvaient assez de

142

satisfaction dans leur rôle de frère et sœur d'esprit, leur énergie se concentrerait peut-être sur leur cause commune, l'Ordre, auquel Ficino savait que Colombina adhérerait avec enthousiasme dès qu'elle y aurait été initiée.

Jacopo Bracciolini se joignait parfois à eux. Lorenzo et Jacopo se connaissaient depuis l'enfance, ils avaient rivalisé à cheval, s'étaient battus dans la boue en jouant aux croisés, armés de manches à balai en guise de lances, avaient défilé ensemble dans des cortèges. Les deux enfants avaient dix ans lorsque Jacopo avait figuré le Maître des Chats lors de la procession des Mages. Et il aimait toujours autant se moquer des gens et attirer l'attention.

Il était parfois vraiment amusant, parfois très agaçant. Sandro le trouvait insupportable, mais Lorenzo le considérait comme un frère en esprit et le défendait contre les piques de Sandro. Jacopo était non seulement l'un de ses plus vieux amis, mais son père, Poggio, était un haut dignitaire de l'Ordre, d'un rang juste inférieur à celui de Cosimo. Cela suffisait à Lorenzo pour le considérer comme faisant partie de la famille et, partant, pour le prendre sous son aile protectrice.

Colombina était aimable avec tout le monde et, bien que Jacopo fût un éternel bouffon toujours prêt à faire de l'esprit aux dépens d'autrui, elle avait un faible pour lui. Il était avide d'attention, mais d'une grande intelligence et capable de conversations profondes. Un jour, il avait enfoncé une minuscule grenouille dans un encrier et hurlé de rire lorsque l'infortunée créature avait réussi à s'en extraire et laissé des petites taches en forme de têtard sur d'importantes traductions de Ficino. Mais Jacopo recouvrait son sérieux pour envisager l'avenir de Florence et sa future importance dans l'histoire de l'Europe. Les Bracciolini étaient une ancienne et noble famille florentine, et Jacopo était fier de son héritage.

Pourtant, sa présence bouleversait l'harmonie du trio, ce qui énervait Sandro. Cela se révéla tout particulièrement pendant le cours de Ficino sur les Églogues de Virgile.

— « L'amour triomphe de tout; nous aussi, rendons-nous à l'amour. »

Ficino citait l'une des plus célèbres phrases de Virgile; il demanda à chacun des étudiants d'en livrer son interprétation. Colombina proposa la sienne : l'amour était la plus grande source de pouvoir au monde. Lorenzo l'approuva et poursuivit par une discussion sur la différence entre triompher et se rendre. Quant à Jacopo, il se contenta de jouer sur les mots :

— L'amour triomphe des fous; ne nous rendons à rien.

Le jeune Bracciolini se révélait plus perturbateur que jamais, comme si ce cours sur l'amour était une épine dans son flanc. Ficino argumenta quelques instants, mais il n'était pas d'humeur à subir les facéties du jeune homme. Cosimo lui avait confié de nombreux textes à traduire. Il libéra ses élèves plus tôt que d'habitude et observa que Jacopo se précipitait dehors sans un regard ni un au revoir.

Il était cependant moins facile de se débarrasser de Lorenzo, qui harcelait Ficino pour qu'il amenât Colombina au maître de l'ordre du Saint-Sépulcre, afin qu'il l'adoubât. Ficino savait que c'était inévitable, mais la santé de Cosimo se dégradait chaque jour davantage, et il lui restait peu de temps pour traduire les précieux manuscrits que lui avait confiés son mécène. Cosimo avait ouvert la bibliothèque des Médicis aux érudits de Florence; pour la première fois, une bibliothèque privée était mise à disposition du public. Le patriarche voulait y ajouter la traduction des documents exceptionnels que les multiples expéditions financées par les Médicis avaient permis de découvrir au Proche-Orient. Ficino était soumis à cette pression et, bien qu'il n'en eût jamais été ouvertement question entre eux, il savait que

Cosimo désirait plus que tout les lire avant de quitter ce monde.

Lorenzo avait suivi un cours d'astrologie avant la débâcle de celui sur Virgile et il désirait que Ficino comparât son thème et celui de Colombina. En grommelant, Ficino sortit la précieuse éphéméride que lui avait offerte Cosimo et feuilleta l'énorme volume. Cette vénérable encyclopédie décrivait en détail la position des planètes et des corps célestes lors de la naissance des deux enfants. Après avoir gribouillé quelques chiffres et les avoir analysés, il se prononça enfin.

L'astrologie était la passion de Ficino, qui était un homme d'une grande intégrité. Il savait qu'il ne pouvait éviter de dire la vérité lorsqu'il la lisait. Aussi ne parla-t-il qu'après quelques instants d'hésitation.

— Je vois ici quelque chose… d'unique. Votre amour l'un pour l'autre ne fera que croître avec le temps, et durera pour l'éternité. C'est un amour divin, un don de Dieu, qui vous a faits l'un pour l'autre. Aucun homme, aucune femme ne pourra jamais vous l'enlever.

— Ça, dit Lorenzo en saisissant la main de Colombina pour embrasser ses longs doigts, je le savais sans le demander aux astres.

Colombina lui sourit puis regarda Ficino avec inquiétude.

— Ces nouvelles sont magnifiques, maître. Dieu, et un amour divin, éternel… Mais pourtant, vous nous les annoncez avec tristesse. Pourquoi ?

Ficino tendit la main et lui souleva le menton d'un doigt, tel un sculpteur se préparant à travailler, avant de lui répondre avec un sérieux empreint d'affliction :

— Parce que, ma chère enfant, votre amour sera contrarié par les circonstances de la vie. Vous et votre amour aurez à affronter de nombreux défis. Le destin de Lorenzo…

Il s'interrompit et baissa les yeux sur ses gribouillis, qu'il effaça en les barbouillant d'encre du bout du doigt.

— D'autres prendront les décisions pour vous.

Le ravissement de Lorenzo s'évanouit et il regarda son aimée avec de la tristesse dans les yeux.

— Mon père, dit Colombina.

— En effet. Mais, mes enfants, je vous supplie de ne jamais oublier que ceux que Dieu a unis, aucun homme ne peut les séparer.

Le cœur lourd, Marsilio Ficino regarda s'éloigner ses deux élèves préférés. Il en savait tellement plus que ce qu'il leur avait laissé entendre ! Cependant, malgré sa profonde sagesse, il savait que ces événements allaient au-delà de sa science et de son expérience. Un seul homme au monde pouvait désormais les aider, le seul homme qui méritât le titre de maître.

Ficino prit un léger manteau et s'en fut à la recherche de Fra Francesco.

Il n'eut guère à aller bien loin pour trouver Fra Francesco, qui demeurait dans son aile personnelle à Montevecchio et ne s'aventurait que rarement au-delà des jardins où il avait fait créer un élégant labyrinthe au chemin pavé. Francesco y priait et y enseignait. Mais aujourd'hui, il était à l'intérieur, comme s'il avait prévu la venue de Ficino. Il l'accueillit par une question :

— Comment est-il possible que nous n'ayons pas entendu parler de la fille des Donati ?

La question n'était pas un reproche, ce qui n'aurait pas été dans la nature du maître, elle était sincère et reflétait sa légitime curiosité. Ficino, cependant, était vexé de n'avoir rien compris à la situation. Pourquoi n'avait-il pas étudié son thème astral plus tôt ? Les étoiles ne mentaient pas.

— Les Donati sont des traditionalistes, répondit-il. Ils ne partagent pas notre foi et refuseraient notre enseignement. Ce sont des catholiques convaincus, qui trouveraient nos actes parfaitement aberrants.

— C'est vraiment dommage, car leur fille est très probablement une Élue. Sommes-nous sûrs de ne pas pouvoir les influencer ?

Ficino se tut, stupéfait. Comment Fra Francesco, qui n'avait jamais rencontré la jeune fille, pouvait-il émettre un tel jugement ?

Le maître s'aperçut de son trouble.

— Il ne peut en être autrement, puisque Lorenzo est aussi épris d'elle. Elle est issue d'une noble famille toscane, Dante a épousé une Donati. Et toutes les vieilles familles toscanes appartiennent à la Lignée, Marsilio, ne l'oublie pas. Les trois grandes dynasties de sang sacré se sont installées en Toscane et en Ombrie, et cela n'est arrivé nulle part ailleurs en Europe. C'est pourquoi ces lieux sont si particuliers.

— C'est aussi pour cette raison qu'il y a tant de querelles et de rivalités familiales, fit observer Ficino.

— Hélas, oui ! Mais nous essayons d'y porter remède, en favorisant les mariages entre elles. Qui aurait imaginé que les Albizzi et les Médicis ne formeraient plus qu'une famille ? et les DiPazzi ? C'est pourtant arrivé. Peut-être pourrons-nous convaincre les Donati de marier leur fille à Lorenzo.

— Nous pouvons essayer, dit Ficino en secouant tristement la tête. Mais je doute que nous y parvenions. Pas à cause d'une querelle. Les Donati et les Médicis entretiennent de bonnes relations de voisinage. Mais en raison de leur statut à Florence. Les Donati appartiennent à l'élite et ils sont catholiques ! Cela rendra les choses bien difficiles, même si les Médicis sont l'une des familles d'Europe les plus riches et les plus influentes.

— Et les vrais rois de ces régions, lui rappela Fra Francesco en se référant à l'hérédité de la famille ainsi qu'à la naissance exceptionnelle de Lorenzo.

— Certes, mais les nobles Donati ne seront pas de votre avis. De leur point de vue, les Médicis sont des marchands, une caste bien inférieure à la leur dans la hiérarchie sociale.

— Cette jeune fille… elle est intelligente ?

— Elle est l'égale de Lorenzo, maître. Je ne l'avouerais à personne d'autre au monde, mais c'est vrai. Indépendamment de son horoscope, j'ai pu constater, grâce à ses aptitudes à apprendre et à ses sujets de prédilection, qu'elle était son âme sœur. Ils se ressemblent tellement que c'en est parfois troublant. Il y a entre eux une symétrie exceptionnelle, une sorte de perfection. Et pourtant... il est écrit qu'ils vivront séparément. J'en viens à douter de Dieu, et de ma foi.

— C'est bien naturel, mon enfant. Durant ma longue vie, bien des choses m'ont incité à mettre en question la volonté de Dieu, et presque toutes étaient du domaine de l'amour. Pourquoi faut-il séparer deux âmes destinées l'une à l'autre ? Dans ce rêve que nous appelons la vie, l'amour est un conflit. Mais tout a un sens. Nous sommes mis à l'épreuve, pour voir si nous avons la force de combattre l'illusion et de trouver l'amour à la fin du rêve. Alors, le rêve devient réalité, et rien n'est plus magnifique.

Ficino n'était jamais tombé amoureux. Il se contenta de hocher la tête. Cet homme singulier avait trouvé le bonheur dans l'étude, il n'était pas du genre à se laisser distraire par des soucis amoureux, dont il n'avait ni le goût ni le besoin.

— L'amour sur cette terre n'est pas une mission assignée à tous, poursuivit le maître. Il y a parmi nous des anges, comme toi, dont le but est différent. Tu ne cherches pas l'âme sœur, car il n'en a pas été créé pour toi.

— Je suis parfaitement heureux ainsi, maître.

— Évidemment ! Notre père et notre mère qui sont aux cieux ne commettent pas d'erreur, et ne sont pas cruels. Si tu étais destiné à ressentir le profond besoin d'une compagne, Ils ne t'auraient pas envoyé ici-bas sans ton âme sœur. S'Ils l'ont fait, c'est pour que tu te consacres à ton travail, qui est ton unique passion. Et que cela te rende parfaitement heureux.

Le maître riait, maintenant, et la cicatrice qui barrait son visage tressautait sous sa barbe.

— Voilà pourquoi ta mission est d'enseigner les langues et les classiques, alors que la mienne est d'enseigner l'amour. Ce qui nous ramène à notre sujet initial.

Qu'allons-nous faire de cette charmante nouvelle Élue, qui est le grand amour de Lorenzo ? En as-tu parlé avec Cosimo ?

— Non. Cosimo est en très mauvaise santé ; je ne veux pas lui imposer ce fardeau avant que vous ne soyez certain qu'elle est bien ce que nous pensons qu'elle est.

— Bon. Il n'y a donc qu'une seule chose à faire pour l'instant. Amène-la-moi le plus vite possible, afin que nous en ayons le cœur net.

Le lendemain, Colombina vint rejoindre Lorenzo à Montevecchio et rencontra le maître pour la première fois. Elle avait beaucoup entendu parler de lui, surtout par Lorenzo qui le vénérait comme l'homme le plus sage et le meilleur qu'il eût jamais connu. Il l'avait prévenue de sa physionomie rébarbative, mais Colombina ne s'attachait pas à ces trivialités. Elle était un esprit pur et voyait l'essence des êtres, au-delà des apparences.

Ils passèrent leur première heure ensemble, tous les quatre, dans la salle de dessin de Ficino. Le maître observa le comportement de Colombina avec Ficino et Lorenzo. Il ne put que constater à quel point la jeune fille était dépourvue de tout artifice.

Puis il leur sourit et déclara qu'il souhaitait s'entretenir seul à seule avec Colombina. Ficino et Lorenzo se retirèrent, pour préparer la réunion de l'Académie platonique qui aurait lieu un peu plus tard dans la semaine.

Lorsque Lorenzo et Ficino se furent éloignés, Fra Francesco concentra son attention sur Colombina.

— Lorenzo m'a dit que tu rêvais de la Crucifixion et de Notre-Dame Marie Madeleine, ma chère enfant. Depuis quand cela t'arrive-t-il ?

Colombina hocha respectueusement la tête et répondit à sa question :

— Le premier rêve a eu lieu l'année dernière, la nuit précédant ma rencontre avec Lorenzo. Je m'en souviens bien, car c'était la veille de mon anniversaire, et je me suis réveillée en pleurant. Ma mère était furieuse. « Pourquoi pleures-tu ? C'est ton anniversaire, et c'est le printemps ! » m'a-t-elle dit. J'ai répondu que j'avais fait un cauchemar, mais je ne lui ai pas raconté ce dont j'avais rêvé. Ma mère est très pieuse. Je suis certaine que si je le lui avais dit, elle m'aurait envoyée tout droit au couvent.

— Tu veux bien me raconter ton rêve ?

— Bien sûr ! Je ne pense pas que vous, vous m'enverrez dans un couvent ! répondit Colombina en souriant.

— Ça, en effet, ça ne risque pas d'arriver, répondit Fra Francesco en riant.

— Voilà. Je vois Notre-Seigneur sur la croix ; il pleut beaucoup. Et je vois Marie Madeleine au pied de la croix, elle sanglote, et je me mets à pleurer avec elle. Il y a d'autres femmes : la Sainte Vierge et les autres Marie. Elles pleurent toutes, mais celle que je comprends le mieux, c'est Marie Madeleine...

Colombina hésita un instant avant de poursuivre, car ce qu'elle allait dire maintenant était susceptible de la faire expédier dans un couvent.

— Continue, mon enfant. Tu n'as rien à craindre de moi.

Elle lui dédia alors le sourire éblouissant qui enchantait tous ceux qui la croisaient.

— Je le sais, maître. Je l'ai su dès que j'ai franchi cette porte. Mais cette partie de mon rêve est difficile à expliquer. Je ressens ce que ressent Madeleine, comme si j'étais elle, mais je sais que je ne suis pas vraiment elle. On dirait qu'elle veut que je lise en son esprit et en son cœur, pour partager ses pensées et ses sentiments avec moi. Et j'ai fait ce rêve trois fois !

— C'est un rêve remarquable, petite colombe. Un rêve béni. Vois-tu des soldats romains, dans ton rêve ? Distingues-tu leurs visages ?

— Non, pas clairement. Je suis consciente de leur présence, mais je ne les vois pas. Je ne m'occupe que de Madeleine.

Le maître hocha la tête, satisfait. Colombina faisait le même rêve de la Crucifixion que toutes les Élues avant elle. Et il était préférable qu'elle ne vît pas le visage des centurions; cela lui évitait d'avoir à expliquer pourquoi le visage de Longinus Gaius, affreusement balafré sur la joue gauche, était une réplique du sien, en plus jeune.

C'était indubitable : Colombina était une authentique fille de la sainte prophétie et, comme toutes les prophétesses de la Lignée, elle ne se contentait pas de voir Madeleine, elle la sentait. Mais comment parviendraient-ils à la soustraire à l'influence de ses parents pour l'initier à l'Ordre ? Quel rôle cette jeune fille avait-elle à jouer, puisqu'il était hautement improbable qu'elle épousât Lorenzo ?

Il embrassa Colombina et la libéra, afin qu'elle passât le reste de la journée avec son bien-aimé Lorenzo. En les voyant s'éloigner, main dans la main, il sourit. Ce spectacle était une bénédiction, qui lui redonnait espoir et emplissait son vieux cœur d'amour, en dépit des sombres prédictions de Marsilio.

— L'amour triomphe de toutes choses, mes enfants, murmura-t-il. L'amour triomphe de toutes choses.

DEUXIÈME PARTIE

LE MIRACLE DE L'UN

Il est vrai, sans mensonge, certain et très véritable
Ce qui est en bas est comme ce qui est en haut
Et ce qui est en haut est comme ce qui est en bas.
Par ces choses se font les miracles d'une seule chose...
Le Soleil en est le père et la Lune la mère.
Le Vent l'a porté dans son ventre.
Il monte de la terre et descend du ciel
Et reçoit la force des choses supérieures
Et des choses inférieures.
Tu auras par ce moyen la Gloire du monde
Et toute obscurité s'enfuira de toi.
C'est la force, force de toute force.
Ainsi, le monde a été créé.
De cela sortiront d'admirables adaptations
Desquelles le moyen est ici donné.
C'est pourquoi j'ai été appelé Hermès
le Trois Fois Très Grand,
Ayant les trois parties de la sagesse du Monde tout entier.

(Hermès Trismégiste, *La Table d'émeraude*.)

Antica Torre, quartier de la Santa Trinita,

Florence,

De nos jours

Au cœur du quartier de la Santa Trinita, sur les rives de l'Arno, une mystérieuse communauté monastique liée à l'Ordre édifia au xe siècle un monastère sous les auspices de Siegfried de Lucques, le légendaire arrière-arrière-grand-père de Matilda de Canossa. Ces prêtres n'étaient pas de simples sympathisants de l'Ordre; certains d'entre eux descendaient de puissantes familles de la lignée et en étaient secrètement membres. Les enseignements du Libro Rosso y furent préservés; la sainteté de l'union et la vérité sur la Trinité en étaient les pierres angulaires.

Les tours de la famille Gianfigliaza veillaient sur le quartier de la Santa Trinita depuis presque huit siècles. Parfaitement restaurées et entretenues, elles encadrent aujourd'hui une rue commerçante à la mode, la via Tornabuoni, du nom de la famille de la mère de Lorenzo de Médicis. L'une des tours abrite un musée de la Mode et une boutique ultrachic, fleuron de l'empire du célèbre designer italien Salvatore Ferragamo. Dans l'autre, on trouve un hôtel et des appartements. L'appartement de

Petra Gianfigliazi occupait l'un des étages de la tour sud ; l'ordre du Saint-Sépulcre y avait établi son quartier général.

Petra, une femme de grande classe à la beauté remarquable, avait acheté cet appartement dans l'espoir de rappeler au monde l'ancienneté des possessions familiales à Florence. À l'époque où elle était top model, elle avait épargné assez d'argent pour se le permettre. Elle n'exerçait plus, mais elle était cependant plus belle que la plupart des filles deux fois plus jeunes qu'elle qui défilaient alors sur les podiums. Les changements intervenus dans le monde de la mode ne lui plaisaient pas : on y encourageait les filles à se laisser mourir d'inanition et à abuser de médicaments coupe-faim particulièrement malsains. Elle avait travaillé tant qu'elle l'avait supporté, mais ce temps était révolu. Lorsque Destino lui avait téléphoné pour lui annoncer qu'il avait l'intention de revenir à Florence, elle avait accueilli la nouvelle avec un grand plaisir. Bien qu'elle ne l'ait pas vu depuis plusieurs années, ils étaient toujours restés en contact, et elle gardait une infinie dévotion pour celui qui avait été son mentor alors qu'elle n'était encore qu'une enfant. La propriété proche de Montevecchio où Destino demeurait à l'époque où il résidait à Florence, le lieu sacré où il conservait les trésors de l'Ordre, appartenait à sa famille.

Destino y vivait depuis son retour et Petra s'inquiétait de le savoir seul dans une propriété aussi isolée. Il avait terriblement vieilli depuis leur dernière rencontre, et semblait très fragile. Aussi Petra se réjouit-elle lorsqu'il déclara qu'il préférait habiter en ville pendant que Maureen et ses amis y seraient. Il avait tant de choses à leur montrer, à Florence, que ce serait plus facile s'ils étaient tous sur place. Elle pourrait ainsi mieux s'occuper de lui.

Et d'autant plus après les pitoyables singeries de Vittoria Buondelmonti ! Après l'exaspérant comportement de celle-ci à New York, Petra avait essayé de joindre Vittoria. Comment cette dernière pouvait-elle prétendre que Bérenger Sinclair était le père de son enfant ? Mais

Vittoria ne l'avait pas rappelée. Pas encore. Elle le ferait sans doute bientôt. Petra avait guidé Vittoria dans le monde de la mode et aussi sur le chemin de l'Ordre, car les deux jeunes femmes appartenaient à de vieilles familles toscanes héritières de la tradition. L'attitude de Vittoria n'en était que plus agaçante.

Petra avait fait de son mieux pour que Destino ignore tout de l'affaire. La santé de son cher professeur était plus précaire que jamais, il était indispensable de le protéger du choc que la nouvelle provoquerait inévitablement chez lui. Il aimait tous ses élèves comme s'ils étaient ses propres enfants et, si l'un d'entre eux s'écartait du droit chemin, il en souffrait infiniment. Petra craignait que la tentative manifeste de Vittoria de détruire la relation entre Maureen et Bérenger n'ait sur Destino un effet dévastateur. Elle était bien consciente qu'elle ne pourrait garder éternellement le secret, car Maureen solliciterait certainement son avis, à moins que Bérenger ne le fasse avant elle. Petra devrait donc le prévenir. Mais il fallait d'abord clarifier les choses avec Vittoria.

Destino habitait le spacieux appartement de Petra ; Maureen et ses amis avaient pris des chambres dans l'hôtel adjacent. Ils se retrouvaient soit dans le salon de Petra, soit sur le toit-terrasse de la tour, d'où l'on jouissait d'une superbe vue sur le Dôme et sur le Ponte Vecchio.

Ils y tinrent leur première réunion à six : Destino et Petra, les actuels dirigeants de l'ordre du Saint-Sépulcre, Maureen, Tammy, Roland et Peter. Bérenger, pour sa part, était absent ; il avait estimé indispensable de se rendre en Écosse pour enquêter sur les accusations dont son frère était l'objet. Personne n'avait eu de ses nouvelles depuis vingt-quatre heures, et tous s'inquiétaient des événements qui se déroulaient au manoir des Sinclair.

Ils s'étaient donné rendez-vous au coucher du soleil et pouvaient admirer, presque sous leurs yeux, l'église de la Santa Trinita où, bien des siècles auparavant, l'homme qui se tenait devant eux avait, s'il fallait l'en croire, initié la comtesse Matilda.

En hôtesse avisée, Petra avait choisi vins et fromages locaux pour régaler ses invités. Elle s'était modestement présentée comme la secrétaire de Destino et paraissait tout à fait satisfaite de se tenir dans l'ombre. Mais, malgré sa déférence, elle avait une présence incontestable, que tous ressentaient.

Destino commença cette réunion comme il le faisait depuis deux mille ans, par la prière de l'Ordre.

Nous honorons Dieu tout en priant
pour qu'advienne le temps où régnera sur tous
la paix de ses enseignements,
où il n'y aura plus de martyrs.

— Mes enfants, poursuivit-il, l'homme ou la femme parfaitement accompli, l'*anthropos*, connaît sa promesse et œuvre avec zèle pour la tenir. Des êtres moins éclairés errent sans but sur cette terre. Ils ignorent qu'ils ont fait une promesse, ils ne peuvent donc la tenir. Mais vous, vous le savez tous, et c'est pourquoi vous êtes ici.

« Notre mission est de respecter notre engagement : faire renaître l'âge d'or en restituant au monde les véritables enseignements. Lorenzo et sa famille d'esprit nous ont ouvert la voie. Malgré ce qu'ils ont fait de grand et de beau, ils n'ont pas complètement accompli leur mission. Nous allons étudier la vie de Lorenzo et en tirer les leçons. Vous comprendrez ce qui a réussi et ce qui a échoué afin de continuer à travailler à la beauté du monde futur.

« Que vous soyez tous venus prouve à notre mère et notre père qui sont aux cieux que leurs enfants sont reconnaissants, obéissants et prêts à remplir leur mission sur cette terre. On se réjouit, aujourd'hui, au ciel. *Le Temps revient*.

— *Le Temps revient*, reprirent-ils à l'unisson.

Et quand Peter Healy leva son verre pour prendre part au vœu, il s'aperçut que Petra Gianfigliazi l'observait très attentivement.

***

Peter ouvrit son exemplaire de la traduction du Libro Rosso et le feuilleta jusqu'à ce qu'il trouve les passages que Petra leur avait demandé d'étudier. Elle s'imposa dans ses pensées, ainsi que les événements de ces derniers jours. C'était une femme impressionnante et sa vénération pour Destino faisait plaisir à voir. Peter avait passé presque toute sa vie dans le clergé, ce qui ne lui avait guère offert l'occasion d'avoir un professeur de sexe féminin.

Car il ne fallait pas s'y tromper : Petra Gianfigliazi était un professeur. Elle avait beau s'être présentée comme la secrétaire de Destino, il était évident qu'elle occupait une place prépondérante au sein de l'Ordre.

Le passage concernait Salomon et la reine de Saba.

Ainsi en alla-t-il que la reine du Sud fut connue sous le titre de reine de Saba, ce qui signifiait la très sage reine du peuple sabéen. Son prénom était Makeda, qui dans sa propre langue signifiait « l'Ardente ». C'était une reine prêtresse, consacrée à une déesse du soleil réputée pour apporter la beauté et l'abondance à l'heureux peuple sabéen.

Le peuple des Sabéens comptait parmi les plus sages des peuples de l'univers, de célestes divinités lui avaient appris l'influence des étoiles et les nombres sacrés. La reine avait fondé une grande école où l'on enseignait ces arts ainsi que l'architecture, et les sculpteurs à son service avaient le talent de façonner dans la pierre des dieux et des hommes d'une exceptionnelle beauté. Son peuple était lettré; il s'adonnait à la lecture et à l'écriture. Chant et poésie s'épanouirent sous son règne.

Il arriva que le grand roi Salomon entendit vanter l'incomparable reine Makeda par un prophète. « Une femme qui est ton égale et ton double règne dans les lointaines contrées du Sud. Tu apprendrais à la rencontrer. Elle apprendrait à te rencontrer. Ton destin est de la connaître. » Tout d'abord, Salomon ne crut pas à l'exis-

tence d'une telle femme, mais, par curiosité, il lui envoya un messager pour l'inviter à visiter son royaume de Sion. En arrivant à Saba, les envoyés de Salomon découvrirent que la sagesse de leur roi et la splendeur de sa cour étaient légendaires au pays des Sabéens, et que leur reine connaissait l'existence de Salomon. Sa prophétesse personnelle lui avait prédit qu'elle ferait un long voyage à la recherche du roi avec qui elle accomplirait le hierosgamos, le mariage sacré unissant le corps et l'esprit dans la divine union. Il serait son âme sœur, elle deviendrait sa sœur épouse, deux moitiés d'un même tout, à qui seule l'union apporterait la complétude.

Mais la reine de Saba n'était pas une femme aisée à conquérir. Elle ne s'offrirait à l'union sacrée qu'avec un homme qu'elle reconnaîtrait comme une part de son âme. Ainsi lança-t-elle sa caravane de chameaux sur la piste de Sion et conçut-elle sur sa route une série de questions et d'épreuves destinées au roi Salomon. Selon ses réponses, elle comprendrait s'il était son égal, son âme sœur, destiné à elle depuis l'aube de l'humanité.

À toi qui as des oreilles pour entendre.

**Légende de Salomon et de la reine de Saba,
première partie,
telle que rapportée dans le Libro Rosso.**

Peter s'interrompit avant de lire la deuxième partie. Une phrase le frappait, touchait à quelque chose de profondément enfoui en lui : *son âme sœur, destiné à elle depuis l'aube de l'humanité*. Il ne s'était jamais autorisé à croire en ce concept d'âme sœur et d'amour prédestiné. En tant que prêtre, tout son amour allait à Dieu, au fils de Dieu et à Sa sainte mère. Il avait fait vœu de célibat très jeune, et n'avait jamais rompu son serment. Sa vie durant, il s'était considéré comme un de ces êtres singuliers créés par Dieu en vue d'accomplir des tâches spécifiques. Mais, s'il voulait être honnête avec lui-même, il

160

devait reconnaître qu'il lui était arrivé de douter. Brièvement, mais incontestablement. Quand, par exemple, il voyait des couples heureux se promener main dans la main sur le Pont-Neuf, ou encore devant le spectacle de familles jouant dans un jardin. En ces instants, il se demandait s'il ne passait pas à côté de certains aspects de la vie dont Dieu n'aurait eu aucune raison de vouloir le priver.

Mais il fallait choisir. Si la vocation de Peter était la prêtrise, l'amour et la famille n'étaient pas pour lui. C'est du moins ce qu'il avait cru pendant presque toute sa vie.

Les dix-huit mois que le père Healy avait passés dans une prison française lui avaient donné tout le temps de réfléchir. L'Évangile d'Arques, le document pour lequel il avait risqué sa vie et sa liberté, prouvait que Jésus connaissait l'amour humain et le célébrait. Peter adhérait totalement à cette croyance, et y avait adhéré même à l'époque où il ne remettait en question ni sa vocation ni le catholicisme. Pour conflictuel que cela puisse paraître, il avait réussi à ne pas enfreindre ses vœux. Mais, selon les enseignements du Libro Rosso, censés reproduire un texte écrit de la main de Jésus, l'amour sous toutes ses formes, humain et divin, platonique et érotique, était la raison essentielle de l'incarnation humaine.

Plus il lisait, plus ces discours résonnaient en lui.

En quatre ans, Peter avait vu s'écrouler presque tout ce qu'il avait cru être la vérité. Était-il encore prêtre ? Le Vatican ne l'avait pas exclu, mais Peter n'avait pas porté une seule fois les insignes de son état depuis sa sortie de prison, et n'en ressentait pas le désir. Enseigner n'était plus sa préoccupation, et surtout pas dans un environnement catholique. Désormais, Peter Healy était un homme sans vocation. Il avait suivi Maureen et ses amis non seulement parce qu'ils constituaient sa famille d'esprit, mais aussi parce qu'ils avaient à accomplir une grande tâche ensemble.

Peter réfléchissait à son rôle personnel dans la mission dont avait parlé Destino. Une mission que Petra se consacrait à remplir avec ardeur. Il admettait qu'il avait fait une promesse, et qu'il devait la tenir. Mais laquelle, exactement? Il étudierait donc selon ses conseils, très curieux de voir où l'entraînerait sa lecture en cette période cruciale de sa vie.

Makeda, reine de Saba, parvint à Sion en grand équipage : la caravane de chameaux la plus longue jamais vue, des épices, de l'or et des pierres précieuses, toutes offrandes pour le grand roi Salomon. Elle venait à lui sans artifice, car elle était femme de pureté et de vérité, incapable de tromperie, qui ignorait le mensonge et la dissimulation. Ainsi donc Makeda dit à Salomon ce qu'elle pensait, ce qu'elle ressentait. Elle n'avait plus besoin de poser ses questions car, dès qu'elle s'était trouvée en sa présence, et qu'elle l'avait regardé dans les yeux, elle avait su qu'il était une part d'elle-même, pour toute l'éternité.

La beauté et la présence de Makeda impressionnèrent puissamment Salomon, et sa franchise le désarma. La sagesse qu'il lut dans ses yeux reflétait la sienne et il comprit immédiatement que les prophètes ne s'étaient pas trompés. Cette femme était son égale. Comment ne l'aurait-elle pas été, puisqu'elle était l'autre moitié de son âme?

Ainsi la reine de Saba et le roi Salomon s'unirent-ils en le hieros-gamos, *le mariage de l'homme et de la femme en une fusion spirituelle connue seulement au sein de la loi divine. La déesse de Makeda se fondit avec le dieu de Salomon en la plus sacrée des unions, celle du masculin et du féminin, pour ne faire plus qu'un. À travers Makeda et Salomon, El et Asherah s'unirent encore une fois dans leur chair.*

Ils restèrent dans la chambre nuptiale durant un cycle entier de lune, dans un monde de vérité et de conscience, sans que rien s'interposât entre eux, et il est dit que pendant ce temps leur furent révélés les secrets de l'univers. Ensemble, ils découvrirent les mystères que Dieu voulait partager avec le monde, pour ceux qui ont des oreilles pour entendre.

Salomon écrivit un millier de chants inspirés par Makeda, mais aucun de plus beau que le Cantique des cantiques, qui célèbre les secrets du hieros-gamos, *et la découverte de Dieu en cette union. Il est dit que Salomon eut de nombreuses épouses, mais qu'une seule appartenait à son âme. Alors que Makeda ne fut jamais son épouse selon la loi des hommes, elle fut son unique épouse selon la loi de Dieu et de la nature, c'est-à-dire la loi de l'amour.*

Lorsque Makeda quitta le royaume de Sion et son bien-aimé, son cœur était lourd. Tel avait été le destin de beaucoup d'âmes sœurs en ce monde : être réunies de temps en temps et découvrir les mieux gardés des secrets de l'amour, mais être séparées ensuite par la destinée. Là réside peut-être le mystère le plus profond de l'amour : savoir qu'il n'y a pas de séparation entre deux véritables amants, quels que soient les circonstances, le temps ou la distance, la vie ou la mort.

Quand le hieros-gamos *est accompli entre deux âmes prédestinées, les esprits des amants ne se quittent plus jamais.*

À toi, qui as des oreilles pour entendre.

Légende de Salomon et de la reine de Saba, deuxième partie, telle que rapportée dans le Libro Rosso.

Peter posa le livre et se leva. Il avait besoin de réfléchir et de marcher. L'histoire de Salomon et de la reine de Saba le troublait profondément, le contraignait à remettre en question ce qu'il avait toujours pensé de lui-même. Il revoyait le regard qu'avait dardé sur lui Petra Gianfigliazi en lui assignant sa lecture. Elle savait qu'elle le mettait au défi, qu'elle l'obligeait à approfondir des sujets auxquels il ne s'était jamais intéressé. Destino l'avait évidemment bien renseignée sur la personnalité de ses invités, mais son choix était cependant intuitif.

Peter décida de sortir se promener sur les rives de l'Arno. Florence était magnifique, la nuit, et peut-être avait-il justement besoin de cette beauté pour l'aider à comprendre ce qui l'agitait.

Peter tira la monumentale porte en bois qui protégeait les résidents de l'Antica Torre du monde extérieur et aperçut une jeune femme qui accourait à sa rencontre en lui faisant signe.

— Retenez la porte, s'il vous plaît !

Elle était hors d'haleine, mais réussit cependant à lui sourire en posant la main contre la porte pour la maintenir ouverte.

— J'ai oublié ma clé, déclara-t-elle en désignant le verrouillage magnétique de la porte. Elle démagnétise mes cartes de crédit, alors je ne peux pas la mettre dans mon sac ! Quelle barbe, ces engins !

Peter acquiesça, indifférent et préoccupé par tout ce qui lui trottait dans la tête ; il se contenta de saluer d'un bref « Bonne nuit » la jeune femme, qui se précipita vers les ascenseurs en lui adressant un petit signe de la main.

Eût-il été moins distrait qu'il eût sans doute remarqué que sa paume avait laissé des traces de sang sur la porte.

La nuit florentine était magique et embaumait la brise légère venue de l'Arno de la soyeuse essence du printemps finissant. Tamara et Roland s'étaient installés sur la terrasse de l'Antica Torre pour jouir du superbe spectacle des toits de Florence, que la pleine lune animait. Pour des amoureux désireux de s'isoler, aucun endroit au monde ne pouvait égaler ce lieu d'exception.

Depuis quelques jours, Roland aidait Tamara dans ses recherches au sujet du centurion Longinus Gaius. Ils n'avaient pas encore décidé s'ils prieraient Destino de s'exprimer ou s'ils attendraient qu'il le propose.

164

— Quel peut bien être le protocole, quand on s'adresse à un homme qui se prétend vieux de deux mille ans ? interrogea Tammy.

Roland sourit. En tant qu'héritier d'une ancestrale société secrète, il connaissait l'étiquette.

— On attend de voir où il nous emmène. Il nous fera d'autant plus confiance que nous ne le pousserons pas aux confidences. S'il nous a fait venir, il y a une raison. Je suis tout disposé à patienter pour la connaître.

— Tu crois que Bérenger l'interrogera sur la Lance ?

Roland réfléchit un instant, puis hocha la tête.

— J'espère qu'il le fera. Il en a besoin. Et pas seulement pour accroître ses connaissances dans le domaine de l'ésotérisme.

— Mais aussi pour affronter son propre destin, poursuivit Tammy, complétant la pensée de Roland comme elle le faisait souvent.

— Oui, car le moment est venu. J'ai toujours pensé que la Lance de la Destinée symbolisait tout conflit intérieur. Elle dégage une énergie, des vibrations, qui amplifient ce qui est dans le cœur de l'homme qui la possède. Un homme de bien devient grand, comme ce fut le cas pour Charlemagne. Un homme animé de mauvaises intentions peut se transformer en un monstre démoniaque, comme Hitler.

— Et Bérenger est un homme de bien, qui pourrait devenir un grand homme.

— Oui, fit Roland dont le front se plissa cependant sous l'effet des pensées qui l'agitaient. Mais quelle voie doit-il suivre pour accéder à la grandeur, Tamara ? Que devrait-il faire ? Faut-il qu'il privilégie son propre bonheur et celui de Maureen ? Ou qu'il prenne la responsabilité de ce petit garçon qui semble né sous une étoile bien particulière ?

Tammy baissa la tête. Elle aimait Roland et, bien qu'elle le connût intimement et le comprît, il avait toujours le pouvoir de la troubler. Roland avait été élevé dans le monde étrange et complexe des sociétés secrètes européennes. Son père avait présidé clandestinement aux destinées de la société des Pommes Bleues et l'avait payé de sa vie. Dans le monde où vivait Roland, on ne se mêlait pas impunément à ces intrigues et, en guise de rituels, on avait parfois recours à l'assassinat au nom de secrets qui concernaient l'histoire et l'humanité. Il était parfois difficile pour elle, une Américaine de la ville, de percevoir la profondeur et les dangers de son univers. En accompagnant Maureen dans ses recherches de précieux évangiles perdus, elle avait eu plus d'une occasion de le constater ; pourtant, le mystère semblait s'obscurcir chaque jour davantage. Ces énigmes participaient certes de l'intérêt de sa nouvelle vie avec Roland, mais il arrivait qu'elles la démoralisent et même qu'elles l'effraient.

Tammy garda le silence quelques instants avant de poser la question qui la bouleversait.

— Tu… veux dire que… que Bérenger devrait épouser Vittoria ? Mais c'est impossible !

Roland la couvrit d'un regard bienveillant mais empreint de douleur, et d'un savoir ancestral profond dont il comprenait qu'elle ne le possédait pas encore.

— Je t'aime, Tamara. Et Bérenger aime Maureen. Alors sache que cela me fend le cœur ; mais tu n'as pas été élevée dans nos traditions. Tu les comprends, tu as appris à les aimer, tu les as adoptées. Mais tu n'as pas grandi dans le souvenir de parents massacrés, de martyrs qui ont choisi la mort au nom de leurs croyances. Chez nous, dans le Languedoc, ce sont ces histoires qu'on nous raconte le soir pour nous endormir, celles de nos ancêtres cathares qui ont eu le courage de traverser les flammes, de souffrir et de mourir au nom de leur amour pour Jésus et Marie Madeleine, qui ont tout risqué pour préserver les enseignements du Chemin de l'Amour.

— Je sais bien, protesta Tamara, mais je ne vois pas le rapport.

— Bérenger a grandi dans le Languedoc, en tant qu'héritier de nos traditions. Et que trouve-t-on au cœur même de la tradition ? Comment Maureen et Bérenger se sont-ils connus ? Qu'ont-ils en commun ?

Tammy commençait à comprendre.

— La prophétie, répondit-elle.

— Eh oui! Les prophéties de l'Élue et du Prince Poète guident notre peuple depuis deux mille ans. Nous les respectons, nous choisissons nos chefs selon leurs termes, et elles ne nous ont jamais trahis. Chaque jour, le grand-père de Bérenger lui a rappelé qu'il était le Prince Poète de la prophétie, et cela le hante depuis. Il vit dans la peur de ne pas être digne de son destin, d'abandonner son peuple, d'échouer. Et maintenant, en plus, il y a cet enfant, né de la même prophétie. Et autre chose encore, qu'il faut que tu saches...

Tammy l'écoutait, mais la sonnerie insistante de son téléphone attira son attention. Elle prit le temps d'ouvrir le message qu'elle venait de recevoir et le lut à Roland.

— C'est un message de Destino, que nous envoie Petra. Nous avons rendez-vous aux Offices demain matin à neuf heures pour un cours sur Botticelli. Continue, je t'en prie.

Tammy et Roland étaient si absorbés par leur conversation qu'ils ne remarquèrent pas la jeune femme assise non loin d'eux qui écrivait sur un genre de carnet de voyage. Ils ne s'aperçurent pas qu'elle prenait note de chacune des paroles qu'ils prononçaient ni que du sang coulait de la paume de sa main droite sur la page de son cahier.

— Maître, allez-vous bien? s'enquit doucement Petra en entrant dans la chambre de Destino, qu'elle découvrit assis dans son lit, les yeux fermés, en contemplation.

Le vieillard ne se servait pas de l'électricité; il préférait les bougies et les lampes à huile, s'en tenant à un mode de vie simple et frugal en dépit des riches disciples prêts à lui fournir tout le confort matériel qu'il pourrait souhaiter. Destino ne désirait pas grand-chose. Le mode de vie austère qu'il s'imposait participait de la pénitence qu'il s'était infligée à lui-même bien longtemps auparavant et il ne s'y était jamais dérobé.

Comme il arrivait qu'il s'endorme en priant, Petra entrait chaque soir dans sa chambre pour vérifier que les bougies étaient éteintes.

— Entre, ma chère enfant. Et ne t'inquiète pas pour moi. Je savais que le moment viendrait, et je m'en réjouis.

Petra lui sourit dans la pénombre. Il savait, bien entendu.

— Mais de quoi vous réjouissez-vous, maître ? De l'enfant ? Du Second Prince ?

Destino ouvrit lentement les yeux.

— Je me réjouis de l'occasion. Je me réjouis de ces épreuves. Je me réjouis des enseignements que nous en tirerons.

— Mais Vittoria…

— Vittoria joue un rôle : celui de l'adversaire, celui du concurrent.

Petra comprit ce qu'il voulait dire et répondit simplement :

— *Vade retro, Satanas.*

— Oui, dit Destino en hochant la tête. Littéralement, Satan signifie « ennemi », comme tu le sais. Et Vittoria est désormais le Satan personnel de Bérenger. Vittoria n'est pas une incarnation du mal ; elle se trompe, elle est mal conseillée, mais ses actes sont utiles. Pour être couronné de lauriers, aucun héros n'a jamais été dispensé d'affronter un adversaire puissant et dangereux. Si Bérenger surmonte cette épreuve et en tire la leçon, il sera vraiment digne de cette couronne. Et il méritera de devenir l'héritier spirituel de Lorenzo.

— Et s'il échoue ?

Les yeux de Destino, obscurcis par l'âge, se brouillèrent davantage encore.

— S'il échoue, répondit-il en poussant un profond soupir de découragement, il faudra que je reste en vie pendant encore plusieurs générations, en attendant le prince digne de la prophétie.

*_**

Bérenger avait téléphoné à Maureen de l'aéroport d'Édimbourg pour lui annoncer son arrivée à Florence à bord du jet privé de la Sinclair Oil. À la suite de son arrestation, son frère Alexandre était maintenu au secret, sans possibilité d'être libéré sous caution en raison d'accusations de corruption qui impliquaient des membres du Gouvernement. Bérenger n'avait pas encore une idée claire des soupçons qui pesaient sur lui, mais le juge l'avait prévenu qu'ils ne pourraient se rencontrer avant trois jours. Dans ces conditions, inutile de rester en Écosse les bras croisés. Surtout qu'il devait maintenant recouvrer la confiance de Maureen.

Ils se trouvaient sur la petite terrasse de sa chambre à l'Antica Torre ; le Dôme scintillait sous leurs yeux.

— Je dois t'avouer que je t'ai menti.

— Je sais.

Bérenger hocha la tête. Il n'aurait jamais été capable de lui mentir face à face, c'était impossible. Ils étaient trop proches, trop reliés. De ses perçants yeux verts, elle lisait dans son âme comme dans un livre ouvert, et il s'en réjouissait. Il en avait eu la révélation en Écosse ; jamais plus il ne lui cacherait quoi que ce soit. Leur couple devait être si soudé que rien ne pourrait s'interposer entre eux. Impatient d'être avec elle, de s'expliquer et de la supplier de lui accorder son pardon, Bérenger était accouru à Florence.

Mais elle ne l'obligea pas à supplier.

Durant ces derniers jours, Maureen avait elle aussi compris quelque chose. Tandis qu'elle écoutait Destino, sur la terrasse, Bérenger lui avait désespérément manqué. Il était inhérent à ce voyage imprévisible, hors normes et sacré qu'ils avaient entrepris ensemble. Elle ressentait son absence comme la privation d'un membre. En lisant et relisant les passages du Libro Rosso consacrés à la relation entre âmes sœurs, entre êtres humains constitués de la même essence, elle avait découvert, grâce à l'amour que lui portait Bérenger, la vérité sur le plus magnifique enseignement de l'Ordre. Pour elle, il ne s'agissait pas d'y croire, mais de le savoir :

Bérenger était son âme sœur, leurs destins étaient aussi enchevêtrés que leurs cœurs et leurs esprits. Consciente de cette vérité, comment pourrait-elle lui tourner le dos ? Comment insulter ainsi le don d'amour dont Dieu les avait gratifiés tous les deux ? C'était inconcevable.

— Maureen, tu m'as appris le sens du mot amour. Tu m'as transformé. J'existais, maintenant je vis. Je regrette plus que je ne saurais le dire ce qui s'est passé avec Vittoria. Et je dois aussi te dire qu'il est possible que cet enfant soit de moi.

— Ça aussi, je le sais.

Elle retourna dans la chambre pour prendre une enveloppe qui se trouvait sur sa table de chevet.

— Vittoria a déposé ceci pour moi aujourd'hui, ajouta-t-elle en revenant vers lui.

Bérenger sortit de l'enveloppe trois photos d'un superbe petit garçon d'environ deux ans et retint son souffle en les regardant attentivement l'une après l'autre. Avec ses longs cheveux bruns ondulés et ses yeux bleu-vert, l'enfant était le portrait miniature de Bérenger.

— Tu ne l'as jamais vu, dit Maureen en constatant son émotion inattendue devant les images.

— Non, répondit Bérenger d'une voix brisée.

— Que vas-tu faire ?

Sidéré, Bérenger garda le silence quelques instants. Les photos de Dante avaient eu le pouvoir instantané de remettre en question la décision qu'il avait prise. Rien ne l'avait préparé à contempler cette minuscule et parfaite réplique de lui-même. Et il était, tout d'un coup, submergé par le chagrin. Il comprit que sa vie avait pris un nouveau cours, qu'il en avait perdu la maîtrise. Dante était son fils, il ne le renierait pas.

— Regarde, Maureen, dit-il enfin d'une voix rauque, c'est mon enfant ! Inutile d'avoir recours à un test de paternité, j'ai des yeux... Et...

— Et quoi ?

— Et il est l'enfant de la prophétie. Je n'ai pas besoin de t'expliquer l'importance que cela revêt. De plus, il y a autre chose, quelque chose que tu ne sais pas encore.

Maureen s'efforça de recouvrer son calme, mais elle tremblait. Le monde entier s'écroulait autour d'elle et elle était persuadée qu'elle allait subir le coup final, qui mettrait fin pour toujours à ce qu'il lui restait d'illusions.

— La prophétie, Maureen. On en récite rarement ce passage, car il parle d'un événement qui ne s'est encore jamais produit. Il s'agit du Second Prince. Écoute :

Le Fils de l'Homme reviendra en personne,
Quand le moment sera venu et les étoiles propices,
Ce sera le Second Prince,
Un Prince Poète né d'un Prince Poète
Qui deviendra à nouveau le Roi des Rois.

Maureen connaissait trop la puissance des prophéties, qui avaient tant agi sur sa propre vie, pour ne pas être terrorisée. Elle ne voulait pas courir le risque de mal interpréter ce qu'il s'efforçait de lui dire. Un effrayant silence s'abattit sur eux. Maureen le rompit enfin, dans un murmure :

— Qu'essaies-tu exactement de me dire, Bérenger ?

Il s'empara de ses deux mains et les serra si fort qu'elle vacilla, tandis que les larmes lui montaient aux yeux.

— Aucun Prince Poète n'est né d'un Prince Poète à ce jour. Cela n'est jamais arrivé dans notre histoire. Un père et un fils n'ont jamais partagé toutes les qualités de la prophétie. Alors, le Second Prince...

— ... est la Seconde Naissance, termina la jeune femme d'une voix sourdement résignée qu'elle ne se connaissait pas.

— Je sais que cela peut paraître délirant, Maureen, mais songe à tout ce que nous avons vécu ensemble. Nous en avons tant vu que cela paraît impossible. Les prophéties ne se trompent jamais. S'il y a la moindre chance que Dante soit...

Bérenger s'interrompit. Il ne se sentait pas capable de prononcer à haute voix les mots qui le condamnaient.

— Si Dante, poursuivit-il finalement, est véritablement spécial, il a besoin de moi. Pas pour lui rendre visite de temps à autre, ou envoyer de l'argent. Il aura besoin de moi comme père. Il aura besoin d'être guidé, et protégé contre les ambitions de sa mère. Il faudra que je sois toujours présent.

La boule qui s'était formée dans la gorge de Maureen la brûlait comme un charbon ardent. Elle reposa sa question, la question à laquelle elle aurait donné tout au monde pour ne pas obtenir de réponse :

— Que vas-tu faire ?

— Mon devoir. Cela me désespère, mais je dois me prouver que je suis digne de la position que j'occupe. Je ferai le test de paternité.

Puis, les larmes aux yeux, il poursuivit d'une voix qui lui semblait venir d'ailleurs :

— Peut-être l'obligation d'être noble passe-t-elle avant celle d'être heureux.

Maureen se leva lentement, incapable d'assimiler qu'un moment de si pur bonheur ait pu virer au véritable cauchemar en quelques secondes. Un instant plus tôt, ils réaffirmaient l'éternité de leur amour l'un pour l'autre ; et, là, Bérenger l'abandonnait pour vivre avec Vittoria et leur enfant.

Elle se détourna pour cacher ses larmes et, son équilibre recouvré, quitta la terrasse en courant.

Arezzo, Toscane,

21 juillet 1463

Alessandro di Filipepi avait toutes les raisons de se réjouir du cours qu'avait pris sa vie. À l'âge de dix-huit ans, il avait appris son art auprès des plus grands maîtres italiens et il comptait désormais parmi les plus grands peintres de Florence. Plus important encore, peut-être, il avait été adopté par la famille des Médicis, qui lui avait tout donné sauf son nom ; il vivait et travaillait sous le toit de Piero et Lucrezia, et jouait le rôle de frère aîné auprès du Prince Poète et du jeune Giuliano. Lorenzo et Sandro étaient devenus inséparables. Les deux amis attendaient avec impatience d'accompagner Cosimo lors de son pèlerinage à Sansepolcro, le siège spirituel de l'ordre du Saint-Sépulcre. En dépit de sa grande faiblesse, Cosimo avait eu l'idée de les emmener pour ce qui serait sans doute son dernier voyage, car, à cause de la goutte dont il souffrait, il ne pouvait presque plus monter à cheval. Il chevauchait sa tranquille mule blanche, au pas, à côté de Fra Francesco, lui aussi au bout de sa course et de ce fait un parfait compagnon de voyage. Les deux garçons, que démangeait l'envie d'accélérer, vénéraient trop les deux hommes pour les presser.

La date avait été soigneusement choisie. Dans l'Ordre, on ne s'en remettait jamais au hasard. Le lendemain, 22 juillet, était le jour de la fête de Marie Madeleine que la confrérie célébrerait. Sandro et Lorenzo assisteraient à la procession en l'honneur de la femme qu'ils considéraient comme l'un de leurs principaux guides spirituels et consacreraient la semaine suivante à l'étude, sous la férule du maître et en présence des reliques sacrées de l'Ordre.

Mais, aujourd'hui, ils allaient rencontrer l'artiste en résidence à l'Ordre : le grand Piero della Francesca. Sandro en frémissait d'excitation et de reconnaissance. Piero della Francesca était le plus grand des Angéliques encore vivants découverts par Fra Francesco ; les Mages avaient prédit sa naissance dans la petite ville de Sansepolcro. Piero était l'auteur de fresques incomparables et il terminait d'orner l'église de saint François, à Arezzo. Les fresques qui recouvraient du sol au plafond les murs d'une chapelle située derrière l'autel racontaient la légende de la Vraie Croix et la rencontre de Salomon et de la reine de Saba, la plus sacrée des histoires pour les membres de l'Ordre, car de leur union découlaient les enseignements de sagesse et d'amour les plus importants. Selon l'Ordre, Jésus tenait de sa lignée, celle des fils de David, beaucoup des enseignements qu'il dispensa à ses disciples.

La pratique sacrée du *hieros-gamos*, selon laquelle Dieu est présent dans la chambre nuptiale où un homme et une femme s'unissent dans la confiance et la conscience, trouvait sa source dans l'histoire de Salomon et de la reine de Saba. Et le *Cantique des cantiques*, ce poème dédié à la passion vitale et à l'union sacrée, était attribué à Salomon.

Le maître s'adressa aux deux garçons lorsqu'ils pénétrèrent dans l'église romane édifiée en l'honneur de saint François d'Assise au XIIIe siècle.

— Aujourd'hui, nous considérons la prophétie du Prince Poète comme un concept chrétien, comme la venue d'hommes qui préserveront et transmettront les véritables enseignements du Christ. Mais il n'en alla pas toujours ainsi. Les prophéties sont très anciennes. Elles émanent de Dieu, elles concernent des hommes et des femmes de tous les temps, qu'ils soient juifs, chrétiens, musulmans, hindouistes ou païens. Peu importe cela. Salomon et David furent des Princes Poètes. Songez-y un instant : David écrivit des psaumes, son fils Salomon composa des centaines de poèmes, notamment notre fameux *Cantique des cantiques*, le plus beau des chants d'amour. Tous deux ont transformé le monde, à leur manière. Jésus était un Prince Poète, certes, mais il ne fut pas le premier. Il fut l'un d'eux, et le plus exceptionnel de tous, sans doute, mais ni le premier ni, certes, le dernier.

Il sourit à Lorenzo et immobilisa les deux garçons au milieu de la nef.

— Levez les yeux sur l'autel et prenez le temps de regarder l'une des merveilles de notre Piero. Avant d'admirer la magnificence des fresques, attardez-vous sur les deux côtés de l'autel…

Le gigantesque autel était flanqué de deux hautes et minces colonnes sur lesquelles étaient peints de la même manière, et se répondant parfaitement, deux portraits plus grands que nature : Jésus à gauche et Marie Madeleine à droite, représentés comme des égaux, et comme un couple.

— Le portrait de deux amants, égaux devant Dieu, dit une voix douce derrière eux.

Piero della Francesca, un pinceau à la main et couvert de taches de peinture, avait rejoint leur petit groupe.

— Je n'ai pas créé les portraits d'origine de Notre-Seigneur et de Notre-Dame, expliqua-t-il. Ils sont l'œuvre d'un autre natif d'Arezzo, un grand artiste qui m'a précédé ici, du nom de Luca Spinelli. Hélas ! les tableaux se sont dégradés, mais je les ai restaurés. Je ne peux qu'espérer lui avoir rendu justice. C'était un génie, un élève de Giotto. Ou peut-être devrais-je dire qu'il a appris à peindre avec Giotto, mais que tout le reste il l'a appris avec notre maître.

Piero s'interrompit pour saluer Cosimo, avec tout le respect dû au patriarche des Médicis. Bien que né à l'extrême sud de la Toscane, Piero s'était initié à son art à Florence, sous les auspices de Cosimo. Les Médicis auraient aimé garder Piero à Florence, mais ils avaient compris que le maître avait besoin de lui à Sansepolcro et à Arezzo. Il était normal que, en tant que scribe officiel de l'Ordre, il créât des œuvres durables dans ces lieux sacrés, afin de perpétuer les enseignements.

Mieux appréhender l'œuvre de Piero ferait partie du programme d'étude de Lorenzo et de Sandro. Les fresques d'Arezzo étaient un parfait exemple de la profession de foi de l'Ordre : se cacher en pleine lumière. Il reviendrait bientôt aux Florentins de mettre en œuvre ce principe et d'exposer ce genre de chefs-d'œuvre puissants et symboliques devant un public plus difficile et plus vaste. L'Ordre s'efforçait audacieusement de conquérir Florence, grâce aux Médicis et à leur armée d'artistes angéliques. S'ils réussissaient, rien ne freinerait leur expansion dans toute l'Italie et, en dernier ressort, à Rome.

La fraternelle amitié de Lorenzo et Sandro initierait cette révolution vers un âge d'or de l'art et de la connaissance. Leur mission serait de restaurer les vrais enseignements des premiers chrétiens par le truchement des œuvres d'art.

Ficino aimait à rappeler à ceux de ses étudiants qui se glorifiaient à l'excès de l'importance de leur mission qu'ils n'étaient pas les premiers à en être chargés, mais les héritiers d'un destin grandiose forgé par le sacrifice et le sang des hommes et des femmes venus avant eux. Il citait notamment le grand érudit qui fut maître de l'Ordre au XIIe siècle, Bernard de Chartres :

— Ne l'oubliez pas : nous ne sommes que des nains juchés sur les épaules de géants.

Florence,

De nos jours

— Ne l'oubliez pas : nous ne sommes que des nains juchés sur les épaules de géants.

Peter Healy, attaché à rappeler la grandeur de ceux qui étaient venus dans le passé et avaient tout donné pour sortir l'humanité des ténèbres, citait souvent Bernard de Chartres. Cette phrase illustrait parfaitement ce qu'il ressentait en admirant les statues de *Cosimo Pater Patriae* et *Lorenzo il Magnifico* au musée des Offices.

Peter et Maureen s'étaient promenés sur les rives de l'Arno avant de se diriger vers les Offices, l'un des plus grands musées du monde, par une allée où les trésors artistiques de la Renaissance étaient entourés par les statues des peintres, écrivains et architectes qui avaient forgé Florence. Ils passèrent devant Donatello et Léonard de Vinci avant de parvenir sur la Piazza, où trônait la statue d'un Cosme empreint de sagesse et d'humanité à côté de celle de son petit-fils, Lorenzo, dit *il Magnifico*. Laurent le Magnifique, la main posée sur un buste de Minerve, déesse de la raison.

Maureen s'arrêta devant l'image de Lorenzo, gravée dans la pierre. Un tremblement la parcourut tandis qu'elle observait son visage. Il était représenté avec son célèbre nez épaté. On parlait souvent de son physique ingrat, on le disait même laid ; pourtant Maureen le trouvait incroyablement beau : il émanait de ce bloc de pierre façonné des centaines d'années après sa mort une noblesse extraordinaire, palpable.

La question ne se posait pas : il était, littéralement, magnifique.

Elle frissonna, malgré le soleil déjà haut qui menaçait de brûler Florence en ce jour de mai.

— Qu'as-tu ? lui demanda Peter.

Maureen, très troublée, avala sa salive.

— Ça... ça lui ressemble. J'ai vu beaucoup de portraits de lui, auxquels je n'ai pas réagi, sinon pour lui trouver un air un peu bizarre. Mais cette statue... C'est Lorenzo, captif de cette pierre. C'est son image. Elle est parfaite.

Maureen, fascinée, s'efforça d'expliquer ce qu'elle ressentait.

— Je ne sais comment le dire, mais, en regardant cet homme, je me sens engagée, j'ai l'impression que je le suivrais au bout du monde, que je combattrais le diable avec lui. Il n'y a rien que je ne ferais pour lui. Engagée, comme il l'était lui, pour sa mission, pour sa cause – et c'est pourquoi tant de gens lui ont été fidèles. Lorenzo n'aurait jamais demandé à personne de faire ce qu'il n'était pas prêt à faire lui-même. Je regarde, et je sais. C'est l'un des géants sur les épaules desquels nous sommes juchés, ajouta-t-elle en réfléchissant au sens du mot engagement, du mot devoir, et aux Princes Poètes.

Maureen et Peter entrèrent dans le musée et gravirent les grandes volées de marches, véritable épreuve même pour les mieux entraînés des touristes qui haletaient en arrivant devant les guichets.

La jeune femme avisa un autre buste de Laurent de Médicis sur sa droite, à l'entrée de la galerie des peintures. L'œuvre était puissante, elle aussi. Maureen avait l'impression de regarder quelqu'un qu'elle connaissait bien. Il lui était déjà arrivé d'entrer en contact intime avec les sujets sur lesquels elle écrivait, mais cela se passait d'ordinaire en rêve, ou au cœur du processus de création. Cette fois-ci, elle était parfaitement consciente.

En contemplant ces représentations de Laurent le Magnifique, elle avait l'impression de pleurer un amour perdu.

Elle remarqua que Destino, qui les attendait un peu plus loin avec Tammy et Roland, l'observait attentivement. Il lui fit un geste de la main, eut un sourire énigmatique et dit enfin :

— Quand vous serez entrée, vous comprendrez beaucoup mieux qu'avant. Nous sommes dans un musée, mais aussi dans une bibliothèque d'une grande richesse. Les murs des Offices renferment certains des plus grands secrets de l'histoire humaine.

Borgo Sansepolcro, Toscane,

22 juillet 1463

Selon la tradition officielle, la ville de Sansepolcro fut créée en 934 par deux saints, Egidio et Arcano, de retour de la Terre sainte d'où ils rapportaient d'importantes reliques provenant du Saint-Sépulcre. Ils édifièrent un oratoire pour les mettre à l'abri. On aurait pu considérer que ce lieu était étrangement reculé pour y conserver des reliques censées être vénérées par les chrétiens dans toute l'Italie.

La légende secrète de Sansepolcro prétend exactement le contraire. Cette minuscule ville des collines du sud de la Toscane a été choisie précisément parce qu'elle était reculée et difficile à trouver. Il serait aisé de défendre et de protéger un lieu auquel auraient seuls accès ceux qui le connaissaient et qui savaient la présence de ses trésors. La nature des reliques rapportées de Jérusalem n'avait jamais été rendue publique.

C'était l'endroit rêvé pour apprendre des secrets, et Lorenzo et Sandro vibraient d'excitation en songeant à ce qui les attendait. Ils étaient chez Piero della Francesca qui examinait la bannière derrière laquelle se déroulerait la procession dans la soirée.

— N'est-elle pas magnifique ?

Piero, debout devant le portrait grandeur nature de Marie Madeleine, majestueuse et belle sur son trône, secoua la tête. Un crucifix reposait sur ses genoux, mais ce n'était manifestement pas le point central de la bannière.

— À mon avis, poursuivit-il, c'est l'une des plus splendides œuvres d'art au monde. Personne n'a mieux représenté Notre-Dame. Le grand Luca Spinelli l'a créée pour la confrérie de Marie Madeleine qui, comme vous le savez sans doute, est la façade publique de l'Ordre en Toscane. Il m'arrive de chercher l'inspiration en m'asseyant devant elle. Regardez son visage, son expression de sérénité, mais aussi de pouvoir. Cette Madeleine n'a rien d'une pénitente. Oh non ! C'est le portrait d'une reine. De notre reine.

— Portez-vous tous des capuchons comme ceux-ci dans la confrérie ? demanda Lorenzo, curieux de l'accoutrement des hommes qui priaient aux pieds de Marie Madeleine et semblaient être des pénitents.

Pourtant, l'Ordre déconseillait clairement de la représenter sous cette forme, une invention de l'Église catholique qui affaiblissait son véritable statut.

— C'est une allégorie, mes frères. Tu devras t'en souvenir en peignant, Sandro, expliqua patiemment Piero. Spinello, comme la plupart des grands maîtres, s'est servi de la superposition des symboles pour préserver notre message. Vous voyez les jarres sur leurs manches ? Elles rappellent qui est Madeleine. Elle est la femme qui oint Jésus et lui confère sa royauté, car elle est son épouse. Les capuchons ? Ils évoquent la vérité non encore révélée, et nous préviennent que nous déclarer comme ses disciples nous conduirait à être traités d'hérétiques. Regardez maintenant le dos de leurs tuniques, ouvert, comme s'ils allaient se flageller. C'est une référence à ce que Spinello a peint au verso de la bannière.

Piero montra aux deux garçons une représentation de la flagellation : le Christ attaché à un poteau, battu par deux soldats romains.

— La flagellation est elle aussi une allégorie, très impressionnante, à mon avis. Il travaillait avec le maître lorsqu'il l'a peinte. Ils décidèrent que la flagellation était une juste représentation symbolique de ce qu'il arrive à Jésus chaque fois que nous nions la vérité de sa vie et de ses enseignements. Il est de nouveau torturé. Car la véritable souffrance du Christ était le refus de sa famille et de tout ce qu'elle avait à donner au monde. Au verso de la bannière, les tuniques des pénitents, également ouvertes pour que le fouet lacère la chair, reprennent ce même motif. Le message est que nous nous infligeons des souffrances en niant le rôle et les enseignements de cette grande reine. C'est beau, n'est-ce pas ?

Sandro Botticelli, muet d'admiration devant la beauté de cette Marie Madeleine en robe rouge, était submergé par la force du symbolisme qu'avaient utilisé tant de grands artistes avant lui. Mais Piero n'en avait pas fini.

— Je te vois, Sandro, pétrifié par elle comme je le suis. Tu la contemples, émerveillé, et tu t'interroges. Pourquoi suscite-t-elle en toi une telle émotion ? Le comprends-tu ?

Sandro n'avait pas été l'élève de Filippo Lippi et d'Andrea del Verrocchio pour rien. Il hocha la tête en souriant, et donna la bonne réponse :

— Parce qu'elle a été créée grâce au procédé de l'infusion.

— Bien dit, frère. Et Spinello en avait une conception très particulière. Si tu veux que tes madones et tes déesses bondissent hors de leur cadre et racontent leur histoire comme le fait celle-ci, tu devras apprendre cette technique. Tu n'as sans doute pas envie de le faire dès aujourd'hui, à moins que je ne me trompe ?

Tous rirent et Lorenzo se prépara à les quitter pour laisser les deux artistes se concentrer sur cet aspect particulier de l'apprentissage. Il devait retrouver le maître et son grand-père, afin de mettre la dernière main aux préparatifs des festivités de la soirée.

[*]

Une lente mélopée s'élevait dans l'obscurité tandis que la procession parcourait les rues pavées sinueuses de Borgo Sansepolcro. Les hommes portaient des torches, de longues tuniques recouvraient entièrement leurs corps, de la tête aux pieds. Un emblème, la jarre d'albâtre, symbole de leur dévotion à Marie Madeleine et à l'Ordre, était brodé au fil écarlate sur les manches de leurs amples vêtements. Leurs visages étaient dissimulés sous des capuches.

Au centre de la foule, deux personnages encapuchonnés brandissaient la bannière de Spinello où figurait la majestueuse Marie Madeleine, personnification de la grandeur de l'aspect féminin de Dieu, et révérée comme telle par les spectateurs qui criaient son nom à tous les vents.

— Marie Madeleine ! Marie Madeleine !

Lorenzo contemplait la procession avec son grand-père. Bien qu'empli de l'excitation de la jeunesse, il était conscient de la solennité de la circonstance. Cosimo était mourant, et Lorenzo savait que se déroulait le dernier des grands événements auxquels il assisterait avec lui. Ainsi avait-il décidé de ne pas défiler avec Sandro, pour rester avec le vieillard et partager avec cet homme qu'il vénérait et aimait ces instants dont il garderait le précieux souvenir sa vie durant.

De multiples émotions bouleversaient Lorenzo : le chagrin de la perte prochaine qui transformerait le monde tel qu'il le connaissait ; une profonde dévotion pour la femme qu'ils appelaient leur reine. Dans son exaltation, Lorenzo en larmes adressa à Cosimo l'engagement qui définirait son destin à tout jamais.

— Je ne vous trahirai pas, grand-père. Rien ne m'arrêtera. Je ne trahirai pas Notre-Seigneur, ni Notre-Dame, et je ne trahirai pas l'héritage des Médicis.

Cosimo prit le jeune homme dans ses bras, conscient lui aussi de la fin prochaine de leur parcours commun.

— Je le sais, Lorenzo. J'en suis plus certain que de rien d'autre au monde. Tu n'échoueras pas, car ton destin est de réussir. Tu seras notre sauveur à tous. Tu seras le plus grand des Princes Poètes de toute l'histoire. Tu l'es déjà.

La bannière parvenait devant eux. Lorenzo aperçut Sandro, qui se tenait juste derrière le glorieux étendard et lui adressait de grands gestes de la main pour qu'il vînt le rejoindre. Lorenzo regarda son grand-père, qui lui sourit.

— Va, mon enfant, dit-il en poussant le jeune homme vers la procession. Montre ta dévotion à notre Reine de Compassion en défilant derrière sa bannière.

Lorenzo traversa la foule pour rejoindre Sandro. Tandis que le cortège s'ébranlait de nouveau, un des porteurs de torches s'approcha et éclaira l'arrière de la bannière. Lorenzo leva les yeux sur le chef-d'œuvre de Spinello dépeignant la flagellation du Christ et remarqua un détail qui lui avait échappé jusque-là. Le rai de lumière révélait l'image d'un centurion romain, que Spinello avait représenté défiguré par une cicatrice sur la joue gauche.

Colombina.
Elle fut ma première muse, la première femme en chair et en os qui m'inspira et que je ne cessai de peindre. Elle représentait la beauté en son principe actif : une force à prendre en compte et à ne jamais sous-estimer. Dès ses seize ans et jusqu'à aujourd'hui, je n'ai jamais connu une femme dotée d'une telle force d'âme. Elle est la beauté, et elle est la Force. Mais une force sans aucune agressivité, une force qui émane de sa bonté. Quand on écrira l'histoire de cette époque, je crains que le nom de Colombina n'apparaisse pas dans les annales, à l'instar de celui de tant de femmes négligées par les scribes et dont le souvenir est perdu. En ce sens comme en d'autres, elle suit les pas de notre sainte épouse, Marie Madeleine.

La moitié de notre héritage d'êtres humains a ainsi été éradiquée par les omissions des historiens.

Mais, en ce qui concerne Colombina, je ne laisserai pas faire. Je l'ai peinte, selon la technique de l'infusion, afin de perpétuer sa force exceptionnelle et sa dévotion à notre cause, et à notre prince, afin qu'elle soit un jour reconnue par le monde.

Je bénis le jour où je fus choisi pour représenter la personnification de la Force.

Les juges qui siègent au Grand Tribunal des marchands ont commandé des œuvres représentant les sept Vertus pour décorer les murs de leur salle d'audience, dans l'espoir que de telles peintures leur inspireraient une sagesse propre à leur dicter d'équitables décisions. À l'origine, les sept tableaux avaient été commandés à Piero del Pollaiulo[1], un peintre de qualité mais dont le nom indique qu'il est d'origine paysanne. Parfois, en regardant ses œuvres, je me dis qu'il aurait peut-être mieux fait de nous gaver de poulets plutôt que de tableaux.

On me trouvera peut-être trop dur. Toujours est-il que, par un cours heureux du destin, Piero du Poulailler ne put réaliser les sept œuvres dans le délai qui lui avait été donné. Je fus appelé à la rescousse, grâce à Dieu et aux Médicis, et on me commanda la Force, le sujet qui n'avait pas inspiré Piero.

Colombina posa officiellement pour moi, dans cette position qui me plaît tant chez elle, la tête légèrement inclinée sur son long cou, son ravissant visage empreint d'une exceptionnelle maturité, en contemplation devant les grandes tâches qui l'attendent. Je voulais à tout prix rendre la merveilleuse couleur de ses yeux, dans lesquels se reflétait ce jour-là l'or rouge de sa robe de velours, leur conférant les nuances de l'ambre au soleil. Il n'empêche que nous avons tant parlé et tant ri, comme nous le faisions toujours ensemble, que j'eus parfois du mal à tenir mon pinceau.

En l'honneur de l'Ordre et du grand Piero della Francesca, j'ai drapé l'étoffe de sa robe comme il l'avait fait pour sa Marie Madeleine d'Arezzo. C'était assez subtil pour que seuls s'avisassent du clin d'œil ceux qui ont des yeux pour voir, mais ces petites choses m'amusent, et amusent aussi Lorenzo.

---

1. « poulailler ».

Lorenzo, subjugué par la ressemblance de ma Force avec Colombina, menaça de commettre de perpétuelles vilenies afin d'être souvent convoqué au tribunal et de pouvoir contempler le tableau ! Je lui répondis qu'il serait beaucoup plus simple de me commander une autre œuvre; encore plus belle.

Cette conversation, commencée sur le ton de la plaisanterie, prit un tour beaucoup plus sérieux et mon frère spirituel et moi nous sommes trouvés à discuter de ce que devait être, en fait, un tableau parfait : la fusion entre l'art et la sagesse, entre la beauté et l'énergie. Nous avons envisagé tous les aspects possibles et cette discussion m'a si bien ouvert l'esprit qu'elle m'a conduit à exécuter la plus parfaite de mes œuvres, la représentation exacte de : Le Temps revient.

Mais ceci est une autre histoire, que je raconterai un autre jour, car elle le mérite.

Je demeure
Alessandro di Filipepi, alias Botticelli

Extrait des *Mémoires secrets* de Sandro Botticelli.

Musée des Offices,

Florence,

De nos jours

Ils cheminaient ensemble dans les salles des Offices. Destino ouvrait la marche; Maureen, à son côté, l'écoutait attentivement; Peter, Tammy et Roland ne s'éloignaient jamais que de quelques pas. Le musée renfermait une impressionnante collection de chefs-d'œuvre de l'art italien, exposés chronologiquement. La première des salles consacrées au Moyen Âge s'ouvrait sur l'immense statue de la Madone de Cimabue. Puis on accédait, par un labyrinthe de couloirs et de salles, aux époques suivantes.

— Je regrette de vous entraîner aussi vite devant toutes ces merveilles, dit Destino. Chaque salle ici mériterait qu'on s'y arrête longuement. Mais nous avons un but précis, et des œuvres très particulières à étudier de près.

Ils parvinrent enfin dans une salle où trônaient sept tableaux semblables, représentant tous un personnage féminin majestueux, plus grand que nature.

— Les Vertus ! s'exclama Maureen.

La Justice brandissait une épée ; la Foi tenait un calice. Il était évident que six des œuvres étaient de la même main et du même style. La septième, en revanche, tranchait nettement sur ses sœurs.

Tammy siffla d'admiration, puis chantonna :

— Cherchez la différence !

Car, bien que les sept soient belles, l'une des peintures éclipsait toutes les autres.

La Force étincelait comme le diamant de l'espoir posé sur un lit d'agates. Les couleurs qu'avait utilisées l'artiste étaient plus vibrantes, les détails plus élaborés et l'ensemble de l'œuvre coupait le souffle. Le plus remarquable était le modèle, une jeune femme d'une beauté surnaturelle dont émanait un sentiment de force indomptable. Elle était magnifique.

— La première commande confiée à Botticelli, expliqua Destino en désignant l'œuvre. Il voulait absolument prouver qu'il avait plus de talent que les artistes à qui l'on commandait le plus d'œuvres à Florence. Il s'est jeté dans ce tableau à corps perdu. Pauvre Pollaiulo ! Quand il constata que la lumière de la Force éteignait ses six tableaux, il tomba en dépression et s'abstint de peindre pendant des mois.

— C'est Colombina ! s'écria Maureen.

Destino lui avait raconté l'enfance de Lorenzo et de Colombina jusque tard dans la nuit précédente. Leur histoire et celle de Sandro, qu'ils considéraient comme

185

un parent, l'avaient passionnée. La Renaissance prenait vie d'une manière qu'elle n'avait pas imaginée ; elle était si humaine, si réelle. On était enclin à penser à ces étonnants personnages historiques comme à des icônes, à oublier qu'ils étaient des êtres de chair et de sang, qui riaient, aimaient, souffraient. Grâce à Destino, l'histoire s'incarnait.

— En effet, c'est bien Colombina, répondit ce dernier.

Ses yeux s'emplirent de larmes en la contemplant.

— Sandro a atteint son objectif. Il l'a peinte plusieurs fois – et vous en verrez l'exemple le plus célèbre dans la prochaine salle –, mais ce tableau est pour moi le plus émouvant de tous.

Maureen s'était immobilisée devant Colombina. Cette femme lui « parlait ». Elle se sentait glisser dans l'état où la mettait toujours la fusion avec un de ses personnages. Elle s'identifiait à Colombina au moment où Sandro la peignait, en ces instants de bonheur, mais aussi de chagrin, d'amour et de cœur brisé. Par la magie du génie de Botticelli, Maureen voyait ses souffrances couler dans les veines de Colombina, au-delà du temps. Maureen comprit qu'elle abordait aux rives de cette « petite colombe » qui fut la muse clandestine des plus grands hommes de la Renaissance.

Elle sentit aussi que son destin était lié à celui de la belle mais énigmatique jeune femme qui l'interpellait depuis la toile.

Careggi,

Été 1464

« Le Temps revient. »

Fra Francesco commença par cette phrase le cours qu'il donnait ce jour à Lorenzo, Colombina et Sandro.

Lorsqu'ils étaient tous les trois présents, son bonheur était total. De ces trois esprits réunis en un seul lieu il émanait un incomparable sens de l'harmonie, de la famille et de la communauté. L'amour qu'ils se portaient était manifeste. Cependant, ils aimaient aussi à rivaliser, comme seuls en sont capables ceux qui ont entièrement confiance les uns en les autres.

Leur premier précepteur, Ficino, leur avait appris la grammaire grecque et les interrogeait sans relâche sur les allégories de Platon, mais ils s'épanouissaient lorsque le maître de l'Ordre leur dispensait ses précieuses leçons. Lorsque ces occasions se présentaient, Colombina échappait à toute surveillance pour rejoindre Lorenzo et assister au cours.

Quand ils étaient réunis, Fra Francesco se dépassait. C'était le défi joyeux qu'il se lançait chaque fois. En ce jour, il avait décidé de leur parler de la philosophie de l'Ordre.

— Commençons, mes enfants. L'expression « Le Temps revient » date de l'ère des troubadours.

Lorenzo acquiesça. Il ne parlait pas parfaitement le français, mais il avait étudié les principes de l'amour courtois dans les chants et poèmes des troubadours.

— Il s'agit de notre enseignement le plus précieux, poursuivit le maître. Il revêt plusieurs aspects, tous liés aux différentes catégories d'amour. Pour nous tous, l'expression signifie que l'amour terrestre préfigure l'amour divin et que l'amour divin se recycle pour nous offrir le don suprême sur cette terre. Tel est le cycle de l'âme.

Lorenzo et Colombina prenaient des notes, mais Sandro dessinait. C'était ainsi qu'il apprenait, qu'il mémorisait et qu'il parviendrait à exprimer cet enseignement à travers sa peinture. Pendant que le maître parlait, Sandro dessinait un paysage où des personnages se mouvaient dans une sorte de cercle, du ciel à la terre et de la terre au ciel.

— Et maintenant, vous dirai-je quelque chose que vous ignorez encore? « Le Temps revient » a trait à des séries de réincarnations, du commencement jusqu'à la fin des temps, où des âmes s'incarneront pour rejoindre leur famille d'esprit et plus particulièrement, comme c'est écrit dans le Livre de l'Amour, leur âme sœur.

— Maître, interrompit Colombina, sommes-nous une famille d'esprit ?

— Crois-tu que nous le soyons, mon enfant ?

— Oui, dit Colombina. J'aime ma famille de sang, évidemment, mais ici c'est différent. Quand je suis avec Lorenzo, Sandro, maître Ficino ou vous, je ressens quelque chose de très beau, de très profond. Je vous aime tant, tous ! Je sais dans mon cœur que nous formons une vraie famille.

— Plus douce que l'union, seule est la réunion, dit Lorenzo en citant le Livre de l'Amour.

— Oui, mon fils. Et tout être de cœur comprend que cette vérité vous concerne tous les deux. Comme l'a écrit un des grands poètes troubadours, un tel amour est créé *« dès le début du temps et jusqu'à la fin du temps*[1] ». Répétez avec moi.

Ils s'exécutèrent, et, de ce jour, les paroles du troubadour anonyme qui avait chanté ces mots d'amour à sa belle devinrent la vérité du lien qui unissait Lorenzo et Colombina.

Dès le début du temps et jusqu'à la fin du temps.

Un peu plus tard, Sandro montra à Lorenzo et Colombina les dessins qu'il avait faits pendant ce cours. Le premier représentait Colombina, la tête inclinée sur son long cou gracile, attentive. Il avait dessiné ses jolis doigts fins, noués autour de sa plume.

— Je t'ai déjà vue dans cette position, et j'ai essayé de te dessiner de mémoire, déclara Sandro.

En tant qu'artiste, il décelait la beauté pure et adorait Colombina qui était devenue sa muse. En vérité, elle était leur muse à tous, inspirant à chacun un amour différent, comme l'enseignait l'Ordre. Pour Lorenzo, elle

---

1. En français dans le texte.

était *éros* et *agape*, l'amour du cœur, de l'esprit et du corps. Pour Sandro, elle était la muse de la beauté dans son principe actif, une force qui, telle Vénus, transforme tout ce qui l'entoure. Mais elle était aussi sa sœur en esprit, l'essence même de l'amour appelé *philia*. Pour le maître de l'ordre du Saint-Sépulcre, elle était muse en tant que modèle des femmes de la Lignée qui l'avaient précédée, les prophétesses et les scribes qui non seulement perpétueraient les véritables enseignements, mais encore les imprimeraient dans un monde nouveau. Elle était aussi sa fille, qui lui inspirait l'amour appelé *storge*.

Le professeur et ses élèves partageaient l'amour qui transforme le monde grâce à l'action et la compassion, appelé *eunoia*.

— Tu es l'essence même de la muse, Colombina. Tu représentes toutes choses pour nous tous. Tu es notre Madeleine.

Sandro l'embrassa sur la joue. Il dévoilait rarement l'aspect tendre de son caractère, mais son âme d'artiste avait été émue tandis qu'il l'observait pendant le cours.

Lorenzo, au bord des larmes, les regardait. Il prit le dessin de Sandro.

— Est-ce que je peux le garder? Il est si beau!

— Je crains de devoir te le refuser, frère, rétorqua Sandro en lui prenant le dessin des mains. J'en aurai besoin pour peindre les visages de futures madones et déesses. Mais, je te le promets, je peindrai souvent notre Colombina, dans cette pose et dans d'autres.

Careggi,

1464

— Lorenzo, nous avons un ennemi.

Colombina avait retrouvé Lorenzo à l'endroit habituel, d'où ils chevauchaient d'ordinaire ensemble jusqu'à la villa de Ficino. Elle n'était pas dans son état normal. Lorenzo descendit de cheval et la prit dans ses bras. Elle se mit à pleurer.

— Qu'y a-t-il, mon amour ? Qu'est-il arrivé ?

Les sanglots la faisaient hoqueter d'une manière que Lorenzo aurait trouvée délicieuse en d'autres circonstances. Mais, à cet instant, il ne pensait qu'à identifier cet ennemi.

— Quelqu'un, je ne sais pas qui mais je commence à le deviner, a parlé de nous deux à mon père.

— Qu'a-t-on pu dire ?

— Oh, Lorenzo ! C'est horrible ! Mon père m'a demandé aujourd'hui si je m'étais donnée à toi ! Une question pareille, posée par son propre père ! Tu imagines ? On lui a dit que tu ferais de moi ta putain, pour prouver la puissance des Médicis, pour montrer que tu peux tout faire, et tout avoir.

— Que lui as-tu répondu ?

— La vérité. Que je ne m'étais pas donnée à toi, mais que j'en avais envie plus que de toute autre chose au monde. Il m'interdit désormais de te voir. Il me renvoie en ville, pour que je ne subisse pas de tentations. Qu'allons-nous faire ? Je ne peux pas me passer de toi, de Sandro, du maître !

Lorenzo la laissa pleurer sur son épaule en lui caressant les cheveux.

— Ne t'inquiète pas, Colombina. Je vais trouver une solution.

Pour l'instant, il n'en entrevoyait aucune, mais il était un Médicis, non ?

***

— Il n'en est pas question, Lorenzo! déclara Piero de Médicis d'un ton ferme.

Donna Lucrezia assistait à la confrontation, les yeux baissés, en proie à une tristesse évidente.

— Nous ne pouvons nous faire des ennemis de la famille Donati, mon fils. Ils sont puissants et respectés, non seulement à Florence, mais dans toute l'Italie.

— Alors, autorisez-moi à l'épouser.

— C'est impossible, mon fils.

Piero était exaspéré. Il était un Médicis, lui aussi, et n'appréciait guère, à ce titre, d'échouer dans une tentative. Et celle-ci ne pouvait absolument pas réussir.

— Les Donati ne l'envisageront même pas. Crois-tu que je n'y aie pas songé? Ils me cracheraient au visage. À leurs yeux, nous sommes des marchands, et nous le resterons. Jamais ils ne laisseront leur fille épouser un homme non titré. Ce sont des gens de l'ancien temps, à l'esprit étroit.

— C'est une Élue, insista Lorenzo. Et vous savez ce qui est écrit dans le Libro Rosso : lorsque l'Élue et le Prince Poète s'uniront, ils transformeront le cours de l'histoire. Tout comme Salomon et la reine de Saba, ils révéleront les secrets de Dieu et de l'homme et s'acharneront à ramener le paradis sur la terre.

— Sa famille n'a pas les mêmes croyances que nous. Ils n'y comprennent rien et, si nous essayions de leur expliquer, ils viendraient aux portes de Careggi pour réclamer nos têtes d'hérétiques. Réfléchis, Lorenzo, réfléchis. Nous avons trop à perdre, nous et l'Ordre que notre mission est de protéger. Nous ne pouvons prendre ce risque, même s'il faut pour cela sacrifier ton bonheur.

— Alors, à quoi servent les enseignements de l'Ordre?

— Lorenzo! s'exclama *donna* Lucrezia offusquée par cet exceptionnel irrespect de son fils.

— Je veux une réponse, mère. Si le Livre de l'Amour enseigne que Colombina et moi étions destinés l'un à l'autre par Dieu dès l'aube des temps, et que nul homme ne peut séparer ce que Dieu réunit, alors pourquoi? Pourquoi veut-on nous séparer?

— Notre-Seigneur, tenta de répondre Piero, nous enseigne aussi qu'il faut aimer nos voisins, et les Donati sont nos voisins. Ils nous menacent de guerre si nous ne les respectons pas en t'éloignant de leur enfant. Tel est donc notre devoir.

Lucrezia choisit une méthode plus douce.

— Lorenzo, je comprends que tu considères la fille des Donati comme ton âme sœur. Un amour de jeunesse compte beaucoup. Mais...

— Mère, je sais qu'elle est mon âme sœur, l'interrompit Lorenzo. Et elle le sait. Et Fra Francesco le sait lui aussi. Alors, il faut qu'on m'explique pourquoi, dans l'histoire, tant de véritable amour a été saccagé. Pourquoi toutes les grandes histoires d'amour parlent de souffrance et de séparation. Je ne veux pas m'inscrire dans cette série. Je veux en modifier le cours. N'est-ce pas ce que je suis censé faire? N'est-ce pas la raison pour laquelle je suis né sous les auspices de cette prophétie, qui est pour moi une prison quotidienne?

— Oh, Lorenzo! Comment peux-tu dire une chose pareille?

— Parce que c'est la vérité, mère.

— Il arrive, mon fils, que le devoir passe avant le bonheur. Chaque famille de Florence compte sur la paix avec les Donati. Nous ne pouvons revenir aux sanglantes querelles que nous avons mis tant d'années à éradiquer. Si nous faisons la guerre, la ville se divisera et il y aura beaucoup de sang versé à Florence, pendant des générations. Nous savons toi et moi que nous ne pouvons provoquer cela.

Ils interrompirent leur conversation en apercevant Cosimo sur le seuil de la porte. Il était d'une pâleur mortelle, mais, bien que tout proche de la fin, il se tenait droit et parlait avec autorité. Il fit comprendre à Piero et Lucrezia qu'il désirait s'entretenir seul avec son petit-fils et entraîna Lorenzo vers un divan où il s'assit près de lui. Ses articulations craquèrent sans qu'il parût s'en aviser. Comme toujours, Cosimo se concentrait sur la mission qu'il devait accomplir.

— Lorenzo, je veux que tu penses à certains des dirigeants de l'Ordre dans l'histoire. La grande Matilda était secrètement mariée au pape. Ils ne purent jamais se montrer en public ensemble au cours des tumultueux événements de leur vie. Pourtant, ils ont su entretenir leur amour, loin des yeux du monde.

— Que dites-vous, grand-père? Que je devrais faire de Colombina ma maîtresse, comme le redoute son père?

— Je dis que le véritable amour trouve son chemin, Lorenzo. J'ai mal pour toi, mon enfant. Cela me brise le cœur de penser que tu ne connaîtras jamais le bonheur total auprès de la femme dont tu crois qu'elle a été créée pour toi par Dieu. Donc, je dis que tu dois trouver un moyen d'être avec elle. Et qu'elle soit avec toi. Que vous devez vous affranchir des règles que la société vous impose. Dieu n'a pas dicté ces règles. Les hommes les ont dictées. Et l'Église. Quelles règles choisirez-vous de suivre? Celles de Dieu, ou celles des hommes? Tu affirmes que tu veux modifier le cours des choses... Alors, fais-le. Voilà ta destinée, mon enfant.

Cosimo s'interrompit un instant, pour reprendre son souffle.

— Je m'aperçois que je ne t'ai jamais parlé de ma Marie Madeleine, de la femme magnifique qui est la mère de Carlo.

Carlo était le fils illégitime de Cosimo, né de sa scandaleuse liaison avec une esclave circassienne. L'épouse de Cosimo, Contessina, avait accueilli l'enfant et l'avait traité avec une grande bonté, afin qu'il fût élevé comme un Médicis et portât leur nom. Elle ne s'était jamais plainte et nul ne la surprit jamais à maltraiter le jeune garçon. Il était tacitement admis dans la famille que l'on ne parlait jamais de la naissance de Carlo, mais sa peau et ses yeux, plus foncés que ceux des autres garçons, ne manquaient pas de rappeler ses origines.

— Je n'en parle jamais en famille, car ta grand-mère en souffrirait. Mais l'heure est venue de te dire la vérité. La mère de Carlo fut mon plus grand bonheur et ma plus grande souffrance. Elle est l'amour de ma vie; pourtant, c'est une esclave étrangère, je ne pourrai jamais la légitimer. Alors, Lorenzo, à quoi donc pensait

Dieu? Pourquoi a-t-il créé cette femme en tout point parfaite pour moi, tout en nous empêchant d'être ensemble?

Lorenzo était stupéfait. Il croyait connaître Cosimo mieux que n'importe qui d'autre, et voilà qu'il découvrait un pan entier du caractère et de la vie de son grand-père qu'il n'avait jamais soupçonné.

— Je l'ai rencontrée à Lucques, où je menais une négociation. Elle était esclave dans une famille noble. À mes yeux, elle était la plus belle femme au monde et je me réjouis de constater que le maître de la maison ne semblait en faire aucun cas. Je finis par en conclure qu'il préférait les hommes aux femmes. Par conséquent, aucun homme n'avait possédé la jeune fille, en tout cas pas depuis qu'elle avait été vendue à cette famille. Elle était bien traitée, et d'un caractère facile. Comme elle vivait en Toscane depuis plusieurs années, elle maîtrisait bien notre langue. Exceptionnellement, même. J'ai vite compris que ce n'était pas une esclave ignorante. Son esprit était plus vif que celui de toutes les femmes que j'avais connues ; elle était incroyablement douée pour l'étude; l'humour et la sagesse brillaient dans ses yeux.

« Je suis resté une semaine dans cette maison et, par la suite, j'ai trouvé mille prétextes pour y retourner. Plusieurs mois après, j'ai compris que j'étais désespérément amoureux de cette femme et, pis encore, qu'elle était l'âme sœur dont on parle dans notre Livre. Mais que faire? J'ai fini par admettre que, en dépit des obstacles, Dieu l'avait placée sur mon chemin et que c'était à moi de décider de mon destin. Toutes les règles, politiques, sociales, m'interdisaient d'être avec elle; j'étais marié, j'avais des enfants, et je m'appelais Cosimo de Médicis.

Il laissa à Lorenzo le temps d'assimiler ces stupéfiantes révélations avant de poursuivre :

— Mais ne laissons nul homme séparer ce que Dieu a réuni. Donc, j'ai acheté la jeune fille à cette famille; je l'ai payée trois fois son prix. Je lui ai acheté une maison à Fiesole et je l'ai installée là, en tant que ma maîtresse.

Elle y est toujours. Comme je ne voulais pas l'appeler de son nom d'esclave, je l'ai baptisée Marie Madeleine, car elle était ma Reine de Compassion. Lorsque la pression imposée par la politique de Florence devenait trop forte, j'allais chercher réconfort auprès d'elle. Lui enlever Carlo m'a désespéré. Tu peux imaginer combien elle désirait élever notre enfant. Mais elle voulait surtout son bien, et elle a compris que le remettre à la famille était le plus beau cadeau qu'elle pouvait lui offrir. Comme tu vois, Lorenzo, ma Madeleine et moi avons beaucoup souffert. Pourtant, je n'échangerais les moments passés auprès d'elle contre rien au monde. Elle est ma muse, mon grand amour. Et un jour, quand le Temps reviendra, nous serons ensemble, si Dieu le veut et si cela sert notre mission.

Le jeune homme était sans voix. Il réfléchissait à ce que Cosimo lui avait révélé. Il lui fallut un certain temps avant de poser la question qui lui brûlait les lèvres.

— Que feriez-vous à ma place, grand-père ?

La réponse de Cosimo fut instantanée :

— Je lui trouverais un mari.

— Quoi ! hurla presque Lorenzo.

— Cesse de penser comme un gamin en mal d'amour. Pense comme un prince. Comme un prince de Médicis. Prends de l'avance sur l'ennemi. Adopte une stratégie pour dans un an, ou deux, ou cinq. Les Donati ne te permettront pas de voir leur fille tant qu'elle sera sous l'autorité paternelle. Son père dictera chacun de ses mouvements. C'est un fait. Comment agir sur ce fait ? En modifiant les circonstances, afin qu'elles te conviennent mieux. Dès qu'elle sera mariée, son père n'aura plus aucun pouvoir sur elle. Une épouse florentine, surtout de la classe sociale des Donati, est libre de ses actes. Certes, elle ne pourra plus folâtrer avec toi à Careggi, mais pourquoi ne deviendrait-elle pas l'amie de la noble famille des Gianfigliazi ? Et la charmante Ginevra ne cesse d'organiser des fêtes de charité, auxquelles pourra se joindre sans que nul y trouve à redire une jeune femme riche et mariée du genre de Lucrezia Donati. Ce qui exigerait qu'elle passe pas mal de temps à l'Antica Torre de Santa Trinita. Tu m'entends, mon garçon?

Lorenzo hocha la tête. Il n'aimait pas ça, mais il commençait à comprendre. Il apprenait à se conduire et à penser comme un Médicis.

Cette nuit-là, Lorenzo rentra chez lui pour donner libre cours à sa tristesse dans l'art qu'il pratiquait, la poésie. Il écrivit les premiers vers du poème qui serait reconnu comme l'une de ses meilleures œuvres, *Le Triomphe*.

Douce est la jeunesse
Mais comme elle s'envole vite!
Jouis de ton bonheur, toi qui le peux
Car demain est incertain.
Demain est incertain.

Cosimo déclinait. Il payait son tribut à la goutte, la malédiction des Médicis depuis plusieurs générations, qui envahissait son corps entier. Chaque mouvement était une souffrance. Cela l'irritait, certes, mais moins que la conscience de tout ce qu'il lui restait à accomplir en si peu de temps.

Lorsqu'il sentit sa fin proche, Cosimo réunit toute sa famille en sa villa de Careggi afin de prendre congé de chacun. Il les reçut un par un pour leur faire part de ses dernières instructions. Le plus cher et le plus vieux des amis de Cosimo, Poggio Bracciolini, avait participé à la création de la communauté platonique de Florence; il était aussi un membre clé de l'Ordre. Au cours des deux dernières décennies, les deux hommes avaient passé ensemble d'innombrables heures à travailler au bien de leur ville et à rendre ses habitants plus instruits, plus tolérants et plus ouverts aux arts. Ils représentaient l'idéal humaniste et le monde nouveau qui se faisait jour en Toscane sous leur influence. Poggio vint lui lire des extraits de l'*Histoire de Florence* qu'il avait écrite en latin.

— Ton père et toi figurez dans le livre, dit-il, et la première version te sera dédiée, car tu es l'histoire vive de Florence. Je suis fier et heureux d'avoir été de tes amis.

Cosimo posa sa main sur celle de Poggio.

— Et réciproquement, dit-il, car tu as été le plus loyal et le meilleur des compagnons en humanisme et en hérésie. Je prie pour que tu continues d'encourager l'amitié naissante entre nos fils. Je souhaite à Lorenzo la bénédiction de compter une amitié chez les Bracciolini durant toute sa vie.

Poggio le lui promit. Il les surveillerait, et veillerait à leur éducation afin qu'ils puissent un jour gouverner au nom des principes préconisés par l'Ordre et par les néo-platoniciens. La perte de Cosimo ne serait pas seulement une souffrance personnelle pour les Bracciolini, elle pèserait sur tous ceux qui, à Florence, s'intéressaient au progrès artistique et social. Lorenzo devrait se hâter d'endosser le manteau des Médicis s'il voulait perpétuer l'héritage de son grand-père. Poggio espérait que son fils Jacopo mettrait toutes ses qualités au service du jeune Médicis.

Poggio fit signe à Marsilio Ficino, qui attendait son tour à la porte de la chambre de Cosimo, et prit congé de son ami mourant en l'embrassant sur les deux joues, au bord des larmes.

Ficino rendait visite à Cosimo tous les jours, et lui lisait le *Corpus Hermeticum*, le livre de la sagesse égyptienne qui avait été récemment traduit et que le patriarche aimait tout particulièrement. Son corps l'avait trahi, mais son esprit était plus alerte que jamais ; jusqu'à son dernier souffle, l'acuité mentale de Cosimo resterait exceptionnelle. Après la séance de lecture, les deux hommes parlaient de l'avenir de Lorenzo et de leur grand projet : opérer la fusion entre la sagesse de l'Antiquité et les enseignements de l'Ordre, afin qu'elle irrigue le nouvel âge d'or.

Mais c'était à Lorenzo que Cosimo consacrait le plus clair de son temps. Ils s'entretenaient parfois de questions sérieuses, comme la finance, la politique et l'avenir des Médicis, mais souvent Cosimo demandait à Lorenzo de lui lire ses écrits, des poèmes lyriques d'une étonnante maturité. Le jeune homme s'identifiait à merveille à l'un des aspects de son titre de Prince Poète et devait certainement ce don à sa mère, une poétesse reconnue.

— Aucun homme au monde n'a été plus fier d'un enfant que je ne le suis de toi, Lorenzo, murmura Cosimo le dernier jour de sa vie. Tu m'as déjà apporté beaucoup de bonheur, et je sais que tu suivras le bon chemin. Mais je crains que tu ne sois obligé de devenir un homme très rapidement. Ton père a besoin d'un autre Médicis. Il s'occupera des finances, mais toi... toi, tu devras prendre tout le reste en charge, car il n'en aura plus le temps. Travaille avec Verrocchio, protège l'école et guide les Angéliques. L'édifice est stable, désormais. L'art sauvera le monde, mon garçon. Grâce aux Médicis.

L'atelier de Verrocchio regorgeait de jeunes artistes talentueux recrutés par Cosimo et Piero. Sandro était certes le premier de la liste, mais quelques nouveaux venus étaient particulièrement prometteurs. Le jeune Domenico Ghirlandaio excellait dans l'art de la fresque, et une saine rivalité naissait entre Sandro et lui. Avec le fils de Lippi, Filippino, ils formaient le trio des *enfants terribles*[1] du monde de l'art. Un jeune artiste venait d'arriver d'Ombrie, Pietro Vannucci, qu'on appelait Perugino, d'après sa ville de naissance. Et un certain Leonardo, originaire de la ville de Vinci, commençait à éveiller l'attention. Lorenzo aurait fort à faire.

Le jeune homme prit la main de Cosimo entre les siennes et, les yeux brillant de larmes contenues, sourit au vieillard.

— Grand-père, dit-il en s'efforçant de dissimuler sa tristesse, de tous les cadeaux que tu m'as faits, le nom, les principes, l'éducation par les meilleurs maîtres, de tout cela, sais-tu ce qui m'est le plus cher? Ce sont les moments que nous avons passés seuls ensemble, à nous promener dans Careggi, à parler de livres, à lire de la poésie. C'est de t'avoir eu pour grand-père qui m'est le plus précieux. Et c'est ce qui me manquera le plus.

---

1. En français dans le texte.

Sur ces paroles, Lorenzo éclata en sanglots et Cosimo attira son petit-fils bien-aimé contre lui, caressa sa chevelure sombre et pleura avec lui jusqu'à ce qu'il perdît conscience et glissât dans l'au-delà.

Les funérailles de Cosimo de Médicis furent une affaire d'État : des dignitaires accoururent de toute l'Europe pour rendre un dernier hommage au disparu. Tous les citoyens de Florence descendirent dans les rues pour suivre le cortège qui s'ébranla de la via Larga, où s'élevait la demeure des Médicis, jusqu'à San Lorenzo. On entonnait « *Palle, palle, palle* » en référence aux cercles, ou balles, qui ornaient le cimier des Médicis. Des serviteurs en livrée portant le même cimier annoncèrent l'arrivée du cercueil de Cosimo, porté par Lorenzo, son père et des cousins.

Andrea Verrocchio, à qui l'on avait commandé le monument funéraire de Cosimo de Médicis, présenta les dessins d'une magnifique mosaïque de marbre dans les couleurs officielles de l'Ordre – rouge, blanc et vert –, où serait inscrite une simple mais remarquable épitaphe :

PÈRE DE LA PATRIE. PÈRE DU PAYS.

Pour la première fois depuis Cicéron, un citoyen italien se voyait reconnu le droit à ce titre.

Verrocchio commencerait la construction du monument tout de suite après l'enterrement de Cosimo sous l'autel de San Lorenzo. Il y travaillerait seul, car son vieux maître et ami Donatello, désespéré par la perte de son mécène, fit le vœu de ne plus jamais travailler.

— Je ne souhaite plus qu'une chose, sanglotait Donatello dans la basilique tandis que le cercueil passait devant lui : être enterré aux pieds du grand Cosimo, et trouver le moyen de le servir au ciel, de le servir éternellement.

Fidèle à son vœu, Donatello ne sculpta plus jamais. Il semblait avoir perdu toute envie de vivre et erra sans but deux années durant, avant de rejoindre dans la mort le mécène qu'il avait tant aimé. On respecta sa dernière volonté, et il fut enterré à côté du grand Cosimo, dans la basilique de San Lorenzo.

Careggi,

1464

Lorenzo aperçut le garçon qui le saluait sur la route menant de la villa des Médicis à la retraite de Ficino, à Montevecchio, mais ne lui prêta guère attention. Il salua aimablement en retour, car il se montrait toujours courtois avec les serviteurs. Et celui-ci devait en être un, car aucun simple paysan ne s'aventurerait si avant sur les terres des Médicis. Il remarqua cependant le visage avenant et le sourire timide de ce garçon, qui avait sans doute le même âge que lui, et songea qu'il n'avait probablement pas encore été officiellement engagé par sa famille, car il portait des vêtements en désordre et non la livrée de tous ceux qui travaillaient pour les Médicis. Mais Lorenzo avait bien d'autres préoccupations qu'un nouveau garçon d'écurie, surtout en ce jour où il devait discuter avec Ficino d'une foule de choses, dont la moindre n'était pas les poèmes sublimes d'un jeune écrivain toscan encore inconnu qu'il venait de découvrir.

La veille, un messager avait apporté à Florence un manuscrit provenant d'un petit village perché sur les collines, Montepulciano. Il contenait une lettre de louange à l'égard de Lorenzo et de sa famille, rédigée par un certain Angelo Ambrogini, qui prétendait que son père était mort au service de Cosimo, quelques années auparavant. L'homme s'exprimait avec une rare élégance et énonçait son désir de venir à Florence pour servir dans la famille, à l'instar de son père. Lorenzo recevait souvent des offres de service provenant de gens qui proclamaient leur loyauté éternelle envers les Médicis et n'en tenait d'ordinaire aucun compte, mais celle-ci retint son attention : à la lettre étaient joints des poèmes d'une qualité qui le surprit. Le poète, Angelo le bien nommé, était manifestement un Angélique, un être au talent surnaturel. Il écrivait en latin et en dialecte toscan, comme Dante, Boccace – et Lorenzo. Il se référait aux Grecs, d'un point de vue linguistique et allégorique, et son approche était à la fois aisée, érudite et neuve.

Jamais une lettre n'avait aussi bien excité l'imagination de Lorenzo. Sa famille et l'Ordre n'avaient de cesse qu'ils ne découvrissent ces artistes angéliques qui perpétuaient la vérité et la beauté, mais ils n'en avaient à ce jour déniché aucun dans le domaine de la littérature. Aucun nouveau Dante n'était apparu à l'horizon. Jusqu'à ce jour.

L'objectif prioritaire de Lorenzo était donc de découvrir qui était ce garçon, de savoir où il avait acquis son exquise culture et de l'attirer dans leur cercle. Il descendait de cheval et sortait soigneusement le précieux manuscrit de sa sacoche quand il entendit la voix ironique de son ami d'enfance.

— Tu sais ta leçon ?

Lorsque leurs emplois du temps le permettaient, les deux jeunes gens suivaient ensemble l'enseignement de Ficino. Comme Poggio, le père de Jacopo, avait promis à Cosimo d'encourager leur amitié, ils se voyaient très souvent. Une certaine rivalité était née entre les jeunes gens, tous deux intelligents, dotés de l'esprit de compétition et élevés dans des familles où les hommes étaient renommés pour leur érudition.

Lorenzo se frappa le front de la main. Ficino leur avait demandé d'apprendre par cœur le texte de *La Table d'émeraude* d'Hermès Trismégiste. Bien que passionné par les écrits hermétiques, Lorenzo n'aimait pas mémoriser. Et les poèmes qu'il avait reçus la veille l'avaient si bien distrait de ses obligations qu'il avait complètement oublié que Ficino l'interrogerait aujourd'hui.

La Table d'émeraude était le fac-similé légendaire d'un texte antique, supposé renfermer, codés, les secrets de l'univers que le dieu Hermès en personne aurait gravés sur une grande pierre plate de couleur verte. On racontait que la grande pyramide de Gizeh avait été édifiée pour protéger les écrits d'Hermès, que les Égyptiens connaissaient sous le nom de Thot. Le fac-similé y aurait été conservé dans la chambre du pharaon. La tablette d'origine, pour sa part, était perdue depuis longtemps et tous les efforts de Cosimo, qui avait expédié des émissaires dans le monde entier pour en retrouver la trace, avaient été vains. La quête du trésor perdu d'Hermès avait coûté une véritable fortune au patriarche, qui ne s'en approcha jamais plus que par la découverte, dans la région de Constantinople, d'une traduction en latin datant du xe siècle. La langue d'origine de *La Table d'émeraude* était une énigme non résolue : sans doute un langage symbolique, ancien et perdu. Pourtant, la tradition orale en avait perpétué des passages au cours des siècles.

Les deux jeunes gens étaient donc censés avoir appris par cœur la transcription latine de cette tradition orale. La journée était belle et le soleil brillait sur les pierres qui pavaient le chemin menant à la maison de Ficino. Ils s'assirent sur un banc en bois sculpté, sous une arche de roses blanches encadrées par des orangers. Emblème des Médicis, l'oranger occupait une grande place sur toutes les terres appartenant à la famille. Les arbres étaient en fleur et le doux parfum de celle de l'oranger embaumait l'air léger.

— Que non ! répondit Lorenzo. Je ne l'ai pas apprise. Mais je la connais assez bien pour ne pas encourir les foudres de Ficino. Et toi ?

Jacopo commença la récitation, pour mettre son ami à l'épreuve.

— *Tabula Smaragdina. Verum, sine mendacio, certum et verissimum...*

Lorenzo traduisit immédiatement.

— « La Table d'émeraude. En vérité, sans mensonge, certainement et absolument... »

Puis il récita la suite :

— *Quod est inferius est sicut quod est superius, et quod est superius est sicut quod est inferius, ad perpetranda miracula rei unius.*

Ce fut au tour de Jacopo de traduire.

— « Ce qui est dessous correspond à ce qui est dessus et ce qui est dessus correspond à ce qui est dessous, afin d'accomplir le miracle de la chose qui est une. »

Puis il poursuivit, sûr de lui.

— *Pater ejus est Sol. Mater ejus est Luna. Portavit illud Ventus in ventro suo.*

— « Son père est le Soleil. Sa mère est la Lune. Le Vent l'a porté en son ventre », traduisit Lorenzo avant de s'interrompre car il ne se souvenait pas de la suite.

Il prit le temps de fouiller sa mémoire, en se mordant la lèvre, très concentré, lorsqu'une troisième voix entra dans le jeu et les fit sursauter. Elle appartenait à un jeune garçon.

— *Nutrix ejus Terra est.* « Sa nourriture est la Terre. »

Stupéfait, Lorenzo constata que celui qui s'exprimait en ce latin parfait n'était autre que le garçon d'écurie qu'il avait croisé en chemin. Intimidé, ce dernier baissa les yeux, mais ajouta :

— J'aime tellement cette phrase. Elle est belle. Elle nous rappelle que la terre nous nourrit de sa beauté.

Lorenzo se présenta et tendit la main au garçon qui la serra. Ses grands yeux, empreints d'une sagesse étonnante vu son jeune âge, s'emplirent de larmes tandis qu'il répondait :

— Je sais qui tu es.

Sans lâcher le garçon, Lorenzo posa son autre main sur son épaule.

— Alors, je suis désavantagé, car j'ignore qui est le frère, si cultivé et si poète, qui se tient devant moi.

Le garçon, en larmes, tomba aux genoux de Lorenzo.

— Je suis venu pour te servir, Lorenzo, et pour étudier avec maître Ficino, s'il l'accepte.

Jacopo Bracciolini ne dissimula pas son irritation.

— Debout, mon garçon. Il n'est ni roi ni pape, ce n'est qu'un Médicis.

Il saisit un bras du jeune homme, Lorenzo prit l'autre et ils le relevèrent ensemble.

— Quel est ton nom, frère, et d'où viens-tu ? lui demanda doucement Lorenzo.

L'adolescent repoussa les cheveux qui tombaient sur son front et essuya ses larmes.

— Angelo. Je m'appelle Angelo Ambrogini ; je viens de Montepulciano.

— Ah ! Je vois que vous vous êtes rencontrés ! Parfait. Commençons donc, car le grand Hermès n'aime pas qu'on le fasse attendre.

Marsilio Ficino avait assisté de loin à l'échange entre les trois jeunes gens. Il était satisfait du bon accueil qu'avait réservé Lorenzo au jeune étranger et espérait que Jacopo suivrait son exemple, car il considérait comme indispensable l'émulation entre de brillants esprits. Et peu d'hommes pouvaient rivaliser avec l'esprit d'Angelo, dont Ficino surveillait les progrès depuis longtemps, à la requête de Cosimo. Il n'avait que huit ans lorsque son père avait été sauvagement assassiné sous ses yeux. Les Ambrogini servaient fidèlement les Médicis depuis deux générations. À l'époque où Cosimo était en exil et que les rivalités ensanglantaient Florence, le patriarche s'était réfugié chez les Ambrogini, à Montepulciano, et avait pu observer ce petit garçon timide mais d'une rare intelligence. Cosimo avait parlé de lui à son père, et avait appris avec stupéfaction qu'il parlait couramment le latin et le grec. On aurait dit que Lorenzo avait un frère jumeau, né quelques années après lui, à l'autre bout de la Toscane.

Après la mort brutale de son père, Cosimo avait secrètement veillé à son éducation, avec l'aide de Ficino. Avant de tomber malade, Cosimo avait souhaité faire venir Angelo à Florence, mais il survint des aléas et le jeune et brillant esprit se languissait au fin fond de la province. Angelo, désespéré, écrivit à Ficino qui fit suivre ces lettres à Lorenzo sans rien lui dire, afin de voir si

Lorenzo saurait mettre ses pas dans ceux de Cosimo et se montrer aussi habile découvreur et protecteur des talents angéliques.

L'attitude de Lorenzo le combla. Âgé de seulement quinze ans, il se prouvait qu'il était capable d'assumer le rôle qui était le sien. Oui, sans aucun doute, il était le Prince Poète.

Intrigués, Lorenzo et Jacopo regardaient Ficino. Ainsi, ce dernier attendait Angelo ! Le maître fit entrer ses élèves, et Sandro Botticelli se joignit à eux pour suivre le cours, après avoir salué ses amis et s'être présenté à Angelo. Sandro avait compris que son talent de peintre se nourrissait de chaque instant passé en compagnie de l'érudit, qui enrichissait son imaginaire et tissait son œuvre d'éléments nouveaux. Il assistait aux cours dès qu'il le pouvait. Et, bien qu'appréciant modérément le fils Bracciolini, qu'il trouvait arrogant, Sandro était sensible à l'excitation qui régnait dans la pièce.

— Venez, mes enfants. La *Tabula Smaragdina* nous attend.

Ficino fit répéter à Lorenzo et à Jacopo le test de mémoire qu'ils avaient pratiqué dans le jardin. Les deux jeunes gens réussirent l'examen, mais Angelo Ambrogini fit preuve d'une mémoire et d'une compréhension du texte supérieures aux leurs.

— Ce qui est dessus est aussi dessous, dit Ficino. Quelle est notre manière d'exprimer la même chose ?

— « Sur la terre comme au ciel », répondit immédiatement Lorenzo.

— Exactement. Et qu'est-ce que cela nous apprend de la corrélation entre les enseignements de Notre-Seigneur Jésus-Christ et les enseignements des Anciens ?

— Que tout est corrélation et non séparation, répondit Jacopo, familier comme Lorenzo de cette théorie qu'affectionnait Ficino.

— Et encore ? interrogea le maître en regardant Angelo, car il était curieux de voir comment le garçon s'intégrerait dans la discussion des amis, tous deux intelligents mais si habitués à leur mode de réaction que leur rivalité prenait parfois le pas sur le sujet des cours.

Sandro, pour sa part, se taisait la plupart du temps. Pour atteindre un niveau supérieur, Lorenzo avait besoin d'être mis au défi par un esprit particulièrement délié.

Angelo regarda ses camarades et hésita. Outre la formidable différence de classe sociale, il était le nouveau venu, et le plus jeune, ce qui le mettait un peu mal à l'aise. Lorenzo s'en avisa et l'encouragea :

— Allez, Angelo, dis-nous ta pensée.

— Je pense que cela n'a pas d'importance, dit-il d'une voix douce mais ferme. Toute sagesse vient de Dieu et est la vérité. Peu importe qu'elle vienne de Jésus ou de Hermès, peu importe qui l'a formulée le premier, et peu importe en quelle langue. C'est pourquoi *La Table d'émeraude* commence par les mots : « En vérité, sans mensonge, certainement et absolument. » Car c'est la nature de toute loi divine.

— Cela signifie-t-il que Jésus étudia *La Table d'émeraude*? lui demanda Ficino. Qu'il connaissait les enseignements des Grecs? Une telle affirmation est-elle une hérésie?

— Je ne suis pas prêtre. Je ne sais ce qui est ou n'est pas une hérésie, répondit simplement Angelo. Mais je répète que peu importe que Jésus ait reçu sa sagesse des philosophes hellènes ou de Dieu lui-même. La vérité pure et parfaite est que nous sommes ici pour créer le paradis sur terre, pour y apporter la perfection de ce qui est dessus et ce faisant nous transformer en des êtres humains meilleurs et plus dignes.

Lorenzo buvait les paroles d'Angelo.

— Oui! s'écria-t-il. Devenir *anthropos*! Pleinement humains, au stade le plus parfait. Pour y parvenir, il faut savoir qui l'on est et le sens de notre présence sur terre, comprendre ce qu'il faut accomplir pour tenir son engagement envers Dieu et envers soi-même, s'efforcer de trouver ceux qui appartiennent à la même famille d'esprit et les aider à se réaliser pleinement.

— *Anthropos* est un mot grec, je le connais, mais pas dans votre contexte, dit Angelo.

— Alors, nous t'apprendrons ce que nous savons, dit Lorenzo, et tu nous apprendras ce que tu sais.

Sandro avait gardé le silence pendant tout le cours, mais, comme le savait Lorenzo, qui le connaissait mieux que personne, il n'avait pas cessé de dessiner. Le jeune artiste brandit le dessin d'Angelo qu'il avait exécuté. Il l'avait représenté en Hermès, les yeux au ciel, un bâton dans une main, dont il semblait labourer les nuages.

Angelo rougit.

— Quel honneur de me comparer à Hermès !

— Je dessine ce que je vois, frère. Et ce que je vois, c'est que tu irradies, que tu nous montres, à nous qui sommes dessous, la vérité de ce qui est dessus. Mais je te vois aussi donner un coup de bâton dans la fourmilière de la Florence assoupie. Quelle délicieuse perspective, en vérité !

Jacopo Bracciolini paraissait un peu agacé par l'attention que recueillait le nouveau venu, mais il tint sa langue. Chacun savait que les Médicis adoraient les poètes et les philosophes de compagnie.

— Bienvenue dans notre famille d'esprit, frère, dit Lorenzo en saisissant la main d'Angelo.

Et, pour la première fois depuis que son père était mort, ce furent des larmes de joie que le jeune garçon s'efforça de retenir.

Un frisson parcourut la colonne vertébrale de Marsilio Ficino. Il n'était pas prophète, mais il connaissait assez le monde pour savoir que la conjonction de ces trois lumières, le prince, le peintre et le poète, signifiait qu'on était au seuil d'une nouvelle ère. Florence allait renaître, et toute l'Italie suivrait. L'Italie et, peut-être, le reste du monde.

Il ne manqua pas de s'apercevoir que Jacopo Bracciolini, pour intelligent qu'il fût, se tenait volontairement à l'écart de cette brillante trinité. Contrairement à son père, Jacopo n'avait pas le sens de la famille très particulière qui grandissait ici. C'était un jeune homme au cerveau brillant, mais Ficino l'observait attentivement depuis des années, et il avait remarqué que si Jacopo était prodigue de son esprit vif et agile, il semblait tout à fait incapable d'une telle générosité de cœur.

**

Florence,

1467

Colombina se précipita dans le vestibule, le cœur battant. Sa sœur Costanza lui avait annoncé que le mystérieux Fra Francesco venait de frapper à la porte de la maison de ville des Donati. Que faisait-il chez ses parents ? Il ne pouvait s'agir d'une question concernant l'Ordre. Était-il arrivé quelque chose à Lorenzo ?

— Maître ! Votre présence ici est un honneur. Qu'est-ce qui vous amène ?

— Je passais par ici.

Son attitude désinvolte la rassura. Elle sourit chaleureusement au vieillard.

— Vous êtes un homme de trop grande qualité pour faire un bon menteur.

— Et toi, rétorqua-t-il en souriant aussi, tu es bien trop maligne pour ton âge. Mais puisque tu l'es, je vais te dire la vérité. Savais-tu que si tu te tiens sur le Ponte Santa Trinita à midi pile, tu vois le soleil briller exactement au milieu du Ponte Vecchio ? Et, quelle coïncidence n'est-ce pas, il est presque midi.

Colombina lui adressa un clin d'œil de connivence.

— Une bonne Florentine doit savoir ce genre de choses. Je prends ma cape, et vous allez me montrer.

**

Colombina et Fra Francesco longèrent l'Arno en direction du Ponte Santa Trinita. Santa Trinita, si liée à l'arrivée de l'Ordre à Florence, était devenue une sorte de code. Les membres y assistaient à des services religieux secrets en l'honneur de leurs chères traditions. Si l'on mentionnait Santa Trinita, cela signifiait qu'il y avait un secret à la clé.

Le maître aborda délicatement le sujet.

— On m'a dit que ton père voulait te marier. Très bientôt.

— Oui, et pas avec Lorenzo.

— Tu t'y attendais, je suppose.

— Oui, maître. J'ai toujours su qu'on ne me laisserait pas épouser Lorenzo. Ce n'est pas… notre destinée.

— Mmm. Et que t'avons-nous appris sur ta destinée, mon enfant ?

— Que les astres nous guident, mais ne nous contraignent pas. Que les décisions nous reviennent toujours. Dieu ne nous impose pas sa volonté, il nous la fait connaître, et nous choisissons de nous y soumettre ou non.

— Et quelle est la phrase latine qui exprime ce principe ?

— *Elige magistrum*. « Choisis ton maître. »

— Bien dit. Alors, quel est ton maître ? Ton cœur ? Le destin de Lorenzo ? La volonté de Dieu ? L'avenir de Florence ? Où en es-tu de cette question ?

Le regard de Colombina se perdit sur le fleuve. Comme l'avait dit Fra Francesco, le soleil illuminait le Ponte Vecchio en son milieu. Il ne se trompait jamais, même sur les détails.

— Dieu a forgé le destin de Lorenzo dès sa naissance, et même avant. Mes parents ont été clairs au sujet de mon avenir. Je ne me marierai qu'à un fils d'une famille aussi noble que la nôtre, et les Médicis n'ont aucune place dans leur projet. Notre libre choix doit donc s'exercer : l'acceptons-nous ou pas ?

— En effet, acquiesça Fra Francesco. Lorenzo m'a parlé de votre idée de vous enfuir ensemble. De choisir l'amour plutôt que le destin. Il abandonnerait tout ce qu'il a et tout ce qu'il est pour être avec toi.

— Non. Il ne le fera pas, car je ne le laisserai pas, quelle que soit sa détermination ; dont je ne suis d'ailleurs pas certaine.

Elle sanglota sans retenue et serra sa cape autour de son corps menu.

— Oh! maître, c'est si difficile! Je veux être forte, mais l'idée de Lorenzo marié à une autre femme me donne envie de sauter de ce pont. Nous rêvons de vivre ensemble, de fuir les responsabilités de notre destinée, mais nous savons tous les deux que nous ne nous y résoudrons jamais. Il remplira son rôle de *pater patriae*, aussi sûr qu'il est le petit-fils de Cosimo et un prince né en janvier.

— Les deux circonstances que tu évoques sont d'ordre divin, elles disent la volonté de Dieu et le destin de Lorenzo. En quoi influencent-elles son caractère?

Colombina essuya ses larmes et s'efforça comme de coutume de donner au maître une réponse satisfaisante.

— Il est sous l'influence de Saturne, la planète de l'obéissance et du sacrifice, la planète du père et de la paternité. Sa priorité sera toujours sa famille, et les obligations qui en découlent. En tant qu'héritier de Cosimo, il doit… s'acquitter de tout ce que cela signifie, en plus de ses obligations envers Florence. Lorenzo sacrifiera toujours son bonheur personnel à ses responsabilités. *Semper*. Toujours.

— Oui, mon enfant. Dieu savait ce qu'il faisait en choisissant la date et l'époque de la naissance de Lorenzo. Il donnait à Florence un prince qui ne fuirait pas son destin. Mais je constate qu'il nous a aussi donné une princesse, qui montrerait la même force et le même courage pour affronter le sien. Car vois-tu, ma chère enfant, il s'agit autant de ton destin que de celui de Lorenzo. Tu es née au jour de l'équinoxe, lors de la conjonction des Poissons et du Verseau, au point alpha et oméga du zodiaque, au début et à la fin. Les Poissons te donnent la faculté de comprendre et de sentir avec une rare profondeur. Le Verseau te donne la force, la détermination d'avancer sans crainte vers l'accomplissement de ta mission, même lorsque c'est très difficile.

Colombina hocha la tête. Elle acceptait le rôle qu'elle avait à jouer dans le grand dessein de Dieu.

— Je ne trahirai pas Dieu. Je ne trahirai pas Florence… et je ne trahirai pas nos croyances, ajouta-t-elle en lançant un regard entendu vers Santa Trinita et la tour de pierre des Gianfigliazi qui se dressait à côté du monastère. L'œuvre de l'Ordre compte désormais plus que tout pour moi. Elle doit primer tout. Mais, maître, comme cela fait mal, parfois !

— Je sais, ma chère enfant, je sais. Et je suis venu te dire que les dernières paroles que Cosimo m'a adressées te concernaient.

— Le Père de la Patrie ? Il a parlé de moi alors qu'il agonisait ?

— Oh oui ! Il m'a demandé de vous dire, à Lorenzo et à toi, que nul ne peut séparer ce que Dieu a réuni. Et que, si vous ne pouvez pas vous marier selon les lois humaines, vous êtes libres de faire ce que vous voulez au nom des lois divines.

Colombina était stupéfaite. Fra Francesco ne pouvait pas suggérer...

Le vieil homme tourna son regard vers Santa Trinita.

— Ginevra Gianfigliazi en possède la clé. Je peux t'amener Lorenzo demain soir. Les mariages secrets sont une tradition de l'Ordre, après tout.

Il songeait bien sûr aux plus célèbres de ces épousailles, celles de Matilda de Toscane avec le pape Grégoire VII.

Colombina, bouleversée, se tut quelques instants. Puis elle se jeta dans ses bras et éclata en sanglots tout en lui exprimant sa gratitude.

— Ne me remercie pas, ma fille. Et, lorsque ton avenir te semblera très sombre, je veux que tu saches que je serai toujours là pour vous. Pour vous deux. *Semper*. Et n'oublie jamais : plus la nuit est obscure, plus on voit d'étoiles.

Santa Trinita,

Florence,

1467

Des dizaines de bougies illuminaient l'église que l'Ordre utilisait comme lieu secret de ses rituels depuis l'époque de Matilda. On avait choisi de célébrer la cérémonie dans celle des petites chapelles latérales où trônait le tableau de Jésus couronnant son épouse et sa reine, sa bien-aimée Marie Madeleine. Lorenzo et Colombina se tenaient l'un en face de l'autre, leurs mains entrelacées, devant le maître, qui avait ouvert le Libro Rosso à une page extraite du Livre de l'Amour et semblait lire, bien qu'il n'en eût aucun besoin car il connaissait ces paroles par cœur depuis des temps immémoriaux.

Le maître avait fait répéter la cérémonie à Lorenzo sur le chemin depuis Careggi. Ce dernier récita donc à Colombina le poème de Maximinus.

Je t'ai aimée hier
Je t'aime aujourd'hui
Et je t'aimerai demain.
Le temps revient.

Les joues ruisselantes de larmes, Colombina le répéta pour Lorenzo, dans un murmure. Quoi qu'il leur arrivât désormais, Dieu les avait unis.

Lorsque la cérémonie fut terminée, Ginevra Gianfigliazi, initiatrice estimée de l'Ordre et maîtresse du *hieros-gamos*, commença d'une voix claire et douce la chanson d'amour d'un troubadour français que la légendaire Matilda avait entendue lors de son mariage secret avec le pape Grégoire VII.

Il y a longtemps que je t'aime
Jamais je ne t'oublierai...
Dieu nous a créés l'un pour l'autre.

Quand la chanson fut terminée, le maître invita les deux jeunes gens à échanger les cadeaux de mariage traditionnels : les petits miroirs dorés que Ginevra avait réussi à trouver à temps pour la cérémonie. Puis Fra Francesco récita l'un des enseignements sacrés de l'union.

— Dans votre reflet, vous trouverez ce que vous cherchez. Comme vous ne faites plus qu'un, Dieu se reflétera dans les yeux de votre bien-aimé et votre bien-aimé se reflétera dans vos yeux.

Puis le maître clôtura la cérémonie en citant les sublimes paroles du Livre de l'Amour, celles que l'on peut lire également dans l'Évangile de Matthieu :

— « Car vous n'êtes plus deux mais un seul dans l'esprit et dans la chair. Et nul homme ne sépare ce que Dieu a uni. »

Il se tourna ensuite vers Lorenzo.

— L'époux peut maintenant offrir à l'épousée le *nashakh*, le baiser sacré qui unit les esprits.

Lorenzo pleura en prenant Colombina dans ses bras. Cet instant, qui aurait dû être le plus heureux de leur vie, était empreint d'une lourde tristesse. Il avait beau savoir que Colombina serait à jamais son épouse de cœur, il savait aussi que l'aube se lèverait bientôt et que les sépareraient les cruelles obligations de leurs destins. Leur mariage n'aurait de valeur que dans le secret de leur âme. Lorsqu'ils sortiraient de cette enceinte, il ne serait qu'un rappel de la vérité de leur amour et de leur union sacrée, auquel ils pourraient se rattacher quel que fût leur destin.

Le jeune couple jouirait cependant d'une nuit entière de bonheur, à l'Antica Torre, la résidence des Gianfigliazi, où la maîtresse du *hieros-gamos* les initierait au rituel de l'union sacrée avant de les laisser seuls. Les Gianfigliazi étaient l'une des familles les plus riches et estimées de Toscane. Les Donati n'avaient vu aucune raison de refuser l'invitation flatteuse faite à Lucrezia de passer une nuit chez eux.

Ainsi en alla-t-il que Lorenzo et Colombina, mariés devant Dieu, s'unirent cette nuit-là en leur chair et en leur esprit et pleurèrent de joie dans l'extase de leur amour en se jurant à travers leurs larmes que rien jamais ne pourrait les séparer.

Selon les enseignements de Salomon et de la reine de Saba clairement exprimés dans le Libro Rosso, « lorsque le *hieros-gamos* est consommé entre des âmes prédestinées, les amants ne sont jamais séparés en esprit ».

Musée des Offices, Florence,

De nos jours

Maureen retint son souffle en entrant dans la salle dite de Botticelli, l'apothéose des collections des Offices. Elle contenait les plus somptueuses, les plus célèbres des peintures de la Renaissance. Au milieu de la pièce, un îlot d'ottomanes permettait de s'asseoir et d'admirer à son aise.

— Aujourd'hui, dit Destino, nous ne sommes pas des touristes ordinaires. Nous n'essaierons pas d'assimiler tous les tableaux qui sont réunis dans cette salle. Ce serait de la bêtise. Ils méritent tous plusieurs jours de contemplation et d'étude. Quelle que soit votre envie d'en appréhender la splendeur et l'émotion, je vous supplie de n'en rien faire. Je vous promets que nous reviendrons ici tous les jours et que je vous parlerai chaque fois d'un nouveau tableau. Croyez-moi, l'approche sera plus fructueuse ainsi.

Tammy grimaça et donna un petit coup de coude à Maureen. Être dans cette salle sans pouvoir regarder chaque œuvre, même superficiellement, serait une torture pour eux tous.

— Comme c'est sidérant, que des hommes aient atteint ce degré de perfection, souffla Maureen. Qu'ils aient accompli une telle œuvre le temps d'une seule vie !

— Vous ne voyez ici qu'une partie de l'œuvre de Sandro, répondit Destino. Il a été plus prolifique qu'on ne le croit en général. Un véritable Angélique, dans un corps d'homme. Il a peint plus de deux cents tableaux. Léonard de Vinci en a achevé une quinzaine. Et pourtant, si l'on interroge le premier venu, il citera Léonard comme le plus grand artiste de la Renaissance ! C'est un crime !

Constatant leur étonnement à le voir ainsi dénigrer Vinci, Destino poursuivit :

— C'est notre devoir de corriger les erreurs de l'histoire, et la négation de l'immense génie de Botticelli en est une. Je vais vous le prouver. Venez voir.

Il entraîna le petit groupe vers *L'Annonciation*. Cette scène, où l'archange Gabriel apparaît pour annoncer à la Vierge Marie qu'elle enfantera le fils de Dieu, avait été mille fois peinte au Moyen Âge et durant la Renaissance. Mais la Madone de Botticelli, le visage au teint de porcelaine légèrement incliné, était incomparable de grâce et d'élégance, de force et pourtant d'humilité. Gabriel, transfiguré comme s'il se trouvait au ciel, était agenouillé devant Marie.

Destino les guida jusqu'à la meilleure place pour contempler l'œuvre.

— Emplissez-vous de la puissance de cet instant. N'admirez pas seulement avec vos yeux, mais aussi avec votre cœur et votre esprit. Laissez l'œuvre parler tout bas à votre âme. C'est dans ce but qu'elle a été créée, pour ceux qui ont des oreilles pour entendre.

Tous s'immobilisèrent et s'efforcèrent de voir comme le leur recommandait Destino, qui les observait. Il ne fallut que quelques instants à Roland et Maureen pour avoir les larmes aux yeux, suivis de peu par Tammy et Peter. En deux minutes, tous pleuraient.

— L'art est une expérience. Une œuvre créée par une force angélique transcende le visuel et devient viscérale. Vous êtes d'accord?

— Oui, murmura Maureen, encore sous l'emprise de cet extraordinaire instant où une femme accepte la formidable mission de donner naissance au sauveur du monde.

— Alors, suivez-moi dans la salle suivante. Nous allons effectuer une comparaison.

Au mur de la salle numéro 15 était accrochée une autre Annonciation. Belle, indubitablement, mais d'une nature différente.

— Et maintenant, dites-moi ce que vous ressentez.

Tous admirèrent l'œuvre, mais ils n'éprouvèrent pas d'émotion comparable à celle qu'ils avaient ressentie devant le Botticelli.

— Je ne ressens rien, dit Peter. Intellectuellement, je sais que ce tableau est beau, mais il ne m'évoque rien de particulier.

Tous hochèrent la tête en signe d'assentiment.

— Il manque d'émotion, ajouta Maureen. La Madone est belle, mais on la croirait de marbre. Elle est froide. Elle ne me transmet rien.

Dans cette version de l'Annonciation, un livre est ouvert sur un chevalet devant Marie, qui pose la main dessus comme pour marquer sa page.

— On dirait, dit Tammy, que ce qui l'intéresse le plus est de garder sa page, comme si l'ange l'avait interrompue et qu'elle attendait avec impatience qu'il s'en aille pour continuer sa lecture.

— On n'y sent aucune révérence pour la Sainte Vierge, intervint Roland. Gabriel semble être le personnage principal.

— Nul ne peut communiquer ce qu'il ne ressent pas, répondit Destino. Cet artiste ne respectait pas les femmes, et l'Annonciation ne l'émouvait pas le moins du monde. L'œuvre est parfaitement exécutée, mais elle ne nous apprend rien, ni au niveau sensible ni au niveau spirituel.

— Alors que l'amour de Botticelli pour son sujet et pour son modèle est manifeste, poursuivit Maureen.

— Sandro aimait et respectait les femmes. Il était passionnément attaché à célébrer la divinité de la féminité. Vous le sentez dans son œuvre, alors que celle de l'autre artiste vous laisse froids.

— Qui est-ce ? demanda Maureen.

— Je vous ai montré une œuvre de Botticelli et une œuvre de Vinci. L'un est un technicien génial, l'autre un Angélique. Et vous avez pu constater la différence.

À la suite de Destino, ils retournèrent dans la salle Botticelli, où le vieillard leur montra plusieurs madones à la peau de porcelaine et aux yeux noisette qui penchaient toutes pareillement la tête sur le côté. Deux petits tableaux sous verre représentaient un épisode de la vie de Judith, l'héroïne de l'Ancien Testament qui a terrassé le géant Holopherne, terreur de son peuple. Dans toutes ces œuvres, le modèle, une ravissante jeune fille, était manifestement le même.

— C'est toujours Colombina ? demanda Maureen.

Destino hocha la tête.

— Mais pourquoi n'entend-on jamais parler de quelqu'un qui a inspiré tant d'œuvres à Botticelli ?

— Pour deux raisons, expliqua Destino. La première est que tout ce qui concerne Colombina est gommé par l'histoire. La seconde est que Botticelli eut plus tard une autre muse, qui relégua toutes les précédentes dans l'ombre.

Il les fit avancer jusqu'à l'un des tableaux les plus célèbres de l'histoire de l'art : *La Naissance de Vénus*. La déesse de la beauté, nue, arrive sur terre, debout sur une coquille, ses longs cheveux dorés nimbant son corps.

— Mes amis, je vous présente une sœur des temps passés, Simonetta Cattaneo Vespucci. Appelez-la Bella, comme nous tous.

*
* *

217

Gênes,

1468

Née dans une famille où la beauté des femmes était légendaire, Simonetta Cattaneo en était le plus magnifique fleuron. De mémoire humaine l'on n'avait vu de jeune fille plus ravissante, aux traits plus délicats, au teint si parfait. En tout premier lieu, l'on remarquait ses cheveux : dès ses dix ans, sa chevelure tombait jusqu'à sa taille en brillantes ondulations couleur abricot, ou pêche, ni vraiment rousse ni blonde au sens où on l'entend d'ordinaire. Comme tout ce qui caractérisait la jeune femme, surnommée Bella, ses yeux semblaient obéir au divin décret selon lequel aucune femme au monde ne pourrait rivaliser avec Simonetta. D'un bleu presque translucide éclairé d'éclats cuivrés, ils irradiaient de la douceur de son charmant caractère.

La couleur de sa peau était inhabituelle pour une Italienne, même de son lignage. Crème, et parsemée de petites taches de rousseur sur le corps et sur le visage. Dans sa famille, on les appelait les « baisers de l'ange », car elles représentaient les signes qui soulignaient la beauté que Dieu lui avait accordée. De haute taille, mince et élancée, elle se mouvait avec la grâce d'un saule dans la brise du printemps.

Outre sa perfection physique, Simonetta était dotée de douceur et de sensibilité. Sa mère ne cessait de raconter comment elle avait un jour entendu pleurer sa fille et l'avait cherchée pour connaître les causes de son chagrin. Elle l'avait découverte dans la roseraie, sanglotant désespérément, entourée de brassées de roses rouges et orangées qui se détachaient sur des rosiers blancs en bouton. Des papillons voletaient dans le jardin, tout autour d'elle. Le tableau était idyllique. La ravissante jeune fille, le visage levé vers le soleil couchant, pleurait à chaudes larmes.

— Que se passe-t-il, mon enfant ? lui demanda sa mère en accourant pour prendre dans ses bras le corps agité de soubresauts de sa fille bien-aimée.

Cette dernière s'efforça de refouler ses larmes pour exprimer ce qu'elle ressentait.

— C'est... c'est tellement beau ! s'écria Simonetta en se dégageant de l'étreinte de sa mère pour désigner le jardin. Les fleurs, les papillons. Tout ce que Dieu a créé pour nous ! Comme il doit nous aimer pour nous avoir offert tant de splendeurs !

La fillette pleurait de joie devant la création divine et la beauté du monde. Elle resterait à jamais sensible à l'inappréciable valeur de toute forme de vie sur terre. Sa noblesse d'âme brillait comme un flambeau qui éclairerait un jour le monde, et des millions d'êtres humains au cours des siècles à venir. En ce jour fut tranché le destin de Simonetta : elle serait la muse qui symboliserait la Renaissance.

La veille, ses parents avaient longtemps discuté de son mariage. C'était une Cattaneo et, à ce titre, elle pouvait prétendre aux plus beaux partis d'Italie. Et sa beauté était un atout plus puissant que tous les joyaux. Car il fallait qu'une étrangère à la ville fût belle pour entrer dans l'une des familles influentes de Florence, qui exigeaient de leurs femmes, outre la beauté, la culture, l'intelligence et l'esprit. Si le père possédait argent et influence, il lui était facile de marier une fille ordinaire à Rome ou en Lombardie. Mais pas à Florence.

La famille Cattaneo avait régné sur l'ancienne ville de Gênes. Elle descendait d'une dynastie romaine où les femmes jouaient un rôle clandestin mais prépondérant : elles enseignaient, guérissaient, prophétisaient et perpétuaient un legs secret de prières et de traditions datant des premiers jours de la chrétienté. Les femmes de la famille portaient sur leurs vêtements et leurs bijoux le symbole de leur appartenance : des étoiles dansant autour d'un soleil. C'était l'emblème appelé « sceau de Marie Madeleine », que les femmes de l'ordre du Saint-Sépulcre arboraient depuis presque mille cinq cents ans.

Ces familles étaient membres de l'Ordre, et faisaient partie de la descendance de saint Pierre, une grande lignée dont les filles s'appelaient Petronella. C'était la raison pour laquelle les Cattaneo voulaient marier leur fille à Florence, où l'Ordre était bien implanté. Le maître avait été consulté, naturellement, et tous avaient envisagé d'unir la jeune fille à un Médicis. Mais Lorenzo était déjà fiancé et il était probable que Giuliano restât célibataire, afin de pouvoir un jour régner sur l'Église. Marco Vespucci, le charmant fils d'une riche et noble famille de Toscane, fut choisi comme le meilleur parti pour Simonetta. Grâce à la fortune et aux possessions de sa famille, il était certain que l'inestimable trésor des Cattaneo serait bien traité et protégé. S'il naissait des enfants au sein du couple ainsi formé, la noblesse des deux lignées serait préservée, et ils seraient sans aucun doute dotés de beauté et d'intelligence.

Et ce fut ainsi qu'en ce jour où Simonetta pleura devant la beauté du monde ses parents décidèrent de l'envoyer à Florence. Elle y étudierait au sein de l'Ordre, avec le maître et la maîtresse du *hieros-gamos*, Ginevra Gianfigliazi, qui la préparerait à son union avec Marco Vespucci. Les Cattaneo se réjouirent d'apprendre qu'une fille de la famille Donati, renommée pour ses qualités de cœur et d'esprit, accueillerait Simonetta comme une sœur. Si le Père et la Mère qui sont au ciel le voulaient, les jeunes filles deviendraient amies et leur chère Simonetta ne serait pas trop triste d'être loin des fleurs et des papillons qu'elle aimait tant.

La Bella Simonetta.

Même son nom est un poème que je murmure en peignant, bien longtemps après qu'elle nous a quittés.

Parviendrai-je jamais à la peindre comme elle le mérite ? Comme l'exemple vivant de la pure beauté ?

Je me rappelle la première fois que je l'ai vue, à l'Antica Torre, lors de la cérémonie de bienvenue organisée par l'Ordre pour son arrivée à Florence. En la regardant, je ne pouvais ni respirer ni parler. Il était impossible qu'existât en chair et en os une beauté aussi parfaite. Et qu'on ne s'y trompe pas, il ne s'agit pas seulement de beauté physique. Elle irradiait une douceur divine qui me hanterait, je le compris, jusqu'à la fin des temps. Jusqu'à ce que je parvienne à rendre son image sur la toile.

Peindre Simonetta est une quête sans fin, c'est le but suprême de mon existence, que je n'atteindrai jamais mais que je ne cesserai jamais de poursuivre.

Ce soir-là, chez les Gianfigliazi, elle m'est apparue non comme une perfection unique mais comme la trinité du principe divin féminin que je vénère. Je l'ai vue danser avec Colombina et Ginevra. Je les ai dessinées, en bénissant le hasard grâce auquel j'avais mon nécessaire de dessin avec moi.

J'ai vu que ces trois femmes représentaient les trois aspects du divin féminin : Simonetta était la pureté, Colombina la beauté et Ginevra le plaisir. Elles étaient les trois Grâces, dansant main dans la main comme des sœurs : elles étaient l'amour, dans ses formes terrestres.

Je n'oublierai jamais cette soirée; je fis le vœu de les peindre ensemble et de trouver le moyen de transmettre le don magique de leur simple présence parmi nous. Lorenzo et Giuliano étaient là, et aussi émus que moi par le spectacle de tant de beauté. Nous étions une famille d'esprit, consacrée à notre mission et follement reconnaissante pour la perfection du monde.

Comme elle est fragile, et provisoire, cette beauté ! Raison de plus pour l'aimer, la révérer et la célébrer par tous les moyens tant qu'elle est avec nous.

Je demeure
Alessandro di Filipepi, alias Botticelli

Extrait des *Mémoires secrets* de Sandro Botticelli.

Musée des Offices, Florence,

De nos jours

— Non, dit Destino. Pas *Le Printemps*. Pas aujourd'hui.

Maureen, Peter, Tammy et Roland se rebellèrent. Ils étaient sur place, dans la salle dont un des murs était consacré à la toile monumentale de Botticelli, un tableau qu'ils aimaient tous infiniment, dont Bérenger avait une copie dans son château. Et on leur refusait de le regarder. Cela paraissait presque cruel, sinon idiot. Quel mal pouvait-il bien y avoir à en profiter ?

— Imposez-vous une discipline spirituelle, mes enfants. Si cette tâche est la plus ardue de toutes celles qui paveront votre chemin, estimez-vous heureux.

Malgré la pointe d'ironie qui perçait dans la voix de Destino, il obtint satisfaction. Si la plus grande de leurs épreuves spirituelles était de ne pas aller voir un tableau de plus près, ils étaient vraiment bénis des dieux !

— Vous ignorez encore bien des choses qui vous seront nécessaires pour comprendre *Le Printemps*. Je vous garantis que vous en tirerez beaucoup plus, et pour beaucoup plus longtemps, si vous avez la patience d'attendre. Il est bon, parfois, de différer un plaisir. Mais, pour compenser, allons voir la Madone du Magnificat.

La toile avait été commandée par Lucrèce Tornabuoni à l'occasion du vingtième anniversaire de son mariage avec Pierre de Médicis. Destino attira leur attention sur les anges, et leur apprit lequel des enfants du couple avait posé pour chacun d'eux. À la gauche de Maureen, une jeune femme aux cheveux très courts et aux immenses yeux noirs se rapprocha pour écouter le commentaire de Destino. Elle était extrêmement mince, comme cela semblait être la mode chez les jeunes en Italie, et portait un jean et une chemise noire à manches longues. Maureen remarqua aussi ses gants noirs et son carnet, peut-être un carnet de dessin. Ce doit être une étudiante en histoire de l'art, se dit-elle distraitement.

Destino répondait à une question de Roland quand la jeune fille tapa sur l'épaule de Maureen et la surprit en s'adressant à elle dans un excellent anglais.

— J'ai entendu dire que des gens croient que c'est Marie Madeleine et non la Vierge Marie, dit la jeune fille.

Maureen sourit et haussa les épaules.

— En tout cas, c'est la plus belle madone que j'aie jamais vue, répondit-elle sans s'engager plus avant.

Elle n'aimait pas discuter de ces sujets avec des inconnus. La jeune fille semblait inoffensive, c'était peut-être une des lectrices de son premier livre, dans lequel elle avançait l'hypothèse que cette madone représentait en fait Marie Madeleine.

— Pour moi, les plus belles sont celles de Pontormo, dans l'église de Santa Felicita. Vous les connaissez ? Sa Marie Madeleine porte un voile rose, pas rouge. Elle est superbe. Et c'est l'un des rares tableaux où figure sainte Véronique, au pied de la Croix. Vous devriez aller le voir, si vous avez le temps. C'est juste en face, sur l'autre rive du fleuve, à dix minutes à pied.

Maureen, toujours avide de découvrir de nouvelles œuvres d'art, remercia la jeune fille. Destino pourrait certainement la renseigner sur Pontormo. Mais elle s'intéressait surtout à la mention de sainte Véronique, un personnage important dans les traditions de l'Ordre, souvent occulté.

La jeune fille déchira une page de son carnet et la tendit à Maureen ; elle y avait écrit l'adresse de l'église.

— Bon séjour à Florence, dit-elle gentiment avant de quitter la salle Botticelli sans avoir regardé une seule œuvre.

Les mains gantées de Felicity DiPazzi tremblaient tandis qu'elle sortait en courant des Offices. Elle avait réussi ; elle avait établi le contact avec l'abominable usurpatrice, avec sa Némésis. Quelle étrange sensation de se trouver face à face avec la femme qu'elle considérait comme la putain de Babylone, de la voir en chair et en os! Felicity était plutôt déçue. À quoi s'était-elle attendue? À quelque chose de plus… démoniaque? Non. À part sa chevelure rousse, qui la désignait comme une fille de la lignée marquée, Maureen Pascal était une femme comme les autres.

Et c'était malin; Satan méritait bien son nom. Il n'engendrerait pas un démon reconnaissable, mais le créerait à l'image de madame Tout-le-monde, d'une femme normale dont les gens seraient enclins à croire tous les mensonges. Felicity ne pouvait se permettre de sous-estimer le mal que représentait cette chienne, cette blasphématrice, cet instrument de Satan.

Elle descendit en courant la volée de marches, sortit dans la chaleur de l'après-midi toscan et prit la direction du pont de Santa Trinita.

Elle ne savait pas si Maureen mordrait à l'hameçon, mais elle l'espérait. Entre-temps, elle devait assister à une réunion du chapitre florentin de la confrérie, au rectorat. Aujourd'hui, on voterait pour décider si l'on reprenait l'affaire de la béatification du plus saint des moines de la Renaissance, et de tous les temps à son avis, Jérôme Savonarole. Felicity avait l'intention de contrôler ce vote. En sa présence, nul ne s'opposerait à elle. Et l'heure avait sonné de réhabiliter le nom sacré de leur ancêtre, le plus grand réformateur de l'histoire de son pays.

Felicity respira profondément et nuança sa pensée: le plus grand réformateur de son pays – à ce jour.

Quartier des Ognissanti,

Florence,

1468

On reconnaissait souvent la main de Dieu dans les actes de Lorenzo de Médicis. Fra Francesco lui avait appris que, lorsqu'on vivait en harmonie avec son engagement envers Dieu, des occasions se présentaient et des portes s'ouvraient facilement. La soirée à venir ne serait pas une exception.

La Taverna était un restaurant du quartier des Ognissanti, peu éloigné de l'atelier de Sandro Botticelli. Les deux amis s'y donnaient souvent rendez-vous car, dans cet endroit animé, bien qu'un peu sordide, ils pouvaient se détendre et parler librement de l'art et de la vie. Lorenzo le préférait à des établissements plus élégants, où il était perpétuellement placé sous une loupe sociale et politique. Ici, il n'était pas le fils aîné de Florence, mais un mécène parmi d'autres. Et, pour raffiné qu'il fût par ailleurs, Lorenzo aimait s'encanailler en secret.

Son jeune frère Giuliano l'accompagnait. C'était la première fois qu'il mettait les pieds dans un tel lieu et Lucrezia de Médicis n'apprécierait sûrement pas l'initiative de Lorenzo. Mais celui-ci estimait qu'il en allait de son devoir de montrer les choses de la vie à son cadet, qui, sous sa protection et celle de Sandro, ne risquerait absolument rien. Les deux hommes étaient grands et forts, et très respectés. Aucun Florentin doté de quelque bon sens ne s'en prendrait à eux.

Une certaine agitation du côté du bar attira l'attention des trois jeunes gens. Un homme de belle allure et soigné de sa personne se pavanait au centre d'un groupe de plus en plus bruyant à mesure que le taux d'alcool augmentait dans leur sang. Il racontait une histoire et la ponctuait de grands gestes tout en jetant de l'argent sur la table en un étalage ostentatoire de richesse. Lorenzo observa ce manque de goût et tendit l'oreille pendant que son frère écoutait les commentaires de Sandro sur sa dernière commande.

— Une Madone à l'Enfant typique. Pas très intéressante, mais lucrative ! Je vais ajouter un élément interdit, pour pimenter un peu l'affaire. Un livre rouge, peut-être, dit-il en lançant une œillade complice à Giuliano. Les dévots catholiques qui me l'ont commandée n'y verront que du feu !

— Tu oserais faire ça ? s'exclama Giuliano qui vouait une véritable adoration à Sandro et buvait chacune de ses paroles.

— Et comment ! Je le fais tout le temps. Personne ne s'en aperçoit, et moi, ça m'amuse. Pourquoi crois-tu que je les habille toutes en rouge ? Quand je m'amuse en peignant, je travaille mieux, j'y mets plus de passion. En fin de compte, le client y gagne !

Giuliano donna un coup de coude à Lorenzo, inattentif à une conversation qui d'ordinaire l'aurait enchanté – le mélange de l'art et de l'hérésie était un des sujets de discussion qui avait les faveurs de tous les Médicis. Plutôt que de prêter attention à son frère, Lorenzo interrogea Sandro :

— Qui est ce fanfaron, au bar ?

Sandro se tordit le cou pour mieux voir et grimaça théâtralement de dégoût en reconnaissant le personnage.

— C'est le phénoménalement exaspérant Niccolo Ardinghelli. Il était déjà insupportable avant de partir en voyage avec son oncle, mais maintenant il est purement et simplement intolérable. À l'entendre, on jurerait qu'il est l'un des Argonautes et qu'il a découvert la Toison d'or.

— Invite donc ton prétentieux Jason à notre table.

— Tu plaisantes, je suppose ?

— Non. Pas du tout. Va le chercher.

Lorenzo parlait sérieusement. Sandro obtempéra. Certes, ils étaient amis, mais Lorenzo était prince et mécène. Un Médicis lui donnait un ordre, il l'exécutait. Sandro s'inclina ironiquement.

— Comme tu voudras, *Magnifico* ! Mais tu me revaudras ça !

Le peintre s'approcha du groupe. Certains le reconnurent et le saluèrent. Ardinghelli s'écria :

— Eh bien, ne serait-ce pas le Petit Tonneau en personne ?

Sandro masqua son agacement, mais rétorqua vertement :

— C'est mon frère qu'on appelle ainsi, pas moi.

Antonio, le frère aîné de Sandro, s'était attiré ce surnom peu flatteur en raison de sa petite taille et de sa corpulence. Sandro, pour sa part, avait eu plus de chance : il était grand, bien bâti, ses traits étaient réguliers et sa chevelure abondante. Il était ainsi devenu assez vaniteux et, de plus, il ne supportait pas les imbéciles. Cela l'irritait outre mesure que ce surnom de Petit Tonneau, ou *Botticelli*, s'attachât également à lui.

— Et comment se porte-t-il, notre Petit Tonneau ? s'exclama Ardinghelli en s'emparant un peu trop vigoureusement des deux mains de l'artiste.

— Regardez bien ces mains, s'écria le plus ivre des hommes. Elles peignent les nymphes les plus délectables. Ah ! Si seulement j'étais un peintre, et que je pouvais inviter des femmes nues à poser chez moi sous prétexte de travailler ! Quelle vie tu dois mener !

— Tu n'imagines pas, murmura Sandro.

Niccolo Ardinghelli ne s'intéressait qu'à ce qui le concernait directement.

— Sandro ! Il faut que tu peignes mon dernier affrontement avec les pirates de Barbarie ! Voilà qui ferait une belle commande !

— Oui, intervint un compagnon de Niccolo. Et il te paiera avec l'argent qu'il a volé dans leurs coffres après avoir triomphé du serpent de mer, violé Aphrodite et triomphé de Poséidon.

Les hommes éclatèrent de rire, mais Niccolo ne perçut pas l'ironie. Au contraire, il était ravi qu'on parlât de lui.

— À boire pour tout le monde ! lança-t-il, tonitruant. Et un grand tonneau pour notre Petit Tonneau, pour qu'il arrête d'être aussi sérieux.

Sandro se tourna vers la table où les frères Médicis riaient sous cape devant sa mésaventure. Il fixa Lorenzo d'un regard furieux avant de reprendre sa mission.

— Niccolo, un de mes amis souhaite entendre le récit de tes aventures.

— Avec plaisir! Qu'il vienne!

— Je crois qu'il préférerait que tu te joignes à lui.

Niccolo allait protester en se rengorgeant comme un paon, poitrine en avant, quand il se retourna pour voir de qui parlait Sandro. En reconnaissant les jeunes gens, il perdit un peu de sa suffisance.

— Oh! je vois! Les frères Médicis seraient-ils trop supérieurs pour se mêler à mes amis?

— Oui, en effet, ils le sont, murmura Sandro en retournant à sa table.

Niccolo Ardinghelli était un prétentieux matamore, mais, pour pris de boisson qu'il fût, ce n'était pas un imbécile. Il était florentin et, en tant que tel, savait reconnaître une convocation. Il s'excusa auprès de ses amis et s'approcha de la table des Médicis.

Sandro se chargea des présentations. Lorenzo salua chaleureusement Ardinghelli, la main gauche sur son épaule et la droite serrant sa main, les yeux plantés dans les siens. Il tenait cette stratégie de Cosimo : « Quand tu rencontres quelqu'un pour la première fois, touche-le de tes deux mains, et concentre-toi sur lui. Retiens son regard et fais-lui comprendre que tout ce qu'il dit t'intéresse infiniment, comme s'il était la seule personne de la ville dont l'opinion compte pour toi. Et dis son nom. C'est un détail, mais apte à te gagner la loyauté d'un homme en quelques secondes. »

Lorenzo ne manquait jamais de suivre ce conseil, d'autant plus que, pour l'humaniste qu'il était, un tel comportement était sincère. Il accordait toute son attention aux citoyens avec qui il parlait, et, en ces instants, ils étaient plus importants que quiconque. Ce faisant, il avait compris que non seulement il se gagnait la loyauté de ces individus, mais aussi qu'il en apprenait beaucoup sur la nature humaine. Tel le caméléon sur les pierres de Toscane, il changeait de couleur, pour se fondre dans son environnement. En bonne compagnie, avec des érudits ou des poètes, il était érudit et poète. Avec les ambassadeurs, il se transformait en homme d'État, avec les artistes, il se comportait en frère, et il pouvait même renchérir sur les pires des voyous si nécessaire, en se montrant plus débauché qu'eux. Par conséquent, les Florentins de toutes les classes sociales se sentaient à l'aise avec Lorenzo, et c'était l'une des raisons pour lesquelles, malgré son jeune âge, on l'appelait déjà le Magnifique.

— Ardinghelli ! Un nom vénérable, mon ami. Quasiment royal.

— L'un des plus anciens et des plus respectés de Toscane, en effet. C'est un honneur que tu le reconnaisses.

— L'honneur est pour moi, Niccolo. Dis-moi, envisages-tu de mener pour toujours cette vie d'aventures ? Elle semble... grandiose ! Raconte-moi, je t'en prie. Je suis impatient d'en connaître tous les détails.

Sandro donna un coup de pied à Lorenzo sous la table. Un bon coup de pied. Giuliano riait sous cape et renversa un peu de sa boisson en se retenant de pouffer. Niccolo, enchanté de disposer d'un public, ne s'aperçut de rien et Lorenzo ne quitta pas sa proie des yeux, tout en souriant avec bienveillance.

— Pour un homme, un vrai, il n'y a pas de vie plus exaltante.

Niccolo continua de tisser les fils de son histoire jusqu'à ce que Lorenzo, qui contrôlait parfaitement la conversation, l'interrompît par une nouvelle question :

— Et comment se fait-il, cher ami, que ton père n'exige pas de toi que tu te maries, et que tu perpétues ta noble lignée et ton nom ?

— Ah ! le mariage !

Niccolo grimaça de dégoût.

— Ça ne m'intéresse pas du tout. Mais tu as raison, c'est une obligation pour ceux de notre rang. Il faudra bien que je m'y résigne un jour. Mais je ne reviendrai à Florence que le temps de faire des fils à ma femme et, ensuite, en mer à nouveau.

— Et si ton épouse était superbement belle, Niccolo ? Une déesse à la peau de marbre ne te retiendrait-elle pas à Florence, si elle t'attendait dans ton lit ?

— Sûrement pas ! Tu lis trop de poésie et tu es encore jeune, Médicis. N'oublie jamais cela : les femmes sont des sirènes qui détournent les hommes de leurs aventures. Et les Florentines sont les pires de toutes, avec leurs idées et leurs jacasseries. Je préfère de beaucoup un plaisir rapide et à bon compte avec une esclave circassienne. Les as-tu déjà essayées, Lorenzo ? Des cheveux noirs, des yeux plus sombres encore et des lèvres comme des grenades. Délicieuses et sauvages. De plus, elles savent rester à leur place, et ne m'ennuient pas avec leur bavardage. Au prochain bateau d'esclaves, je t'emmènerai à Pise, et on t'en trouvera une. Tu me remercieras, je te le promets.

— C'est très aimable à toi, Niccolo.

— Pour des hommes comme nous, coucher avec de belles femmes est une nécessité. Et le privilège de notre naissance. Mais le plaisir est bref, et loin d'être incomparable. La mer, en revanche, est éternelle.

Ses yeux brillaient d'un éclat intense tandis qu'il se lançait dans un nouvel hymne.

— La mer est une aventure sans égale. Aucune femme, fût-elle Aphrodite en personne, ne pourrait m'en tenir éloigné.

Lorenzo lui sourit.

— Parfait, dit-il, en constatant que Niccolo ne l'écoutait pas, pris qu'il était par une autre de ses odes à l'Adriatique au coucher du soleil.

Se tournant vers Sandro et Giuliano, il sourit de nouveau.

— Mon Dieu, il est absolument parfait.

Quelques semaines plus tard, on annonçait les fiançailles de Lucrezia Donati et Niccolo Ardinghelli. Les Donati étaient heureux d'avoir trouvé à marier leur fille dans une famille de bon rang. En guise de cadeau, le généreux Lorenzo de Médicis offrit au fiancé, son nouvel ami Niccolo, une mission lointaine fort lucrative qui l'éloignerait de Florence pendant la majeure partie de l'année suivant le mariage.

Niccolo était fidèle à sa parole : aucune femme, même la plus désirable de Florence, ne saurait le retenir de courir à l'aventure.

Lorenzo avait eu raison : il était absolument parfait.

— Il est insupportable !

— C'est provisoire, Colombina, et nécessaire. Sitôt les vœux prononcés, ce sera fini. Il embarquera, et tu seras libre.

Lucrezia Donati se détourna et alla à la fenêtre de leur chambre de l'Antica Torre. Elle en voulait beaucoup à Lorenzo d'avoir arrangé son mariage. Certes, les Médicis négociaient de nombreuses unions à Florence, mais elle n'aurait pas imaginé que Lorenzo se mêlât si activement du sien. Comment pouvait-il en supporter l'idée ?

Lorenzo la rejoignit à la fenêtre, d'où ils jouissaient d'une vue sur le monastère de Vallambrosa et la croix de Santa Trinita, étincelant au soleil. Il l'enlaça tendrement.

— Puisque je suis obligé de te partager, autant que ce soit le moins pénible possible. Un mari absent des années durant, c'est une excellente solution. C'est Dieu qui l'a inspirée, Colombina, et je lui en suis reconnaissant.

— Mais, Lorenzo, comment supporterai-je cette première nuit ?

— Tu enivreras ton mari, et tu n'auras aucun mal, je te le garantis. Ce sera vite fini. Si tu t'y prends bien, il ne se passera peut-être rien du tout. J'ai bien essayé d'expédier Niccolo en mer avant le mariage, qui aurait pu être célébré en son absence, mais il n'a rien voulu entendre. Il n'est donc pas totalement aveugle. J'ai fait de mon mieux, mon amour : il partira le lendemain.

— Alors, il vaudra mieux que je sois très ivre, moi aussi.

Lorenzo embrassa son front.

— Ne sais-tu pas que cela me rend fou, moi aussi? Marier la femme que j'aime à un autre! Je préférerais m'arracher les dents! C'est la tâche la plus hideuse que j'aie jamais accomplie, mais il fallait le faire, pour nous deux. Remercions Dieu d'avoir mis sur notre chemin un homme qui plaît à tes parents et qui débarrassera le plancher. De plus, ce n'est ni un bossu ni un voyou, mais un simple fanfaron. Bien des femmes t'envient, m'a-t-on dit. Elles le trouvent beau et séduisant.

— Ce n'est pas Niccolo Ardinghelli que les femmes de Florence m'envient.

Lucrezia caressa le nez épaté de Lorenzo avant de l'embrasser.

— C'est toi.

— Ne dis pas de bêtises! Niccolo a un nez parfait. Je ne peux pas rivaliser avec lui.

— Arrête! Ne me dis pas que tu le jalouses! D'ailleurs, tu es le plus bel homme du monde entier.

— Tant que tu le penses, l'opinion des autres m'indiffère.

Lorenzo, pensif, s'interrompit un instant.

— Tout le monde est au courant, pour nous deux? Vraiment?

Lucrezia eut un hoquet de surprise.

— Franchement, Lorenzo, tu m'étonnes! Tu es formidablement intelligent, mais il y a des choses que tu ne vois absolument pas. Toute la ville est au courant. Sauf, peut-être, ce pauvre Niccolo.

— Tant mieux pour nous! s'exclama Lorenzo.

— Pourquoi?

— Franchement, Colombina, tu m'étonnes! la taquina Lorenzo. Tu es formidablement intelligente, mais il y a des choses que tu ne vois absolument pas...

Et, reprenant son sérieux, il désigna du menton la coupole de Santa Trinita.

— Tant que les gens croiront que nous nous voyons parce que nous sommes amoureux l'un de l'autre, ils ne s'intéresseront pas à nos activités plus secrètes.

*_**

Antica Torre, Florence,

De nos jours

— Pourquoi agis-tu ainsi ?

Connue pour sa patience, Petra Gianfigliazi avait cependant le plus grand mal à dissimuler sa colère envers la belle arrogante qu'elle interrogeait.

— Que veux-tu, Vittoria ? insista-t-elle.

— Je veux Bérenger. Je l'ai toujours voulu. Il est mon âme sœur et je l'aime depuis l'enfance. Tu le sais bien.

— Non, je ne le sais pas. Et je ne te crois pas. Je te connais trop bien, et depuis trop longtemps. Tu n'aimes que ta carrière, et le pouvoir. C'est pourquoi Destino ne t'a pas gardée comme disciple.

— C'est moi qui ai attiré l'attention de Destino sur Bérenger, c'est grâce à moi qu'il a déniché son précieux Prince Poète et sa garce de rouquine. Et voilà comment il me remercie !

— Si tu me disais vraiment ce que tu cherches, Vittoria ? Nous gagnerions toutes les deux du temps.

— Dante est le fils de Bérenger, il est Prince Poète. Je veux que mon fils porte le nom de son père, qu'il soit légitimé. Il est le Second Prince, Petra. Comprends-tu ce que cela signifie ? pour nous tous, pour le monde entier ?

— J'ai compris, dit Petra en hochant la tête. Tu veux que Bérenger t'épouse.

— C'est son devoir en tant que père de Dante et héritier de la prophétie. Et je veux que mon fils soit reconnu par Destino pour ce qu'il est.

— Quelle importance, pour toi ?

— Dante est l'authentique héritier du pouvoir de l'Ordre. Quand Destino mourra, les objets sacrés devront lui appartenir.

Voilà donc ce qui l'intéressait, se dit Petra. Les précieuses reliques de l'Ordre.

— Crois-tu vraiment que Destino te donnera le Libro Rosso ? interrogea Petra, incrédule.

— Il doit appartenir au Prince Poète régnant, répliqua Vittoria. C'est la règle de l'Ordre.

Petra prit le temps de réfléchir. Vittoria se faisait des illusions, mais elle n'était pas bête.

— Selon l'Ordre, rétorqua-t-elle, c'est Destino qui institue ses règles. Mais, à t'en croire, puisque Bérenger est le Prince Poète en titre, c'est lui qui devrait posséder le Libro Rosso.

— Dante sera son héritier légitime. Tout lui reviendra, car il sera son premier fils et le premier enfant en deux mille ans à remplir toutes les conditions de la prophétie.

— Pourquoi t'acharnes-tu au point de mettre tant de choses en danger ?

— « Pourquoi » ? fit Vittoria, incrédule à son tour. As-tu perdu la raison, Petra ? Dante deviendra ainsi le prince de sang du rang le plus élevé d'Europe.

— Et alors ? Nous sommes au XXIe siècle. Il n'y a plus de monarchie en Europe.

— Parce que nul n'a encore été digne de la restaurer. Tu ne comprends donc pas ? Dante va changer tout ça. Il réunit toutes les dynasties de la Lignée : Habsbourg, Buondelmonti, Sinclair. En regroupant nos fortunes et notre pouvoir en cet enfant parfait, mon enfant, nous gouvernerons l'Europe.

Petra était stupéfaite ; elle ne s'attendait pas à ça. Depuis des siècles, des sociétés secrètes s'acharnaient à ourdir des complots mal ficelés pour rétablir la monarchie en Europe. Au cœur de leur stratégie se trouvait toujours la preuve que l'un des héritiers de la lignée était le « roi perdu » apte à réunifier l'Europe et à lui redonner son statut de superpuissance. Mais le scénario de Vittoria, pour tiré par les cheveux qu'il fût, donnait le frisson. Dante ne s'assiérait sans doute jamais sur un trône légitime, mais il pourrait mobiliser des milliards de dollars et un pouvoir considérable dans un but précis. Mais quel but ? Vittoria n'avait pas parlé de l'aspect mes-

sianique de son projet pour son fils, mais il était impli-
cite. Petra, glacée jusqu'aux os, était convaincue que
Vittoria n'était pas assez intelligente pour l'avoir conçu
toute seule. Jusqu'où s'étendait la conspiration ? Qui
étaient ceux qui disposaient d'autant d'argent et d'un si
grand pouvoir ?

Petra s'efforça d'adopter un ton de pédagogue.

— Vittoria, s'il te plaît, aide-moi à te comprendre.
L'Ordre n'est pas une organisation politique, mais spirituelle. Le pouvoir temporel ne nous concerne pas.

Un éclair de fanatisme brilla dans les yeux de Vittoria.

— Détruire l'Église, voilà ce qui nous concerne, et
nous pouvons y parvenir si nous sommes unis. Nous
pouvons rétablir les enseignements du Libro Rosso en
Europe, une fois pour toutes. Nous pouvons mettre fin
aux mensonges de Rome. C'est une mission sacrée, sœur.

Ce n'était pas par hasard que Vittoria rappelait ainsi à
Petra qu'elles étaient parentes au sein de l'Ordre. Elle
poursuivit, toujours aussi exaltée.

— Nous pouvons l'accomplir ensemble, toi, moi,
Bérenger et Destino, et Dante. Faisons revivre une nou-
velle ère de vérité. Le Temps revient. Achevons ce que
Lorenzo a commencé. Telle est notre mission.

Petra secoua tristement la tête. Qui avait ainsi
détourné Vittoria du droit chemin ?

— Nous n'avons jamais souhaité détruire l'Église.
Nous aspirons à vivre en paix avec les autres croyances,
nous l'avons toujours voulu, car c'est ce qu'enseigne le
Livre de l'Amour.

— Tu es la maîtresse du *hieros-gamos*, gronda Vittoria, la gardienne d'une tradition agonisante qui est
sans doute la plus puissante de l'histoire de l'humanité.
Vas-tu assister à sa mort sans réagir, Petra ? Moi, je propose que nous nous levions, et que nous la fassions
revivre. Que nous rétablissions les véritables enseignements grâce au pouvoir et à l'argent. Bérenger et moi,
nous gouvernerons ensemble, Dante sera notre héritier,
et protéger l'Ordre sera notre priorité. Si, en fin de
compte, Dante entre en possession du Libro Rosso et
de...

Vittoria s'interrompit brusquement, mais Petra la connaissait trop bien pour ne pas comprendre ce qu'elle n'avait pas dit.

— Et de quoi, Vittoria ? De la Lance ?

— Évidemment ! jappa Vittoria, désormais trop immergée dans son fantasme pour nier quoi que ce soit. La lance de la Destinée est l'arme ultime. Celui qui la détient ne peut être vaincu. Nous en avons besoin, pour assurer notre victoire. Dante en a besoin.

— La Lance ne doit plus jamais être une arme de guerre, Vittoria, ni infliger la souffrance. Ce serait une horrible méprise, et une tragédie. Destino ne s'en séparera jamais, en tout cas pas avant d'avoir choisi lui-même l'héritier qui sera digne de son pouvoir.

Elle s'adressait à une sourde. Vittoria sortit de l'appartement, furieuse, et ne s'arrêta qu'un instant pour lancer son dernier trait :

— Destino a besoin de Dante. L'Ordre a besoin de Dante. C'est lui, cet héritier. Tu ne peux nier les arcanes de sa naissance. Plus vite vous le comprendrez, Destino et toi, plus facile ce sera pour tout le monde.

Pour charmante et conciliante qu'elle fût, Petra n'aurait pas joui d'un rang aussi élevé au sein de l'Ordre si elle avait manqué de fermeté. Elle répondit avec une calme autorité.

— Rappelle-toi qui je suis, Vittoria, comme tu viens de le dire. Je suis la maîtresse du *hieros-gamos*. Ma mission est d'enseigner le pouvoir de l'amour et de reconnaître les âmes sœurs. Et ces âmes sœurs, ce sont Bérenger et Maureen. Ils s'appartiennent. Et ce que Dieu unit, aucun homme ne le séparera. Telle est la loi supérieure à toutes les autres.

Pour toute réponse, Vittoria claqua la porte, laissant Petra à ses pensées. Destino avait cessé d'initier Vittoria, dont l'obsession était le pouvoir et non l'amour. Elle était le rejeton d'une famille qui avait perdu de vue la véritable signification de l'Ordre, au cours de sa tumultueuse histoire. Le projet qu'elle nourrissait le prouvait. Le fanatisme, de quelque nature qu'il fût, représentait un danger.

Demeurait la question de l'enfant. Dante Buondelmonti Sinclair était incontestablement un Prince Poète,
et nul au sein de l'Ordre ne pouvait prétendre ignorer
son existence. Qu'il fût le Second Prince de la prophétie
restait cependant à prouver.

Mais s'il l'était ? Que faire alors ?

Florence,

Printemps 1469

— Cette fille a le sang le plus bleu de tout Rome. La
lignée des Orsini compte de nombreux cardinaux et plusieurs papes. Ils sont riches et influents. Ils apporteront
aux Médicis un prestige et un pouvoir dont ils n'ont
jamais joui jusqu'à maintenant.

Lucrezia de Médicis n'ignorait pas à quel point cette
conversation déplaisait à Lorenzo, mais elle était indispensable. Elle revenait de Rome, où elle s'était mise
en quête d'une épouse convenable pour son fils. Que
les Médicis cherchent à s'allier à une famille étrangère
à Florence était déjà surprenant. Mais qu'ils désirent
marier Lorenzo à une Romaine était stupéfiant.

— Ce n'est pas une beauté, poursuivit Lucrezia que
ses années de mariage avaient transformée en une vraie
Médicis, mais elle n'est pas laide. Et ce n'est pas une
Florentine, donc elle n'est pas cultivée, ni raffinée.

— Avez-vous pis encore à m'apprendre, mère ? Si c'est
le cas, je vais aller boire avec Sandro, et je ne reviendrai
pas écouter le reste avant d'être assez soûl.

— Assez, Lorenzo. Il s'agit de l'Ordre. Et d'affaires.
Point à la ligne. Il te faut une femme issue d'une famille
noble et proche de la papauté. Pour toi et pour nous
tous, afin de réussir à créer ce que nous désirons. Cette

fille est une bonne jument. Elle te donnera des enfants au sang romain, ce qui nous aidera à asseoir notre place au sein du cercle papal. Grâce aux Orsini, nous ferons entrer Giuliano au centre de ce cercle, et un Médicis deviendra cardinal. Si cette Orsini enfante convenablement, tes fils emprunteront la voie que Giuliano aura ouverte pour eux. N'oublie pas l'objectif, Lorenzo.

Lucrezia prit son fils dans ses bras et l'embrassa sur les deux joues tout en poursuivant.

— Écoute-moi bien. Il s'agit de rien moins que d'avoir un pape de la famille des Médicis. Ton père est trop malade pour te guider et pour insister sur ce point. C'est à moi, la matriarche, qu'il incombe désormais de mener à bien notre grand projet, jusqu'à ce que tu te glisses dans les pas de ton grand-père et que tu gouvernes Florence. Imagine, Lorenzo! Un Médicis, pape! Grâce à lui, l'Ordre aura accès à tous les secrets de Rome, à tout ce dont nous sommes privés, mais qui nous revient de droit. Peut-être pourrons-nous même transformer l'Église catholique. Et tout cela grâce à toi!

Lorenzo écoutait maintenant d'une autre oreille. Il s'était résolu à un mariage arrangé, inévitable. Alors, peu importait avec qui, puisque ce ne serait pas Colombina. Autant épouser une femme qui favoriserait les ambitions de sa famille et de l'Ordre.

— Je me range à votre choix, mère. Procédez à tout ce qui sera nécessaire pour officialiser cette union. Mais sachez une chose : je ne participerai pas à une quelconque cérémonie de vœux. Je ne proclamerai pas devant Dieu mon engagement avec une autre femme que Colombina. Mariez-nous par procuration. Organisez les festivités que vous voudrez, pour plaire et faire honneur à cette famille romaine, mais ne m'obligez pas à prononcer des vœux de mariage. Dites aux Orsini que je suis trop occupé par les affaires de l'État, surtout avec la maladie de père. Ils comprendront.

Lucrezia était trop fine pour insister davantage. Lorenzo avait accepté leur choix, elle s'en contentait. Elle avait accompli son devoir à l'égard de la dynastie des Médicis.

— Évidemment, mon fils. Ils comprendront. Je m'occupe de tout.

Après une longue nuit d'insomnie, Lorenzo se mit en quête d'Angelo. Sandro passant la semaine auprès de Verrocchio, afin de terminer d'importantes commandes, Angelo était son refuge. Le jeune poète de Montepulciano et lui étaient devenus des amis inséparables. Angelo était aussi généreux qu'intelligent, aussi loyal que timide. Et entièrement dévoué à Lorenzo, qui avait trouvé en lui plus qu'un fidèle confident : un complice en écriture, un poète au talent si puissant qu'il le poussait à se surpasser.

Car tel était le deuxième grand chagrin de Lorenzo : ne pas avoir assez de temps pour se consacrer à l'écriture. Il était remarquablement doué et, chaque fois qu'il avait présenté ses poèmes aux concours très prisés de Florence, il avait remporté des lauriers. Il participait à ces concours sous un faux nom, afin que les organisateurs ne lui décernassent pas de médailles au seul titre de son appartenance familiale. Ses poèmes devaient être jugés à l'aune de leur seul mérite.

Mais, depuis l'arrivée d'Angelo Ambrogini, Florence comptait un poète incomparable ; nul mieux que lui ne tournait une phrase, n'imprimait une telle musicalité à ses vers. Lorenzo n'en était pas jaloux le moins du monde, bien au contraire ; il avait inlassablement encouragé son ami, dont la renommée n'avait cessé de croître. Et, pour respecter la tradition, Florence lui avait offert son nom d'artiste, en général le nom de famille suivi d'une référence à sa ville d'origine. Angelo se nommait désormais Angelo Poliziano, ce qui signifiait « Angelo de Montepulciano ».

Lorenzo trouva son ami dans le *studiolo* qu'il avait aménagé pour lui au palais de la via Larga. Il y travaillait à une traduction du grec.

— Angelo ! je suis désespéré ! On veut me marier à une Romaine casanière et sans culture. Que dois-je faire ?

— Fais-en un poème, sourit Angelo, comme l'ont fait tous les poètes dans l'histoire.

— J'ai essayé. J'ai passé la nuit dessus. Mais je n'arrive pas à savoir s'il vaut quelque chose ou si je suis complaisant avec moi-même.

— C'est la beauté du don que nous avons reçu, Lorenzo : nous exprimons nos sentiments dans notre art. Et que le poème soit bon ou non, il t'a aidé à passer la nuit. D'ailleurs, ce serait tellement ennuyeux si l'on n'écrivait de poésie que pour célébrer les petites fleurs et les arcs-en-ciel ! Cela est charmant, assurément, mais l'art n'existe que dans le contraste. Cette Romaine, profites-en ! Elle va te fournir du contraste. Comment s'appelle-t-elle ?

Lorenzo ne répondit pas tout de suite.

— Je ne sais pas. Je n'ai pas demandé, dit-il en secouant la tête. Je m'en fiche ! Mais, Angelo, je ne peux pas écrire de poésie sur une femme pour la seule raison qu'elle ne m'inspire pas.

Angelo était intelligent, mais il était jeune et il apparaissait clairement qu'il n'avait jamais été amoureux.

— Je ne peux écrire que sur quelqu'un qui m'inspire, poursuivit Lorenzo. Et, en réfléchissant à ma situation, j'ai compris que Colombina allait souffrir encore plus en apprenant que j'allais me marier. Alors, le poème que j'ai écrit cette nuit parle d'elle ; il est pour elle, pour qu'elle ne doute jamais de mes sentiments, quelles que soient les circonstances de ma vie. Je le lui lirai, pour adoucir le coup terrible que je vais lui porter. Veux-tu y jeter un coup d'œil, et me dire ce que tu en penses ?

L'étendard de Lorenzo

À l'occasion du mariage de Lorenzo et de Clarice Orsini, les Médicis décidèrent d'organiser un spectacle si raffiné et si mémorable que le peuple de Florence en parlerait encore un siècle plus tard. Lorenzo refusa évidemment de prendre la moindre part aux préparatifs. Ce mariage le désespérait, et j'ai considéré comme mon devoir de frère de le distraire de la sombre humeur qui le ravageait. Nous avons donc imaginé d'inclure des éléments secrets de nos hérésies dans les festivités.

Il y aurait une joute et plusieurs tournois au cours desquels les jeunes gens de la ville se combattraient, comme du temps de la chevalerie. Chaque chevalier aurait un étendard et porterait les couleurs d'une des belles dames de Florence. On avait prévu de choisir une reine de beauté qui s'assoirait sur un trône, somptueusement vêtue, et présiderait aux cérémonies telle Vénus en personne. La reine était Colombina, bien entendu. Personne à Florence ne pouvait rivaliser avec son incomparable beauté. À part, peut-être, Simonetta, mais c'était une étrangère, trop récemment arrivée en ville. Et elle n'appartenait pas à Lorenzo.

Je fus chargé de créer la bannière que porterait Lorenzo pendant les joutes. Les apprentis de l'atelier de Verrocchio travaillèrent à partir de mon dessin : on y voyait Colombina en Vénus, et la colombe, symbole du nom que nous lui donnions tous. Acte suprême d'hérésie, Lorenzo et moi choisîmes comme devise la maxime de l'Ordre, sous sa forme française : « Le Temps revient. »

Ainsi, Colombina serait assise sur un trône, d'où elle couronnerait Lorenzo de fleurs, les violettes qui étaient l'emblème de sa famille depuis l'ancien temps, et attacherait des rubans de la couleur qu'elle voudrait à l'armure de Lorenzo. Il combattrait derrière un étendard peint à son image et à la devise de l'Ordre, signifiant ainsi, à sa façon, que ce que Dieu a réuni, nul homme ne peut le séparer. C'était une audacieuse déclaration publique, car Colombina était désormais mariée à Niccolo Ardinghelli. Mais tout s'inscrirait sous les auspices des troubadours afin de souligner l'importance de l'amour courtois et l'idéal de la beauté inaccessible.

Ainsi Lorenzo de Médicis accueillerait-il sa nouvelle épouse venue de Rome.

Je demeure
Alessandro di Filipepi, alias Botticelli.

Extrait des *Mémoires secrets* de Sandro Botticelli.

Florence,

Juin 1469

Clarice Orsini fut mariée à Lorenzo de Médicis par procuration, à Rome, où un représentant des Médicis dûment accrédité parla pour Lorenzo. Les documents furent signés et officialisés par un envoyé du pape, et le mariage fut déclaré légal. Ce fut une affaire rondement menée. Clarice partit ensuite pour Florence, avec une escorte digne d'une princesse. Giuliano de Médicis en faisait partie. Il s'efforça, au cours du long voyage vers le nord, d'apaiser les craintes de la jeune mariée et de lui faire la conversation.

La tâche fut ardue. Clarice Orsini de Médicis, sa nouvelle sœur, était de nature peu éloquente, même lorsque les circonstances étaient favorables. Or elle était terrorisée, en dépit des louanges sur Lorenzo que colportaient à l'envi les Florentins qui faisaient partie de son escorte. En fait, craintive et gênée, elle refusa d'ouvrir la bouche pendant presque tout le voyage.

La réception se déroula au palais Médicis de la via Larga. On n'avait pas regardé à la dépense. Des viandes rôtissaient depuis des jours. Les desserts étaient venus d'Orient. Les tonneaux de vin se comptaient par centaines. Dans toutes les allées de la propriété les orangers en pots de terre cuite, symboles de la famille des Médicis, étaient enrubannés.

La mariée, vêtue d'une robe de dentelle et de damas, entra lentement par le grand porche, ployant presque sous le poids de la coiffure de pierres précieuses que lui avaient offerte ses parents. Ils avaient accepté que Clarice fût privée de la traditionnelle cérémonie religieuse, mais les Orsini avaient voulu que leur fille fît impression le jour de son arrivée à Florence. Les citoyens de la ville seraient bien obligés d'admettre que la Romaine était leur égale, tout à fait digne de sa place d'épouse d'un Médicis et de première dame de Florence.

Clarice s'arrêta net en apercevant les statues qui ornaient le jardin : le *David* de Donatello, dans sa glorieuse nudité, et sa *Judith* sur le point de couper la tête d'Holopherne. Créées par un des meilleurs artistes du monde et commandées par le plus légendaire des mécènes, elles exaltaient le pouvoir féminin et le pouvoir masculin.

Lucrezia de Médicis, qui escortait sa nouvelle belle-fille, s'arrêta, inquiète à l'idée que la prude Romaine ne s'évanouît.

— Que se passe-t-il, Clarice ?

La jeune femme désigna de la main les statues qu'elle n'osait regarder.

— Ces... ces affreuses images... Pourquoi sont-elles ici le jour de mon mariage ?

— Mais elles sont toujours ici, Clarice. Ce sont des œuvres d'art. Elles font partie de la collection des Médicis.

Clarice frissonna. On l'aurait crue au bord des larmes.

— Elles sont si vulgaires !

Lucrezia s'exhorta à la patience, saisit le poignet de Clarice et l'entraîna vers les salons. Intégrer une Romaine conservatrice dans la glorieuse culture artistique de Florence serait peut-être un défi plus difficile que prévu à relever.

Clarice de Médicis était assise au centre d'un groupe de jeunes femmes mariées, comme le voulait la coutume des réceptions florentines : les hommes et les femmes y étaient séparés. Elle apprécia la compagnie de sa voisine, une douce et noble jeune femme du nom de Lucrezia Ardinghelli. Clarice ne put que remarquer sa beauté et sa gentillesse. Apparemment, elle savait tout sur Lorenzo, car ils étaient amis depuis l'enfance. Clarice décida de s'en faire une alliée, surtout que la pauvre était souvent seule, car mariée à un homme qui passait sa vie en mer. Peut-être serait-elle sa première amie à Florence.

Cet optimisme dura jusqu'à ce que Lorenzo s'approchât de leur table pour saluer les femmes qui s'y trouvaient. Tout en se montrant d'une exquise politesse avec chacune des jeunes matrones, il ne quitta pas un instant Lucrezia Ardinghelli des yeux. Et elle fit de même. Le lien entre eux était palpable.

Clarice Orsini de Médicis était certes jeune et connaissait mal les usages du monde, mais elle n'était pas aveugle.

Elle avait identifié l'ennemi.

Plusieurs des jeunes femmes qui avaient assisté à la fête aidèrent Clarice à revêtir sa chemise de nuit. Lucrezia Ardinghelli s'en dispensa. Ses jeunes compagnes la taquinaient de bon cœur et vantaient à l'envi la légendaire virilité de Lorenzo, tout en félicitant Clarice et en lui rappelant qu'elle était la femme la plus chanceuse de toute l'Italie. Une Florentine se serait amusée de ce bavardage frivole, mais, pour la prude princesse Orsini, ce genre de conversation était scandaleux. Les Toscanes s'avisèrent que la mariée était écarlate de honte et menaçait de s'évanouir. Elles changèrent de ton, terminèrent rapidement leur office et se retirèrent en échangeant des regards navrés.

— C'est vraiment du gâchis ! murmura l'une d'elles tandis que les autres éclataient de rire.

Des années durant, on se gausserait de la frigide Romaine, et moult Florentines feraient comprendre à Lorenzo qu'elles étaient prêtes à lui prouver qu'elles appréciaient les talents que son épouse ne goûtait guère...

Clarice fut donc laissée seule, perchée sur son lit, morte de peur. Elle était mariée à un homme que toute fille bien née d'Europe lui enviait, et elle n'avait qu'une envie : s'enfuir en courant et rentrer chez elle. Bien que de grande famille, elle n'était qu'une gamine de seize ans soumise à une terrible pression, entourée d'étrangers et plongée dans une culture qu'elle ne comprenait pas. À ses yeux, Florence était aussi exotique que l'Afrique ou l'Extrême-Orient. Et ce qui l'attendait, c'était la terrifiante réalité physique d'un jeune homme à la virilité mythique.

Au moment où Lorenzo entra dans la chambre, Clarice sanglotait de peur.

Il s'approcha d'elle, sincèrement touché. Les événements de la soirée auraient traumatisé n'importe qui, mais il avait conscience de l'épreuve qu'avait surmontée la jeune fille, examinée à la loupe par la société florentine. Jeune et réservée comme elle l'était, il lui faudrait du temps pour s'y habituer.

— Clarice ! Tu te sens mal ? La soirée a été trop pénible pour toi ?

— Non, dit-elle en relevant le menton avec une trace de son orgueil de Romaine. Je suis une Orsini. Je n'ai pas peur des Florentines. Je remplirai mon devoir d'épouse chrétienne, Lorenzo, et je vous obéirai, j'en ai fait le serment devant Dieu.

Lorenzo se rapprocha d'elle avec la douceur requise pour apprivoiser une biche dans la forêt. Il caressa gentiment ses cheveux et entreprit d'enlever les épingles qui les maintenaient sévèrement attachés.

— Tu as de beaux cheveux, Clarice. J'aimerais les voir libérés.

— Non ! s'exclama Clarice en retenant sa main.

Il interrompit son geste.

— Mais pourquoi ?

Le cœur de Clarice battait au rythme de celui d'un renard pris au piège et encerclé par des loups. Elle se préparait à l'inévitable.

— Les cheveux défaits sont signe d'une conduite débauchée.

— Je suis ton mari, Clarice. Tu n'as pas à craindre de te montrer à moi.

Lorsqu'il tendit de nouveau la main vers elle, elle recula comme s'il l'avait frappée.

Lorenzo respira profondément et se força à la patience.

— Tu sais, certaines femmes trouvent cela très plaisant. Peut-être y parviendras-tu, toi aussi, et, si tu me donnes une chance d'être un bon mari, les années que nous passerons en tant que mari et femme seront bien meilleures. Et même agréables.

— Mon confesseur, répliqua Clarice en se raidissant, dit que le sort des femmes est de souffrir, d'abord dans le lit nuptial, puis en donnant la vie. C'est la malédiction d'Ève.

Lorenzo se promit de renvoyer ce confesseur à Rome dès le lendemain à la première heure. Et sur un cheval rapide.

— Pas forcément, Clarice. Laisse-moi te le prouver.

Sa réaction fut hautaine.

— Faites votre devoir, mon mari. Je ferai le mien. Mais n'espérez pas que j'y trouve plaisir.

Lorenzo se leva et se retourna, prêt à s'en aller.

— Où allez-vous ? demanda la jeune femme, stupéfaite.

— Je ne te prendrai pas contre ton gré, Clarice. Marié ou non, je suis un honnête homme. Jamais, en aucune circonstance, je ne forcerai une femme. Lorsque tu pourras m'accueillir dans ton lit, j'y reviendrai et je ferai mon devoir, comme tu dis. Je te garantis que tout cela n'est pas plus agréable pour moi que pour toi, et je ne permettrai pas à mon épouse de faire de moi un violeur. J'en suis incapable.

La crudité de son langage choqua Clarice, par ailleurs terrifiée à l'idée d'avoir fait quelque chose d'impardonnable.

— Vous ne pouvez pas vous en aller. Ce serait un déshonneur pour moi et pour ma famille. Demain, les gens vont examiner ces draps et ils n'y trouveront pas de sang. On dira que je n'ai pas rempli mon devoir envers vous. Ou pis encore. Vous devez rester, et je dois le faire.

Lorenzo contempla longuement la porte, puis la jeune vierge terrorisée qui tremblait sur son lit. Un des préceptes de l'Ordre surgit à sa mémoire. Selon le Livre de l'Amour, un enfant conçu sans confiance ni conscience dans la chambre nuptiale risquait d'avoir une vie malheureuse. Il ne voulait pas d'une telle malédiction pour les siens. Il lui fallait trouver le moyen d'amadouer la femme que le destin lui avait choisie pour épouse, au nom de qui sait quelle volonté divine.

Il se retourna vers elle avec une infinie patience, s'agenouilla au pied du lit et prit sa main.

— Clarice, tu dois avoir confiance en moi, en tant qu'homme et en tant que mari. Je ne te ferai jamais de mal. Je me suis engagé à te protéger et à subvenir à tous tes besoins. Je le ferai, et plus encore. Tu es une Médicis, tu es ma famille. Tous nos enfants seront aimés et choyés, je leur donnerai mon âme et mon cœur. Et toi, leur mère, je fais le serment de te chérir à jamais.

Les yeux de Clarice s'embuèrent, une certaine douceur transparut dans son regard.

— Regarde-moi, Clarice, et dis-moi que tu apprendras au moins à me faire confiance en tant que mari.

En souriant, il caressa du pouce la joue de la jeune fille, pour en essuyer les larmes. Elle lui rendit timidement son sourire.

— Je vous fais confiance, mon mari, dit-elle en serrant son autre main dans la sienne tout en espérant que la peur quittât son corps.

Il l'approcha patiemment, avec une infinie tendresse, soucieux de ne pas lui faire mal ni l'effrayer, et pria pour que l'union de leurs corps s'améliorât avec les années. Il la déchirerait en la pénétrant, c'était inévitable, et provoquerait cet écoulement de sang dont tous guetteraient la trace sur les draps le lendemain matin. Aussi doux qu'il fût, il savait qu'il ne pourrait la soustraire à cette douleur. Clarice gémit et détourna le visage. Puis elle s'immobilisa, les yeux fermés. Par égard pour elle et pour lui, car les circonstances lui déplaisaient autant qu'à son épouse, Lorenzo se retira dès que l'acte fut consommé. Avant de quitter la chambre, il lui demanda si elle se sentait bien. Elle hocha la tête sans dire un mot, en essayant de ne pas sangloter devant l'inconvenance de ce qu'elle avait subi. Comment une femme pouvait-elle tolérer ce genre de traitement ? Son confesseur avait bien raison. Le sort des femmes était de souffrir.

Lorenzo soupira profondément, remonta ses chausses et sortit de la pièce sans un autre regard, sans prononcer la moindre parole.

Seule dans son lit nuptial, la jeune femme qui était désormais Clarice Orsini de Médicis, l'épouse de l'homme le plus envié d'Italie, pleura tout son soûl jusqu'à ce qu'elle sombrât dans le sommeil. Non sans avoir remarqué, cependant, que pas une seule fois son mari n'avait essayé de l'embrasser.

Lorenzo avait insisté pour que Colombina passât la nuit au palais Médicis. Elle avait résisté, n'ayant aucune envie de se trouver dans le lieu où il serait obligé d'honorer le lit d'une autre. D'une femme qui prenait la place qu'elle aurait tout donné pour occuper. Mais il l'avait suppliée d'accepter et elle avait cédé, comme elle le faisait toujours quand Lorenzo se montrait pressant. Ce fut dans la chambre d'amis où elle s'était retirée qu'il se rendit immédiatement après le cauchemar vécu avec Clarice.

Il se jeta dans les bras de la seule femme qu'il aimait avec un désespoir farouche, et se réconforta de la passion qu'elle lui témoigna.

— Ma Colombina, murmura-t-il en l'embrassant dans le cou et en s'enfouissant dans ses cheveux épars.

Puis il lui récita l'une de leurs écritures sacrées, le *Cantique des cantiques*, qui lui apporta le soulagement qu'il avait toujours puisé dans leurs traditions, son seul moyen de supporter le poids de ses responsabilités. Il entrecoupait ses mots de baisers.

— Comme tu es belle, mon amour, comme tu es belle ! Tes yeux sont des colombes, dit-il, bouleversé par cette nuit et en trébuchant sur les mots.

Colombina avait toujours su le tribut que son statut exigeait de son prince. Elle savait que ce qui s'était passé dans le lit nuptial avait été plus éprouvant pour Lorenzo que pour Clarice, infiniment plus éprouvant. Et, puisqu'elle était sa bien-aimée, elle lui permettrait toujours de s'épancher en son sein, de lui confier ses pensées les plus secrètes. Elle chérissait ce rôle. En réponse à son bien-aimé, elle chanta d'une voix sensuelle la strophe qui parlait du printemps et du renouveau.

Viens, mon amour,
Tu le vois, l'hiver est fini, et les pluies.
Les fleurs éclosent sur la terre.
La saison des chants heureux est venue.
En notre pays,
On entend roucouler la colombe.
Mon bien-aimé est à moi et je suis à lui.

Malgré les larmes qui inondaient ses joues, Colombina murmura le dernier vers dans un souffle, tout en ébouriffant les cheveux du jeune homme.

Lorenzo sanglotait ouvertement en la caressant, heureux pourtant de ces preuves de confiance et de conscience, les seuls instants de répit qu'il connaîtrait jamais. À l'avenir, ces heures volées auprès d'elle auraient toujours un arrière-goût doux-amer. Pourquoi Dieu avait-il créé un être aussi parfait pour lui sans leur permettre de vivre ensemble ? Cette question mettrait sa foi à l'épreuve et viendrait grossir son tourment tout au long de son existence.

Les parents de Simonetta Cattaneo auraient été enchantés de la qualité de ceux qui accueillirent leur fille chérie à Florence. Lucrezia Donati, que ses amis appelaient Colombina, prit la ravissante et timide jeune fille sous son aile, l'intégra dans leur communauté et observa non sans en concevoir une certaine humeur que les membres masculins de l'Ordre tombaient littéralement à ses pieds dès qu'elle entrait dans une pièce.

Colombina initia Simonetta aux principes de l'Ordre, ces magnifiques enseignements d'amour et de solidarité qui avaient illuminé sa propre vie. Elle s'assit près de son amie et lui tint la main lorsque la maîtresse du *hieros-gamos*, Ginevra Gianfigliazi, lui dispensait le savoir sacré présidant à l'union des corps. Pour une personne aussi réservée que Simonetta, cette science de l'interaction physique entre un homme et une femme était choquante, et même terrifiante. C'était une créature romantique et douce, délicate de corps et d'esprit. En dépit de sa haute taille, Simonetta était fluette et fragile. Elle mangeait fort peu, et était sujette à de violents accès de toux qui la contraignaient à gagner son lit. Son mariage avec Marco Vespucci avait été consommé, mais Colombina et Ginevra supposaient que c'était la seule fois où les jeunes gens s'étaient unis physiquement. La santé de Simonetta était trop précaire pour qu'elle prît le risque de tomber enceinte. Son époux, heureusement, était bon et patient ; il fit appel à tous les médecins de Toscane dans l'espoir de la guérir et de lui redonner de la vigueur.

Pour une femme d'un caractère différent, la perfection physique de Simonetta aurait pu paraître menaçante, ou pour le moins irritante. Mais Colombina ignorait la jalousie. En étudiant avec le maître, elle avait bien compris les dangers des sept mauvaises pensées, dont l'une des pires était l'envie. L'envie était une offense faite à Dieu. Éprouver de l'envie était croire que l'on n'avait pas été parfaitement créé par son père, sa mère et Dieu. C'était accuser Dieu d'avoir eu plus de bontés pour un autre que soi, ce qui n'était pas dans la nature d'un parent aimant. Les parents étaient censés aimer également tous leurs enfants, ce qui bien entendu valait aussi pour le Père et la Mère divins.

Non, Colombina n'enviait pas la beauté de Simonetta, ni l'attention qu'elle attirait. Elle savait ce qu'il en coûtait d'être l'objet de l'unanime admiration masculine. Pour vertueuses qu'elles fussent, les belles femmes alimentaient les ragots et les suspicions. Colombina avait plus d'une fois réprimandé des matrones florentines qu'elle avait entendues mettre en doute la vertu de son amie. Elle enrageait de constater que ces femmes à l'esprit étroit, et jalouses de surcroît, étaient persuadées que Simonetta était la maîtresse de Giuliano de Médicis, au seul prétexte qu'il avait porté ses couleurs lors d'une joute. Les hommes de la famille des Médicis, comme d'ailleurs tous les membres de l'Ordre, respectaient les traditions des troubadours et rendaient hommage à la beauté. À l'occasion de la *giostra* de Giuliano, le tournoi organisé pour sa majorité, Simonetta avait été choisie pour représenter la reine de beauté, comme Colombina l'avait été pour Lorenzo. Sur ce trône emblématique prenait place celle que les jeunes gens de Florence considéraient comme la plus ressemblante des incarnations de Vénus.

Du jour où Simonetta fut présentée à Sandro Botticelli, les rumeurs prirent un tour dramatique.

Sandro tomba éperdument amoureux. Obsédé par sa perfection physique, il ne dormait plus, mais passait ses nuits à donner son visage à toutes les déesses et les nymphes qu'il peignait. Elle était son unique muse, celle dont il s'efforçait de capturer sur sa toile la délicatesse des traits et la splendeur des boucles dorées qui auréolaient son ravissant visage. Il imaginait son corps sous ses lourdes robes florentines, certain qu'il dépasserait en beauté et en perfection tous les corps qu'il avait vus jusqu'à présent. Sans l'avoir voulu, Sandro provoqua le scandale et l'on se mit à murmurer à Florence que Simonetta avait posé nue pour lui. Les ennemis de l'Ordre en rajoutèrent dans l'ignominie et firent courir le bruit que Simonetta participait à des orgies avec Sandro et les frères Médicis.

Colombina était révulsée. À cause de ces rumeurs, elle doutait que l'on pût toujours agir selon les principes de l'amour : il est parfois impossible d'aimer ceux qui avilissent sa famille. Et que l'on ne s'y trompe pas, les membres de l'Ordre étaient sa famille, tout autant que ses parents par le sang. Elle aimait Simonetta comme une sœur, et voulait la protéger de la méchanceté des jaloux et des intolérants. Ce fut ainsi que, grâce à la ravissante jeune femme de Genoa, Colombina s'instruisit une fois encore des dures réalités de la vie.

Un jour, au marché, elle entendit colporter par deux méprisables Florentines une rumeur particulièrement odieuse sur Simonetta. Elle prit violemment ces femmes à partie, d'autant plus furieuse que son amie fût l'objet de bruits permanents et infamants qu'elle avait été elle-même, et pendant des années, la victime de chuchotements murmurés derrière des portes closes, la nommant la « putain de Lorenzo ».

Simonetta entendit parler de l'altercation, dont le récit avait circulé dans toute la ville, et vint rendre visite à son amie.

— La petite colombe a des griffes, à ce qu'on raconte, dit-elle malicieusement.

— Je n'ai pas pu me retenir, répondit Colombina en la serrant dans ses bras. Ces femmes étaient si odieuses, leurs accusations si viles, injustes et pernicieuses, que je ne pouvais les laisser dire.

Les yeux de Simonetta brillaient, mais elle n'avait pas envie de pleurer.

— Cela ne me dérange pas autant que tu le crois, ma sœur. Et certainement moins que toi. Je sais ce que racontent ces mégères, sur moi et sur toi. Quelle importance ? Le maître nous a appris que tous les aspects de la beauté doivent être reconnus et protégés. Nous n'avons aucune raison d'en souffrir ni de nous mettre en colère. N'a-t-on pas bien souvent traité de putain ta chère Marie Madeleine ?

— On le fait encore, répliqua Colombina, comme toujours ulcérée par l'injustice du sort de la bien-aimée de Jésus, l'apôtre parmi les apôtres.

C'était en étudiant sa vie qu'elle avait commencé à comprendre la puissance de la résistance qui avait été opposée aux enseignements du Chemin de l'Amour pendant des siècles. Marie Madeleine représentait un danger pour l'Église de Rome. Elle était la face cachée du christianisme, et le symbole de principes opposés aux intérêts économiques et à la stratégie politique de l'Église catholique. Le Chemin de l'Amour était pur, on l'enseignait à partir du Livre de l'Amour ou de rééditions du Libro Rosso, et c'étaient en général des femmes qui en transmettaient les principes.

Le rôle dédié à Colombina au sein de l'Ordre était celui du scribe, chargé de mettre par écrit les anciennes prophéties de la Lignée et de s'assurer que les traditions orales de l'Ordre se perpétuassent. Elle rédigeait actuellement l'histoire de Jeanne, la prophétesse française accusée d'hérésie et morte sur le bûcher. Colombina rêvait souvent de la jeune pucelle, avec qui elle se sentait de profondes affinités. Jeanne lui apparaissait parfois et lui parlait alors de vérité et de courage. Seuls le maître et Lorenzo étaient dans le secret de ces conversations.

Suivant l'exemple de Ginevra, Colombina prenait une place de plus en plus importante dans les cercles hérétiques de Florence.

Florence,

1473

— Clarice de Médicis est enceinte, encore une fois! Incroyable, tu ne trouves pas?

Costanza Donati, la sœur cadette de Colombina, n'avait pu attendre une minute de plus pour lui annoncer la nouvelle. C'était une jolie jeune fille, un peu commère, à la malignité aiguisée par la jalousie qu'elle éprouvait vis-à-vis de son aînée, beaucoup plus belle qu'elle.

— Comme je l'envie, soupira Colombina. Je me demande si elle apprécie sa chance. Elle porte son nom, elle se réveille tous les matins dans ses bras. Elle lui donne des enfants…

Sa gorge se serra en prononçant ces derniers mots, car c'était son plus lourd chagrin et un secret qu'elle n'avait jamais confié à personne, et surtout pas à Lorenzo.

— Si elle se réveille tous les matins dans ses bras, tu n'en sais rien, murmura Costanza d'un ton de conspiratrice. Tu n'es pas au courant de ce qu'on raconte ? Son apothicaire prépare pour Lorenzo une mixture qui le rend plus puissant, de sorte que chaque fois qu'il est obligé d'honorer sa mocheté de femme, il l'engrosse, et il a la paix pendant dix mois.

— Ce sont de simples ragots, petite sœur. Lorenzo est le plus noble des hommes. Il traite sa femme comme une reine. Elle est la mère de ses enfants, et il la vénère en tant que telle.

— Certes, certes, *donna* Clarice ne manque de rien, ironisa Costanza avant d'ajouter : Mais cette femme est plus froide qu'un bloc de marbre de Carrare et ennuyeuse comme un bonnet de nuit. Elle est ton contraire parfait, et c'est devant ton autel que Lorenzo s'agenouille, si tu me permets l'expression.

Colombina la laissa rire sottement pendant quelques instants avant de reprendre le cours de ses pensées. Costanza n'était pas la confidente idéale, mais elle était de la famille, et en général loyale en dépit de sa nature futile. Or Colombina avait besoin de s'épancher.

— Mais tu ne comprends pas, Stanza ? Clarice vit dans cette maison. Son emblème a été gravé dans le lit nuptial. Je donnerais tout au monde pour être à sa place.

Pour une fois, Costanza avait l'air d'écouter et sa réponse ne manqua pas de perspicacité.

— Tu sais ce qui est tragique ? C'est qu'elle t'envie sans doute encore plus. Imagine ce que cela représente d'avoir pour mari un homme aussi magnifique et de savoir que tu ne le satisferas jamais, en aucune façon ? Qu'il ferme les yeux et qu'il pense à une autre chaque fois qu'il te touche ? Je parie qu'il ne l'embrasse jamais.

Colombina était très étonnée. Costanza ne saurait sans doute jamais à quel point sa remarque était appropriée, ni pourquoi. Selon la tradition du *hieros-gamos*, le baiser était un rituel sacré, le partage du souffle et des forces vitales de deux esprits. Et l'on n'embrassait que le bien-aimé.

— En effet, dit-elle, je suis à peu près certaine qu'il ne l'embrasse pas.

— Quelle torture, pour n'importe quelle femme mariée à un homme comme Lorenzo, même pour cette Médée sans cœur qu'il est allé chercher à Rome.

— Tu es injuste envers elle.

Colombina ressentait une sympathie sincère pour Clarice, victime, comme elle et Lorenzo, de circonstances qui les dépassaient.

— Sous cette froideur romaine, Clarice est aimable, continua-t-elle. Et, à mon avis, ce qu'il ressent et avec qui il couche l'indiffère tant qu'il est discret et qu'il s'occupe de sa famille. Et Lorenzo est irréprochable sous ces deux aspects. Lorenzo dit que Clarice est plus heureuse quand il la laisse tranquille, ce qui lui convient parfaitement.

— Mais ça ne t'étonne pas qu'elle retombe enceinte aussi vite? Lorenzo doit être formidablement fertile... Avec sa femme, en tout cas.

Costanza interrogeait ouvertement sa sœur du regard, car, au cours de sa durable liaison avec Lorenzo, cette dernière n'avait jamais attendu d'enfant. Ce qu'ignorait la cadette, c'était que le même apothicaire lui fournissait une potion fort efficace à laquelle elle avait plus d'une fois eu recours pour interrompre une grossesse inavouable. Soucieuses de ne pas nuire à leur rentable commerce, les courtisanes les plus prisées de Venise s'en servaient elles aussi, car leur clientèle, qui comptait des membres de la noblesse et plusieurs cardinaux, les payait généreusement à condition qu'elles restent belles et disponibles. Colombina s'efforçait d'oublier qu'elle était souvent considérée comme la ravissante et certes bien née courtisane personnelle de Lorenzo. Nul n'osait le dire tout haut, de crainte de susciter la colère du Magnifique, mais Colombina savait ce que l'on pensait d'elle dans les cercles où l'on n'aimait pas les Médicis. Cependant, elle écartait rapidement cette pensée de son esprit. Elle avait juré d'appartenir à Lorenzo pour l'éternité et rien ne comptait plus que ce serment. Que les Florentins jaloux et malveillants aillent au diable.

Il lui arrivait pourtant de sortir se promener au petit matin, lorsque la brume couvrait l'Arno et que la ville était encore calme, et de se laisser aller à sangloter devant tant d'injustice.

Et, chaque fois qu'elle saignait, Colombina priait Marie Madeleine de lui pardonner sa transgression des principes de l'Ordre, et pleurait la perte de l'enfant qu'elle aurait tout donné pour avoir.

Niccolo était de retour à Florence après l'un de ses longs périples. C'étaient les périodes que Colombina redoutait entre toutes.

En son absence, elle était libre de passer son temps avec Ginevra et Simonetta, ou avec le maître s'il était à Florence, et de se consacrer aux affaires de l'Ordre. Les moments les plus doux étaient ceux où Lorenzo la rejoignait à l'Antica Torre. Ils étaient alors seuls au monde, comme les plus proches des amis, les plus ardents des amants. C'était un pur paradis.

Mais quand Niccolo revenait de ses voyages, elle était censée rester à la maison avec lui, comme toute épouse convenable. Et c'était une sorte d'enfer.

Cette nuit-là, Colombina avait cru pouvoir sans danger rejoindre Lorenzo car Niccolo avait invité ses amis à la taverne pour les régaler du récit de ses dernières histoires de pirates et de trésors oubliés, et, sans aucun doute, de détails croustillants sur ses relations avec de jeunes esclaves et les putains de Constantinople. Colombina n'y attachait pas la moindre importance, ni le moindre intérêt. Elle se contentait d'apprécier ces longues périodes où il n'exigeait rien d'elle, ni physiquement ni sentimentalement. Quand il se décidait à exercer ses obligations conjugales, il était relativement rapide, ce qui arrangeait Colombina. Sa manière de procéder l'avait cependant désolée pour toutes ses sœurs dans le monde qui ne connaîtraient jamais que ce genre d'époux et n'auraient jamais le bonheur qu'un homme leur fasse l'amour avec tout son cœur, toute son âme et tout son corps. Tant de femmes étaient mariées contre leur gré à des Niccolo, incapables de faire la différence entre une femme de chair et de sang et un simple trou dans leur lit.

Elle y songeait en rentrant chez elle à pied après sa trop brève soirée avec Lorenzo. Quelle chance elle avait eue de l'avoir rencontré et quelle plénitude lui avaient apportée les principes de l'Ordre! Et comme elle aurait aimé partager son sort avec les si nombreuses femmes qui seraient pour toujours privées du bonheur d'être aimées et d'être considérées comme une égale par leur époux! C'était l'un des objectifs de l'Ordre, et le rêve de Colombina : que les mariages arrangés fussent un jour considérés comme criminels et que des fillettes impubères ne fussent plus échangées comme des pions sur les échiquiers familiaux de la fortune et du pouvoir.

Lorsque leur maison fut en vue, Colombina s'arrêta brusquement en voyant de la lumière dans le *studiolo* de Niccolo. Pourquoi était-il rentré si tôt? Il lui fallait inventer rapidement une raison d'être sortie en pleine nuit. Elle savait qu'il était dangereux de voir Lorenzo lorsque son mari était en ville, mais se priver de sa présence était une torture. Elle acceptait donc de courir le risque. Elle entra dans la maison en espérant qu'il serait trop occupé à étudier une nouvelle carte et à décider de son prochain voyage.

— D'où viens-tu, si tard dans la nuit?

Niccolo l'attendait; il était ivre.

— J'étais chez les Gianfigliazi, pour préparer les festivités de la nuit de la Saint-Jean. Il y a tant à faire que je n'ai pas vu passer le temps. Je suis désolée, Nicco. Puis-je t'apporter quelque chose? Un peu de vin? Viens boire un verre de vin avec moi, et me raconter ta soirée.

Une telle proposition suffisait d'ordinaire à le distraire, mais pas cette nuit. Quelque chose, ou quelqu'un, avait monté la tête à Niccolo Ardinghelli.

— Tu mens! hurla-t-il en la giflant assez fort pour la faire trébucher. Tu crois que je ne sais pas où tu es? Que je ne sais pas où tu vas quand je ne suis pas à Florence? Tu t'imagines que j'ignore que tu fais la putain pour le

Médicis chaque fois que tu en as l'occasion, depuis des années ?

Il la gifla de nouveau et Colombina s'écroula par terre sous la violence du coup.

Elle se releva, le visage empreint d'une expression de dignité et de mépris, et affronta son mari avec une force tranquille.

— Je ne fais pas la putain pour ce Médicis. Je me donne à lui librement. Je l'ai toujours fait, et je le ferai toujours. Mon cœur est à Lorenzo. Pourquoi n'aurait-il pas aussi mon corps ?

Ivre et incrédule, Niccolo cligna des yeux en s'efforçant de comprendre ce qu'elle lui disait.

— Parce que... parce que tu es ma femme !

— Tu viens de dire que j'étais une putain.

— Tu te conduis comme telle !

Pour la première fois depuis des années, Colombina laissa couler de ses lèvres l'amertume accumulée depuis son mariage.

— Tu as raison sur un point. Une putain couche avec un homme parce qu'elle le doit pour assurer sa subsistance. C'est un acte sans importance, accompli par une femme qui n'a pas le choix. Donc, si je suis la putain de quelqu'un, je suis la tienne.

Niccolo tenta de bredouiller quelques mots, sans y parvenir. Jamais il n'avait été ainsi défié par une femme, et surtout pas la sienne. Aveuglé par la rage, il leva le poing et la frappa au visage. Puis, horrifié par son geste, il se précipita hors de la pièce et s'enferma dans son bureau. Colombina toucha son visage et alla se regarder dans le miroir du vestibule. Elle allait enfler et sa pommette serait bleue pendant plusieurs jours. Or il y avait une réunion de l'Ordre trois jours plus tard.

Trois jours avaient en effet passé lorsque Colombina se rendit à la réunion de l'Ordre, trois jours durant lesquels Niccolo, en proie sans doute à un mélange de culpabilité, de colère et d'humiliation, l'avait soigneusement évitée. Elle n'avait donc pas dû obtenir son autorisation pour assister à cette réunion.

Pour dissimuler la trace des coups, elle avait frotté son visage avec de la glace et avec une huile que lui avait fournie son apothicaire. Les marques étaient atténuées, mais il restait une ombre rougeâtre impossible à dissimuler. Elle savait que Lorenzo ne manquerait pas de le remarquer et d'exiger une explication. Elle en avait préparé une, non pour protéger Niccolo, mais plutôt Lorenzo qui avait assez de sujets d'inquiétude sans qu'elle y ajoutât la violence dont elle avait été victime. En outre, elle était convaincue que son mari était sincèrement bourrelé de remords et qu'il ne la frapperait plus jamais. Niccolo était certes un fanfaron, mais ce n'était pas un homme foncièrement mauvais. Colombina devait pardonner, selon les principes du Chemin de l'Amour. D'ailleurs, il repartirait bientôt, il lui suffisait d'être un peu patiente.

Elle prit soin d'entrer à l'Antica Torre en compagnie, afin de ne pas avoir à répondre immédiatement aux questions de Lorenzo. Mais Colombina savait qu'elle ne pourrait y échapper, tôt ou tard. En s'approchant d'elle pour l'embrasser, il s'interrompit brusquement et passa le doigt sur son visage meurtri.

— Que t'est-il arrivé, Colombina ? interrogea-t-il d'un ton trompeusement léger.

Incapable de lui mentir en le regardant en face, Colombina baissa les yeux.

— Ce n'est rien, une domestique a mal essuyé le sol après l'avoir lavé. J'ai glissé dans l'escalier, et je suis tombée sur les marches.

Lorenzo ne répondit pas. Du doigt, il la força à relever la tête et à le regarder. Colombina frémit sous son regard. Ils ne s'étaient jamais disputés. Leur amour était si profond, leur entente si entière qu'ils ne s'étaient jamais menti. Mais, dans les yeux noirs de Lorenzo, fixés sur les siens, elle lut une colère intense. Il la lâcha et s'éloigna. Pendant toute la soirée, il demeura à l'autre bout de la pièce et ne lui adressa pas la parole. Il n'intervint que rarement dans la conversation, brièvement et sur un ton étrangement sec. Manifestement, le Magnifique était de mauvaise humeur et le rassemblement s'acheva plus rapidement que d'ordinaire, sans les libations habituelles.

Pendant que l'on se dispersait, Colombina, les yeux brillants de larmes, chercha son regard. Elle détestait le voir dans cet état, surtout si c'était sa faute. Elle vit sa poitrine se soulever en un profond soupir tandis qu'il traversait la pièce pour la rejoindre. Puis il l'entraîna dans un coin pour enfin murmurer d'une voix douce qui contredisait la dureté de ses paroles.

— Lucrezia...

Qu'il l'appelât par son prénom officiel fut plus pénible pour elle que les coups de Niccolo. Jamais, depuis leur enfance, Lorenzo ne l'avait appelée autrement que Colombina, même en public. Le visage creusé, il s'adressa à elle en détachant ses mots.

— Je comprends pourquoi tu m'as menti, mais je prie pour que tu ne recommences jamais. Il n'y a que peu d'êtres en ce monde à qui je puisse me fier complètement. Je crois que je ne supporterais pas que tu n'en fasses plus partie.

Elle tendit la main vers lui.

— Lorenzo, je t'en prie...

Mais il n'y aurait pas de tendresse partagée ce soir-là, car il luttait avec les puissants démons qui menaçaient de s'emparer de ses sens. Il retint sa main et l'empêcha de s'approcher de lui.

— Je n'ai pas terminé. J'ai un message pour ton mari, et je te demande de le lui transmettre fidèlement. Dis à Niccolo que tu m'as vu ce soir, puisque manifestement il sait que nous nous voyons encore, et dis-lui que Lorenzo a prêté serment devant Dieu. Dis-lui que j'ai juré de le tuer de mes mains s'il te frappait encore une fois.

Antica Torre, Florence,

De nos jours

Le récit de Destino sur les amours contrariées de Lorenzo et Colombina arracha des larmes à Maureen. Après avoir constaté sa profonde émotion devant les représentations de Colombina qu'elle avait vues aux Offices, Destino l'avait convoquée dans les appartements de Petra pour lui consacrer du temps.

— Le Temps revient, n'est-ce pas? dit la jeune femme. Colombina et Lorenzo, victimes de circonstances qui leur interdirent le bonheur d'être ensemble, et maintenant Bérenger et moi. C'est l'éternel retour. Jésus et Madeleine, Matilda et Grégoire, Lorenzo et Colombina. C'est maintenant à notre tour, à Bérenger et moi, de ne pas pouvoir vivre ensemble comme nous en rêvons. Encore un couple séparé par des obligations qui les dépassent. Ce serait donc mon épreuve?

— De quelle épreuve parlez-vous?

— Serai-je capable de la même abnégation que Colombina? Pourrai-je accepter que Bérenger, Prince Poète, doive en élever un autre, et que cela soit plus important pour le monde que notre bonheur personnel? Mais pourquoi? ajouta Maureen en refoulant ses larmes. Pourquoi? Voilà ce que je voudrais savoir, maître.

Destino était confronté à cette question depuis des siècles, et il ne pouvait pas y répondre. Ce n'était pas à lui d'apporter les réponses que réclamaient ses disciples désemparés. Ils devraient les trouver par eux-mêmes, et faire leurs choix. Trop souvent, il avait subi la douleur de voir tomber ceux qu'il aimait, et il priait pour que cela ne se reproduise plus jamais.

— Toute la question est là, ma chère enfant. Le Temps revient. Mais pas obligatoirement. C'est un choix.

— Je ne comprends pas, fit Maureen en secouant la tête.

Soucieux de partager sa sagesse mais pareillement décidé à ne pas fournir de réponse, Destino entreprit de s'expliquer.

— Si je devais élire la cause première de l'échec de notre grand projet pour la Renaissance, je dirais que c'est la séparation forcée de Lorenzo et de Colombina.

— Comment ! s'exclama Maureen, stupéfaite. Plus que la politique, que la lutte pour le pouvoir, que la religion ?

— Oui, parce que tous ces éléments sont la raison de leur séparation. Si les Médicis avaient permis à Lorenzo de se marier par amour et non par convenance ou par souci d'alliance, le monde serait sans doute très différent de ce qu'il est. Les Donati se seraient eux aussi opposés à cette union, mais je crois qu'ils auraient pu être circonvenus. Piero était faible, Cosimo était malade, donc nous n'avons pas favorisé leur union comme nous aurions pu le faire. Nous sommes tous à blâmer pour cet échec. Nous n'avons pas assez respecté le pouvoir de l'amour.

Maureen l'écoutait attentivement, en proie à des sentiments contradictoires où s'entrechoquaient des concepts, des circonstances, son propre chagrin et sa colère.

— Mais alors, vous dites que le Temps revient, mais qu'il ne devrait pas ? Qu'il revient uniquement parce que nous agissons mal ?

— Je dis simplement que ce que Dieu a réuni, aucun homme ne devrait le séparer.

Par une claire et belle matinée, Tammy et Maureen tournèrent à gauche du Ponte Santa Trinita, le long des rives de l'Arno. Elles traverseraient le fleuve par le Ponte Vecchio, le célèbre et pittoresque pont à arcades où se succédaient des échoppes de marchands.

Elles avaient décidé de suivre le conseil de l'étudiante que Maureen avait rencontrée aux Offices et de se rendre à l'église Santa Felicita. Maureen avait passé presque toute la nuit à discuter avec Tammy de ce que lui avait dit Destino, pour essayer d'y voir clair. Bérenger l'avait appelée cinq fois, mais elle ne lui avait pas encore parlé. Elle tenait à être sûre de ce qu'il convenait de faire avant, et elle n'en était pas encore là. Une promenade matinale avec Tammy était une bonne façon de commencer la journée.

— Colombina se contentait d'être la maîtresse de Lorenzo, afin d'être avec lui de la seule manière possible. Je ne sais pas si je suis capable d'autant d'altruisme.

— Colombina n'avait pas entre les pattes une garce aussi insupportable que Vittoria.

— C'est vrai, fit Maureen qui s'arrêta pour admirer le reflet du Ponte Vecchio que le soleil faisait danser sur les eaux du fleuve, mais elle n'avait pas à rivaliser avec la prophétie du Second Prince.

— Toi non plus.

— Mais enfin, tu ne crois pas aux prophéties ?

— Si, bien sûr que j'y crois, répondit Tammy en haussant les épaules. Mais je ne crois pas à Vittoria. *Il y a quelque chose de pourri* à Florence, mais je n'arrive pas à mettre le doigt dessus. Ce n'est qu'une intuition.

Elles remirent la fin de leur conversation à plus tard, car elles arrivaient en vue de Santa Felicita, la deuxième plus ancienne église de la région, édifiée au IVe siècle et consacrée à une sainte de Rome morte en martyre au IIe siècle. Les femmes des débuts de la chrétienté fascinaient Maureen, car, si l'on se donnait la peine de creuser assez profond, on découvrait de nombreuses vérités dissimulées sous leur légende. Sainte Félicité était un cas particulièrement tragique : ses sept enfants avaient été persécutés et mis à mort avant qu'elle ne soit elle aussi exécutée. Si l'église qu'elles allaient visiter l'inspirait, Maureen se promit d'en lire plus sur elle et de trouver davantage de détails.

À la Renaissance, l'église avait été dotée d'œuvres d'art de grands maîtres, comme Neri di Bicci ou Pontormo, dont la *Déposition de croix* était considérée comme l'une des œuvres les plus significatives des débuts du maniérisme. Que de si grandes œuvres fussent accessibles à tous dans les églises bâties à Florence quelques siècles plus tôt était une perpétuelle source d'émerveillement pour Maureen. Elle avait à chaque visite l'impression d'entrer dans une salle de musée.

Santa Felicita ne faisait pas exception. L'œuvre de Pontormo décorait la chapelle édifiée par le grand Brunelleschi, l'architecte de génie à qui l'on devait le majestueux et inégalable Dôme. Autour de la fenêtre, une fresque du même Pontormo mettait en scène une *Annonciation* où une superbe et bienveillante Marie écoutait la grande nouvelle. Cependant, le plus impressionnant était la fresque murale décrivant la *Déposition de croix*. La version de Pontormo était unique : couleurs vives et vibrantes, femmes drapées de bleu et de rose vif, aux longs membres graciles, et qui semblaient se fondre les unes dans les autres en une danse macabre étrangement lyrique. Marie Madeleine, voilée de rose, tenait Jésus par la tête et les épaules, aidée par des personnages moins facilement identifiables, tandis que sa mère gémissait de chagrin. Sainte Véronique était présente, de dos, et semblait tendre une main vers la sainte mère et tenir son légendaire voile de l'autre.

L'œuvre était magnifique mais, après avoir passé une journée en compagnie de Botticelli, Maureen et Tammy furent moins impressionnées qu'elles n'auraient pu l'être. Elles parcoururent l'église en admirant les autres œuvres et l'architecture intérieure. Tammy, qui précédait Maureen, s'arrêta devant un immense tableau situé sur le mur de droite. Une expression d'horreur intense se peignit sur son visage.

— Qu'est-ce que c'est ? demanda Maureen en s'approchant.

— Maureen, je te présente sainte Félicité.

Le tableau était majestueux, tragique et terrifiant. Tel un Phénix, Félicité émergeait des corps de ses fils morts, allongés par terre, sanguinolents, dans des poses grotesques. Certains corps étaient décapités. Félicité se dressait au centre de cette scène de carnage, les bras levés vers le ciel, dans une attitude de défi plutôt que de souffrance. Le cadavre du plus jeune de ses fils, un bel enfant aux cheveux d'or, reposait sur son genou.

La toile faisait horreur aux deux jeunes femmes, qui ne pouvaient cependant en détacher les yeux.

— Magnifique, n'est-ce pas ?

Elles sursautèrent en entendant la voix qui s'élevait derrière elles, et, se retournant, reconnurent l'étudiante qui avait abordé Maureen aux Offices. Malgré la chaleur, elle portait des gants de cuir, remarqua Maureen. Consciente de cette incongruité, la jeune fille expliqua sans s'attarder :

— Eczéma, dit-elle simplement, avant de légitimer sa présence. Je travaille ici comme volontaire pour la congrégation de la Sainte-Apparition. C'est ici que se tiennent les réunions du chapitre de Florence. Félicité est une de nos saintes patronnes. Ce n'était pas vraiment une visionnaire, mais elle entendit la voix de Dieu assez nettement pour lui sacrifier ses enfants. Connaissez-vous son histoire ?

— Non. Je sais seulement que ses sept enfants ont été massacrés sous ses yeux.

Felicity leur narra en détail l'histoire de Félicité la Romaine, qui avait eu le courage de voir ses fils mis à mort plutôt que de renier sa foi, et termina son récit par une citation de saint Augustin.

— « Sublime spectacle pour notre foi que cette mère qui choisit que ses enfants en finissent avec leur vie terrestre avant elle, contrairement à tous nos instincts humains. »

Tammy ne le supportait plus. En temps normal, elle n'avait pas sa langue dans sa poche, mais aujourd'hui, avec cette nouvelle vie qui naissait en son sein, c'en fut trop pour elle. Inconsciemment, elle posa la main sur son ventre, comme pour protéger son enfant contre l'horreur de ce récit.

— Désolée, mais tout ça n'est qu'un ramassis de sornettes absurdes ! Aucune femme ne laisse son enfant souffrir ou mourir. Aucune femme ne laisse assassiner son enfant sous ses yeux si elle peut l'empêcher. Et je ne peux pas croire une minute que telle soit la volonté de Dieu.

Felicity observa un instant Tammy.

— Vous croyez connaître la volonté de Dieu ? demanda-t-elle doucement.

— Je crois que Dieu ne veut pas que nous laissions souffrir ou mourir nos enfants, et qu'il a confié aux mères le soin de protéger les innocents. Et je ne crois sûrement pas que Dieu veut le sacrifice d'innocents. Je ne le croirai jamais.

Méprisante, Felicity détourna le regard pour contempler une nouvelle fois la vision horrifique de la sainte vautrée dans les cadavres de ses enfants. Puis elle s'exprima, d'une voix incantatoire, comme si elle récitait des mantras.

— Elle n'envoya pas ses enfants à la mort, elle les envoya à Dieu. Elle comprit qu'ils commençaient leur vie et non qu'ils la finissaient. Non seulement elle accepta, mais elle les encouragea, son courage fut plus fertile que son sein. Les voyant forts, elle fut forte et dans le triomphe de chacun de ses enfants elle triompha.

Tammy semblait très choquée, et Maureen était incapable de prononcer le moindre mot. Cette jeune femme du xxıe siècle considérait donc ce comportement non seulement comme acceptable, mais aussi comme un exemple à suivre ? C'était inconcevable !

Elles étaient encore muettes de stupeur lorsque Felicity leur tourna le dos et lança par-dessus son épaule :

— Le 23 mai, nous célébrons ici l'un des plus grands héros de Florence. C'est le jour anniversaire de la mort de notre saint frère Jérôme Savonarole. Ce sera très intéressant. Il y a des tracts à la porte de l'église, si vous voulez plus de détails. Bon séjour à Florence.

Tammy s'adossa à un prie-Dieu, les deux mains sur son ventre, tandis que Felicity disparaissait dans les profondeurs de l'église, derrière des grilles qui interdisaient l'accès au public.

— Je crois que je vais vomir, dit-elle à Maureen en poussant un soupir déchirant.

Maureen, bouleversée elle aussi, la comprenait.

— Voici exactement, dit-elle en désignant le tableau de Félicité entourée des innocents massacrés, tout ce que représente le fanatisme religieux. C'est un exemple parfait de la manière dont ont été détournés les enseignements du Chemin de l'Amour. Voici exactement, ajouta-t-elle, le visage de l'ennemi.

Elles sortirent à la hâte de l'église, impatientes de retrouver les bienfaisants rayons du soleil florentin. Mais Tammy prit le temps de s'emparer d'un des tracts concernant l'événement dont avait parlé Felicity.

— Non, mon amie. Je crois que c'était ça, l'ennemi, répondit-elle en désignant la direction où avait disparu Felicity avant de tendre le tract à Maureen.

Sous les informations concernant la commémoration du martyre de Savonarole il y avait une photographie de la couverture du dernier livre de Maureen, *Le Temps revient*, agrémentée d'un ordre bref : NON AU BLASPHÈME !

Florence,

1475

La taverne du quartier des Ognissanti était ce soir-là plus calme que d'habitude. Il faisait un temps superbe et l'air vespéral florentin caressait la peau comme un gant de velours. Pour les Toscans, il était criminel de s'enfermer par un temps pareil. Mais, pour Lorenzo, les occasions de se détendre avec Sandro, ces instants volés, étaient sacrées. Et Sandro était en grande forme : il avait passé une journée passionnante dans l'atelier d'Andrea del Verrocchio et de ses frères artistes.

Botticelli était pris dans une spirale créative : plus il peignait, plus il avait envie de peindre ; il se consacrait entièrement à sa mission d'artiste, car, en dépit de son cynisme affiché, Sandro était un homme à la foi profonde. Il remerciait Dieu plusieurs fois par jour de lui avoir accordé ce talent, et les moyens de l'exercer. Il remerciait aussi Dieu de l'avoir placé sur le chemin de Lorenzo et de la famille Médicis et priait pour leur sécurité, afin que se perpétue leur rôle de défenseurs des arts et de la foi.

L'atelier de Verrocchio était le terrain d'entraînement des Angéliques, et Sandro y était les yeux et les oreilles des Médicis. Il tenait Lorenzo au courant des progrès des participants, dont certains étaient déjà en contact avec l'Ordre tandis que d'autres attendaient encore leur confirmation.

— Le plus doué, c'est Domenico, c'est évident. Moi excepté, bien sûr.

Sandro avait beaucoup de qualités, mais l'humilité n'en faisait pas partie. Il n'exagérait cependant pas son talent, désormais inégalé à Florence. Nul ne le contestait. Lorenzo savait pouvoir se fier à son jugement sur les artistes que la famille destinait à l'Ordre.

Ils parlaient de Domenico Ghirlandaio, un bel homme brun, issu d'une excellente famille de Florence.

— Ses fresques sont incomparables. Celles sur lesquelles il travaille pour ta famille à Santa Maria Maggiore sont stupéfiantes. Il faudrait que tu passes les voir à leur stade actuel, car regarder travailler Domenico est passionnant. De plus, il a le visage et le comportement d'un ange, ce qui ajoute au plaisir de l'observer au cours de son processus de création. Je le prendrais comme modèle, s'il n'avait pas tendance à se représenter sans cesse. Il est un peu vaniteux, il faut bien le reconnaître, mais pas au point de l'insupportable et bizarre individu originaire de Vinci.

— Leonardo ?

— Oui. J'ai des doutes à son sujet, Lorenzo, bien qu'il dessine remarquablement et que sa technique soit impeccable. Je ne sais pas comment le décrire, Lorenzo. Il est… ailleurs. Il est différent de nous.

— Ce ne serait pas un Angélique, alors ?

— Je ne crois pas qu'il ait un caractère d'Angélique.

— Mais toi non plus, tu sais… en général.

— Très amusant ! Heureusement que c'est toi qui paies, sinon je ne te supporterais pas. Leonardo n'est pas comme nous. Pas comme moi, en tout cas. C'est un solitaire. Ce n'est pas un crime en soi, je le sais. Donatello était fou à lier, et solitaire lui aussi. Mais la différence saute aux yeux quand tu les regardes travailler. Quand Donatello se tenait devant un morceau de bois ou devant une pierre, on voyait le sens du divin couler de tous les pores de sa peau. Fra Lippi est comme lui, tu le sais. Quand il peint, Dieu s'exprime par sa main, ça crève les yeux. Et moi, je connais parfaitement ce sentiment. C'est quelque chose qui mobilise le cœur, l'esprit et le cerveau avant de passer dans les mains.

— Et Leonardo ne le ressent pas ?

— Il en est incapable. Je l'ai observé. Il ne travaille qu'avec sa tête. De plus, il a une très haute opinion de lui-même et n'écoute personne.

Lorenzo soupçonnait Sandro de dénigrer Leonardo à cause de conflits de personnes, ou d'une certaine jalousie.

— Selon Andrea, répondit-il, Leonardo exécute les dessins les plus parfaits qu'il ait jamais vus. Nous avons besoin de ce genre de talent, Sandro. Il faut travailler avec lui. Le maître a besoin d'hommes comme lui pour mener à bien nos projets.

— Je peux créer tout ce dont le maître aura besoin, et je le ferai. Il n'y a aucune raison de faire appel à un homme qui n'a aucun respect pour Notre-Seigneur.

— Explique-toi.

— Je te l'ai déjà dit. Il est différent de nous. Quand on lui demande une œuvre qui concerne Notre-Seigneur ou Notre-Dame, il est incapable d'y mettre son cœur. C'est un baptiste, Lorenzo. Il est persuadé que Jean est le véritable Messie.

— Ce n'est pas ce qu'il nous a dit quand nous l'avons interrogé avant de l'accepter dans notre atelier.

— Il est bizarre, mais ce n'est pas un idiot. Il sait que nulle part ailleurs en Italie il n'aura les mêmes conditions de travail qu'ici, et il sait aussi qu'il n'aurait jamais été admis à la guilde de Saint-Luc s'il ne t'avait pas plu.

Cette guilde était un groupement d'artistes chargé de superviser toutes les commandes d'œuvres à Florence.

Pour se faire un nom et gagner convenablement sa vie, il fallait en être membre. Et comme elle était liée à l'Ordre et aux Médicis, il fallait donc être dans leurs bonnes grâces.

— Mais tu verras, ça n'ira pas loin. Il est sans doute brillant, mais il est incapable de produire vite et bien si le sujet ne lui plaît pas. Il travaille sur un dessin des Mages depuis des mois. Il ne cesse d'y ajouter des personnages, mais il n'aboutit pas. Je parie ma fortune que cette toile ne sera jamais peinte. Qu'avons-nous à faire de son génie, si nous ne pouvons l'amener à travailler pour le but que nous poursuivons ? Pendant qu'il fait un seul dessin, je suis capable de peindre dix tableaux !

Lorenzo hocha la tête. Sandro était fier de son talent, et il avait toutes les raisons de l'être. Il était doué d'un extraordinaire génie créatif, il avait parfaitement assimilé les enseignements de l'Ordre et il travaillait à une vitesse incomparable. C'était le plus prolifique des artistes qu'avait rencontrés Lorenzo. Et l'Ordre en faisait une priorité : il fallait créer pour Dieu, aussi souvent que possible, et avec le maximum de passion et d'implication. Les artistes angéliques devaient à tout prix répondre à l'exigence de quantité, sans rien sacrifier de la qualité.

— Leonardo ne produit pas. Pendant que nous autres peignons des fresques ou des toiles, il s'évertue à dessiner de drôles de machines géantes, des excavatrices, ou des outils de mort, capables de débiter des hommes en morceaux. C'est peut-être utile, et même intéressant, mais en quoi cela sert-il notre mission ? En outre, les enseignements de l'Ordre ne le concernent pas et il n'écoute pas Andrea lorsqu'il nous transmet certains secrets.

Sandro savait qu'il avait désormais capté l'attention de Lorenzo. L'indifférence de Leonardo envers les enseignements de l'Ordre, et peut-être même son refus de ses principes mêmes étaient des points importants. On ne faisait pas éclore cette génération d'artistes pour le seul amour de l'art, mais aussi pour créer une école de scribes capables de traduire les enseignements sacrés dans des chefs-d'œuvre éternels.

— Le crois-tu dangereux ? Pourrait-il être un espion ?

— Non, dit Sandro, je ne le pense pas fourbe. Mais il n'empêche qu'il pourrait être utilisé par des gens mal-intentionnés. À mon avis, il est incapable de se montrer loyal envers toi ou envers l'Ordre. Nous ne sommes pas sa priorité, nous ne le serons jamais.

Lorenzo réfléchit, puis répliqua :

— Jacopo prétend que Leonardo est le plus grand artiste qui ait jamais vécu.

— Bracciolini dit ça ?

Sandro n'essaya pas de dissimuler son mépris.

— Ça ne m'étonne pas ! Ils sont pareils. Ce sont des cerveaux supérieurs, mais incapables de s'élever au-dessus de la raison.

— Tu n'es donc pas d'avis de faire passer Leonardo au niveau supérieur, pour le jauger ? J'allais l'envoyer au maître, pour qu'il l'évalue.

— L'avis de Fra Francesco ne peut pas faire de mal. C'est le meilleur des juges. Mais, à ta place, je ne met-trais pas trop d'espoir en ce Leonardo. T'ai-je dit qu'il écrit à l'envers ? Comme dans un miroir ? Quel intérêt, à part briller dans les salons ? J'aimerais voir ce qui arrive-rait s'il se servait de son cerveau à d'autres fins.

Lorenzo, troublé par ce rapport, hocha la tête. Leo-nardo da Vinci était un génie, qu'il espérait intégrer au bercail. Lorsqu'ils s'étaient rencontrés, le peintre s'était toujours montré élégant et courtois, un modèle d'intelli-gence et de perspicacité. Les nouvelles qu'on lui appre-nait l'ennuyaient. Il faudrait qu'il en discute avec Andrea et Fra Francesco.

— Ah ! il y a encore quelque chose que je ne t'ai pas dit. Il déteste les femmes.

— Que veux-tu dire par là ?

— Il méprise le sexe féminin. Il ne supporte pas leur vue. Selon lui, ce sont toutes des putains ou des tri-cheuses. On dirait un homme qui a été abandonné au berceau. C'est peut-être le cas. Il n'a jamais connu l'amour maternel, c'est évident lorsqu'il essaie de peindre une Madone à l'Enfant. Il n'a aucune idée du lien entre une mère et son enfant. Il quitte la pièce si le modèle est féminin. Je serais fort étonné qu'il apprécie les enseigne-ments de l'Ordre au sujet de la dévotion envers Notre-Dame. Moralité : il te fera quelques bonnes toiles de Jean Baptiste, mais il n'est certainement pas le mieux placé pour peindre nos Madones bien-aimées.

Il émanait de Leonardo da Vinci une énergie contrôlée mais tangible. Après avoir passé plusieurs heures avec lui dans l'atelier, Lorenzo ne doutait pas qu'il fût un Angélique. Son talent était confondant, l'extrême préci-sion de ses dessins était admirable. Et, comme tous ceux qu'avaient identifiés Lorenzo et son grand-père, Leo-nardo avait le charisme des artistes divinement doués. Apparemment, il n'y avait chez cet homme rien qui ne fût stimulant et prometteur pour quiconque accordait de la valeur au talent artistique. Il se montrait en outre d'une exquise courtoisie envers Lorenzo et le maître. Pourtant, Sandro et ses compagnons n'avaient pas hésité à se plaindre de son caractère emporté.

— C'est un grand honneur, Magnifico, de travailler pour vous satisfaire, dit Leonardo de sa belle voix aux inflexions du Sud.

Lorenzo remercia le peintre et ils continuèrent d'exa-miner ses dessins. L'*Adoration des Mages* était au centre de la discussion. L'ébauche promettait : le contexte était superbe, et le récit parfaitement élaboré se déroulait sur toute l'œuvre, qui était belle et puissante. Mais, en la regardant attentivement, Lorenzo commença à comprendre les réticences de Sandro.

— Le dessin ne vous plaît pas, Magnifico ?

Leonardo da Vinci semblait sincèrement navré. Une fois encore, Lorenzo n'assistait pas aux transports d'orgueil outragé qu'avaient dénoncés les autres artistes, et Leonardo ne semblait pas jouer un rôle pour plaire à son mécène. Il se passait pourtant avec ce peintre quelque chose que Lorenzo n'avait jamais éprouvé avec les autres Angéliques, même les plus colériques d'entre eux, avec qui il entrait en communication très facilement grâce à leur passion commune pour l'art et pour la transmission du divin à travers les œuvres. En dépit de son talent exceptionnel, on ne décelait pas cette passion chez Leonardo.

Lorenzo se concentra sur l'*Adoration des Mages* et mobilisa son cerveau et son esprit afin d'identifier ce qui manquait à l'œuvre. Comme l'avait remarqué Sandro, on ne sentait aucun lien entre la mère et l'enfant. Mais il y avait autre chose, que Lorenzo s'efforçait de comprendre. Leonardo attendait sa réponse et il était cruel pour un artiste de croire que son œuvre n'était pas appréciée.

— En fait, Leonardo, je l'aime beaucoup. Ce que tu as créé, cet escalier en arrière-plan, ces chevaux qui aident à percevoir la perspective, les rois placés de chaque côté... c'est vraiment magnifique. Mais...

Lorenzo sursauta, car il venait de se couper le doigt sur le bord du papier. Le sang coulait. Il suça un instant sa phalange pour l'arrêter et, ce faisant, comprit ce qui le gênait.

— Mais, reprit-il, on lit de la peur sur tous ces visages. C'est une représentation de l'un des moments les plus sacrés de l'histoire de l'humanité, la naissance de Notre-Seigneur, ce prince qui nous guidera sur la voie de l'amour divin. Et pourtant, tous les personnages qui y assistent ont l'air d'avoir peur.

— De la peur? dit Leonardo après s'être longuement tu. Non, je vois plutôt de l'admiration.

— De l'admiration, vraiment? Mais regarde ce personnage, qui doit être le roi Balthazar, répondit Lorenzo en le désignant du doigt. Il se recroqueville, comme pour échapper à l'Enfant Jésus. C'est de la peur, ça, pas de l'admiration. On dirait qu'il recule avec répugnance, presque avec horreur. Je crains, mon ami, de ne pas sentir la moindre célébration de la naissance du Seigneur.

Leonardo haussa les épaules, sa bouche se tordit légèrement, et pour la première fois il laissa tomber sa garde et dérapa, frappé sans doute par la justesse de l'observation de Lorenzo. Quand il répondit, d'une voix douce mais assurée, il ne put se résoudre à regarder son interlocuteur dans les yeux.

— Peut-être que tout le monde ne croit pas qu'il faille célébrer la naissance de Jésus. Peut-être que pour certains c'est un événement à déplorer, ou même à ignorer. Si l'art est censé dire le vrai, voilà comment je peins.

Interloqué par cette déclaration hérétique, Lorenzo regarda Fra Francesco qui avait observé en silence cette scène dramatique.

— Toi, Leonardo, tu ne crois pas que la naissance de Jésus soit un événement à célébrer ? interrogea Lorenzo d'une voix qu'il maîtrisa soigneusement car il désirait obtenir une vraie réponse et non une réaction violente.

— Ce que je crois n'a pas d'importance, Magnifico. Si mon mécène veut voir des visages souriants au-dessus de l'Enfant Jésus, mon devoir est de le satisfaire. Et je puis vous assurer qu'en les peignant je rendrai ces visages tels que vous les souhaitez.

C'était une réponse pesée et intelligente. Leonardo n'avait pas répondu à la question sur ses croyances personnelles. Il l'avait soigneusement évitée et avait répondu pour satisfaire son mécène.

Lorenzo sourit et remercia Leonardo, qu'il complimenta une fois encore sur ses dons et à qui il répéta son désir de voir ce qu'il produirait à l'avenir. Puis il appela Andrea et l'invita à dîner le soir même via Larga, avec le maître. Il fallait désormais se pencher sur le cas de Leonardo.

Andrea del Verrocchio avait été parfaitement loyal avec trois générations de Médicis, mais il n'était pas disposé à perdre sans combat le plus grand dessinateur qu'il eût jamais eu comme élève.

— Leonardo est un génie, Lorenzo.

— Je sais. J'ai des yeux, Andrea. Et j'ai aussi des oreilles. L'as-tu entendu dire que la naissance de Jésus était un événement à déplorer, et peut-être à ignorer ? C'est peut-être un génie, mais il n'est pas notre génie.

— Donne-moi un peu de temps. Nous travaillerons ensemble. Je pourrai peut-être l'amener à...

— On ne transforme pas un homme en son contraire. Même toi, mon ami, aussi brillant professeur que tu sois, tu ne peux pas changer un homme qui ne le veut pas. Personne n'a atteint la vraie grandeur en ne se servant que de son cerveau. Il faut y engager son cœur. Et, à mon avis, Leonardo ne le fera pas, car il n'en éprouve pas le désir.

Andrea se tourna vers Fra Francesco, qui leur avait inculqué le sens du mot amour par le truchement des véritables enseignements de Jésus-Christ.

— Et vous, maître, qu'en pensez-vous ?

— Ce que je pense, ou ce que je ressens ? interrogea le vieux sage. En fait, toute la question est là, finalement. Leonardo sait penser, mais il ne sait pas ressentir, et il a fait son choix. À mon avis, il s'y tiendra, quoi qu'on lui dise. Il règne une grande obscurité sur son cœur, une obscurité provoquée par la tristesse. Il ne l'a pas voulu, il n'y est pour rien, mais elle est là.

— Croyez-vous qu'il soit un Angélique ? demanda Lorenzo.

— C'est incontestable, répondit le maître avec une assurance qui étonna ses deux interlocuteurs.

Il n'était jamais arrivé que l'on exclue un artiste, pour difficile qu'il fût, si on lui reconnaissait les dons d'un Angélique. Fra Francesco allait-il insister pour que l'on garde Leonardo ?

— Mais, poursuivit-il, je pense que c'est un ange que ses expériences humaines ont abîmé dès son plus jeune âge. Il faudrait beaucoup d'amour pour qu'il s'ouvre et libère la divinité qui est enclose dans son esprit. Cela me semble très improbable. Cependant, les plus fortes des prières nous ont enseigné que le pardon doit être accordé à tous. Que Leonardo demeure encore un peu sous la tutelle d'Andrea. Nous lui manifesterons de l'amour, de la tolérance et le pardon, comme nous l'ordonne Notre-Seigneur, et nous verrons alors s'il change.

— Et s'il ne change pas ? demanda Lorenzo.

— Dans ce cas, répliqua Fra Francesco en souriant, nous lui trouverons un autre mécène, ailleurs en Italie. Une famille dont vous souhaitez la bienveillance et qui sera éternellement reconnaissante aux Médicis de leur avoir transféré leur jeune artiste le plus doué, en gage d'amitié.

Lorenzo leva son verre devant le vieillard à la cicatrice, qui, lui, était certainement un génie.

L'an 1475 promettait de compter dans la vie de Lorenzo ; les bénédictions divines pleuvaient sur toute la Toscane, sous la forme de plusieurs naissances d'enfants prédestinés par leur lignage et la position des astres à développer des dons angéliques. Les Mages avaient d'ailleurs prédit que l'année serait féconde. Clarice attendait un enfant à naître en décembre, dont les Mages prédisaient qu'il perpétuerait la mission de l'Ordre. Lorenzo plaçait ses espoirs en ce fils, car son aîné, Piero, tenait surtout de sa mère. Il était boudeur et gâté, en dépit des reproches que Lorenzo ne manquait pas d'adresser régulièrement à Clarice. Il était encore trop jeune pour que les conséquences en fussent graves, mais Lorenzo savait qu'au cours des années à venir il devrait prendre en main l'éducation de son fils. Clarice voulait qu'il s'instruisît uniquement grâce aux textes sacrés de l'Église, alors que Lorenzo, évidemment, désirait qu'il s'immergeât au plus vite dans les classiques.

Ses bonheurs de père, Lorenzo les devait surtout à ses filles. L'aînée, appelée Lucrezia comme sa mère, était une enfant délicieuse qui adorait chanter pour son père. Mais la lumière de sa vie était la petite Maria Maddalena, une enfant précoce, au caractère vif et enjoué, à qui il ne pouvait résister. La première chose qu'il faisait en rentrant au palais après avoir passé la journée au loin était de la soulever et de la faire sauter en l'air jusqu'à ce qu'elle criât de ravissement. Maddalena était spéciale, non seulement à cause de sa charmante personnalité mais aussi parce que sa naissance avait consolé Lorenzo de la perte des jumeaux nés l'année précédente qui, trop faibles, n'avaient survécu que quelques jours. Le père et la mère avaient eu le cœur brisé, mais la naissance de Maddalena avait réconforté Lorenzo. Clarice, au contraire, semblait moins bien disposée envers elle qu'envers ses autres enfants. Lorenzo ne l'en choyait que davantage.

Cependant, pour atteindre leur objectif, les Médicis devaient engendrer des garçons qu'ils pourraient consacrer à l'Église. En grandissant, Piero ne manifestait ni la personnalité ni l'intelligence de son père. Il pouvait évoluer, certes, mais il tenait si fort de sa mère que cela semblait improbable. Ce que voulait Lorenzo, c'était un garçon doté de l'intelligence et du caractère de Maddalena. Chaque jour, il priait pour que sa naissance fût heureuse. Et il priait aussi pour l'autre bébé.

Colombina était enceinte, elle aussi.

Ils ne se cachaient plus de Niccolo, mais, pour le bien de l'enfant, il fallait sauvegarder les apparences vis-à-vis des citoyens de Florence. Niccolo était resté assez longtemps à Florence pour que l'on pût croire qu'il était le père. Puis Lorenzo l'avait de nouveau éloigné. Il avait conclu avec Niccolo un accord très lucratif pour la famille Ardinghelli. En conséquence, Niccolo et Colombina se comportaient comme mari et femme en public. Et Lorenzo avait négocié la liberté absolue de Colombina de mener sa vie comme elle l'entendait.

Cela n'empêcha pas que se répandît la rumeur selon laquelle le mariage des Ardinghelli était une imposture. Les amis des Médicis le niaient, mais leurs détracteurs avaient beau jeu de mettre en évidence les nombreuses preuves de la longue liaison entre Lorenzo et *donna* Ardinghelli. Sandro faillit se retrouver en prison pour avoir cassé le nez d'une de ces mauvaises langues, un vieux compagnon de beuverie d'Ardinghelli. Apprenant que Colombina était enceinte, l'homme s'était écrié : « On trouve des Médicis partout dans Florence, et tout particulièrement dans Lucrezia Ardinghelli ! »

— Cette grande gueule l'a bien cherché ! déclara simplement Sandro pour sa défense.

Cogner quelqu'un aussi fort signifiait courir un grand risque pour des mains de peintre. Sandro avait donc été assez puni pour son crime. Le juge, un partisan de longue date des Médicis, en considéra ainsi et innocenta Sandro ; en revanche, il punit le plaignant, coupable d'avoir attenté à la réputation de *donna* Ardinghelli. Par la suite, Sandro réalisa pour ce juge un beau portrait de son épouse, en signe de gratitude.

L'amour de Lorenzo pour sa Colombina ne faiblit jamais, et son cœur se brisait à l'idée qu'il ne pourrait être à son côté durant sa grossesse. Colombina enceinte était la perfection même. Lorenzo demanda à Sandro de la dessiner ainsi, dans son éclatante maturité, telle Vénus incarnée. Les dessins que rapporta Sandro étaient magnifiques et les deux amis s'y penchèrent des heures durant afin de décider de la façon dont ils seraient inclus dans une toile destinée au bureau de Lorenzo.

Florence n'était pas la seule ville d'Italie à voir naître les enfants bénis prédits par les Mages. La famille Buonarroti, du sud de la Toscane, était observée de près par les Mages. Elle descendait de la grande Matilda de Toscane. Il y avait d'ailleurs parmi les Mages un astrologue du même nom, qui célébra la naissance d'un enfant exceptionnel le 6 mars 1475, près d'Arezzo. Son horoscope était si extraordinaire que les Mages conseillèrent de lui donner un prénom qui l'identifierait comme un Angélique dès son arrivée en ce monde. Ainsi le nouveau-né reçut-il un prénom inhabituel, qui évoquait l'archange Michel : Michelangelo.

Cet enfant méritait que l'on s'intéressât à lui, et Lorenzo tout comme l'Ordre se montrèrent assez généreux pour convaincre la famille Buonarroti de venir vivre à Florence, où le petit garçon serait instruit et ses progrès observés. Son avenir passionnait Lorenzo : doté du prénom du plus grand des archanges, il était plus que prometteur pour l'avenir de l'Ordre.

278

Le Temps revient.

Depuis des années, nous parlions, Lorenzo et moi, de créer une œuvre où seraient inscrits tous les enseignements que nous chérissions, et de l'intituler Le Temps revient. *Elle devait être d'assez grande taille pour englober tous les concepts auxquels nous tenions. Lorenzo décida de commander une toile qui recouvrirait presque tout un mur de son bureau privé.*

La grossesse de Colombina est à l'origine de l'œuvre. Enceinte, elle était d'une beauté incroyable, et l'essence même de la déesse mère en pleine floraison. En la dessinant, il m'arrivait de pleurer devant la splendeur de sa maternité à venir. Je décidai donc de mettre Colombina, le principe féminin de la divinité, au centre de la toile. Appelez-la comme vous voudrez, peu m'importe. Elle est Vénus, elle est Asherah, elle est notre mère, qui nous guide et nous nourrit. Elle est la Beauté. Je l'ai habillée de rouge, la couleur de Notre-Dame Madeleine, et brodé sa cape des diamants de l'union divine ; elle porte les sandales dont parle le Cantique des cantiques *: « Comme tes pieds sont beaux dans ces sandales, mon amour », dit l'époux sacré à son éternelle épouse.*

Notre-Dame préside au cycle des âmes, de l'union humaine ici-bas à l'amour de Dieu, et de l'amour de Dieu à l'éternel retour sur la terre. Son jardin est luxuriant et magique, les symboles de la famille Médicis et les fleurs et les plantes qui ornent le jardin de notre cher Careggi y abondent. Elle nous bénit de la main droite et attire aussi notre attention sur la danse des trois Grâces, une danse de vie, une célébration de l'amour terrestre sous ses trois aspects : la pureté, la beauté et le plaisir. La pureté, ou chasteté, ne doit pas perdurer lorsque le véritable amour fait son entrée, donc le personnage de Cupidon dirige sa flèche sur le personnage qui l'incarne. Pureté deviendra Beauté et bientôt Plaisir en parcourant le cycle de l'amour.

Je me suis servi, naturellement, des dessins de Ginevra, Colombina et Simonetta le soir où elles avaient dansé, à l'Antica Torre.

J'ai aussi utilisé, pour ce portrait de famille, un dessin d'Angelo que j'avais fait le jour de son arrivée à Careggi. Il représente Hermès, qui sème la pagaille pour nous tous. Je l'ai combiné avec le visage de Giuliano de Médicis, le plus beau des modèles pour un dieu. Mercure-Hermès trouble l'ambiance, mais il montre aussi le chemin entre le ciel et la terre. Il incarne les principes inscrits dans La Table d'émeraude : ce qui est au-dessus est aussi au-dessous, car nous nous réunissons tous pour accomplir le miracle de l'Un.

Et qu'est-ce que l'Un ? C'est créer le paradis sur terre en vénérant la Beauté sous toutes ses formes, sous le voile de l'amour. C'est le Chemin.

À droite du tableau, j'ai continué à rendre hommage à La Table d'émeraude d'Hermès en montrant le vent, Zéphyr. « Le vent le porte en son ventre » est une allégorie du miracle de la vie, le retour de l'âme à la terre. Zéphyr fait naître Chloris, sa bien-aimée. Selon les maîtres grecs, Zéphyr et Chloris étaient des âmes jumelles créées par Dieu pour régner ensemble sur les climats. Avec eux, j'illustre le principe selon lequel un jumeau donne naissance à l'autre, la quintessence de ce qui advient lorsque deux bien-aimés sont réunis. Ils renaissent. Chloris représente la transition entre le royaume des cieux et le royaume terrestre. Elle s'incarne enfin en Flora, le symbole du cycle complet de l'incarnation et de la femme humaine accomplie. Flora est anthropos, elle est humanitas, elle est tout ce qui est beau dans l'humanité de chair et de sang. Les fleurs sur son ventre indiquent la fertilité, car elle est la célébration de la vie. Elle répand ses fleurs autour d'elle et dispense la joie par la compréhension et la célébration de la Beauté sous sa forme la plus sublimée.

Simonetta a posé pour Flora ; sa beauté délicate m'a inspiré, comme toujours. Je me suis permis une licence artistique, en la peignant plantureuse et éclatante de santé, en espérant que ma toile aurait le pouvoir magique de transformer notre Bella en cette figure radieuse. Mais, hélas ! elle dut regagner son lit après quelques heures seulement passées avec moi. Ses forces ne sont pas encore revenues, mais nous gardons tous un espoir aussi éternel que le printemps dans le tableau.

Ainsi ai-je accompli le chef-d'œuvre de ma vie, le tableau où j'ai mis tout mon cœur et toute mon âme. On y admire

*les gens que j'aime, personnifiant les enseignements que
je vénère. Je n'ai jamais vu Lorenzo manifester un tel
enthousiasme pour une œuvre. Il l'a immédiatement
accrochée dans son studiolo et il m'a dit que rien ne lui
avait encore fait comprendre aussi parfaitement la nature
de la beauté. Sauf Colombina, bien sûr.*

Je demeure
Alessandro di Filipepi, alias Botticelli.

Extrait des *Mémoires secrets* de Sandro Botticelli.

Florence,

De nos jours

— Qu'est-ce que le génie ?
Le maître avait posé cette question à la cantonade.
— Léonard de Vinci était-il un génie au seul prétexte
que sa technique était parfaite et supérieure à celle de
tout autre artiste ? Certes, il était doué d'une intelligence
exceptionnelle. Cela suffit-il à définir le génie ?
Après le cours sur Botticelli et Vinci qu'ils avaient eu
le privilège de suivre aux Offices, quelques jours plus
tôt, aucun des présents n'était disposé à accorder du
génie à Vinci. Petra ajouta :
— Aucun homme ne parvient à la grandeur grâce à
son seul cerveau. Il faut y mettre aussi son cœur.
— Très juste. Vinci était incapable de finir presque
tout ce qu'il commençait, mais personne ne semble le lui
reprocher. Un génie ou un grand homme abandonne-t-il
la plupart de ses projets avant de les mener à terme ? Je
ne le pense pas. Vinci est incroyablement moins fécond

que Botticelli ou Ghirlandaio. Et pourtant, c'est lui qui est considéré comme le génie de la Renaissance. Voilà l'une des injustices les plus criantes de l'histoire.

— Comment la situation a-t-elle évolué entre Laurent et Léonard ? demanda Maureen.

— Laurent de Médicis a tenu sa promesse, comme toujours. Il a donc permis à Vinci de rester quelques années de plus à Florence, même s'il ne produisait pas grand-chose pour les Médicis et ne créait rien qui puisse être utile à l'Ordre. En fin de compte, Vinci s'est montré très déloyal envers Laurent de Médicis, alors qu'il avait toutes les raisons d'aimer les Médicis ; mais son cœur ne les lui a pas dictées. Il est devenu évident que Vinci était désormais nuisible. Même Andrea, qui l'avait défendu pendant des années, ne supportait plus ses constantes agressions. En 1482, il a fallu lui faire quitter Florence une fois pour toutes. Nous l'avons envoyé à Milan, en guise de cadeau à la puissante famille Sforza qui, reconnaissante, est restée l'alliée de Laurent de Médicis durant toute sa vie.

— Et c'est la fin de l'histoire ? demanda Peter.

— Je crains bien que non, répondit le maître dont le regard se brouilla. Nous avons découvert, bien des années plus tard, que nous avions introduit un loup dans la bergerie. C'était un espion de Rome ; il révélait les secrets de l'Ordre au Vatican. Pour quel motif ? Je l'ignore encore. Pour l'argent ? Par pure méchanceté ? Au nom d'une conviction religieuse erronée, pour détruire l'Ordre ? Léonard de Vinci a eu le grand talent de savoir demeurer une énigme. Il doit nous servir de leçon à tous. Pendant des années, je me suis repenti d'avoir insisté pour que Laurent le garde. S'il avait été renvoyé dès que nous l'avons perçu comme un danger potentiel, on aurait sans doute évité les événements tragiques qui se sont déroulés par la suite. Peut-être que le vil Sixtus n'aurait pas eu les munitions dont il disposa pour s'en prendre aux Médicis comme il l'a fait. J'ai cru pratiquer le pardon, alors que je faisais une erreur de jugement. Certes, mes enfants, vous devez toujours pardonner et aimer votre prochain, mais vous ne devez pas pour autant introduire un loup sanguinaire dans votre bergerie. Cependant, poursuivit le maître, Léonard de Vinci nous a trahis, certes, mais il y avait parmi nous un traître beaucoup plus dangereux.

Florence,

Décembre 1475

Clarice, affolée, ne parvenait pas à trouver *donna* Lucrezia. Elle avait accouché d'assez d'enfants pour savoir que celui-ci ne tarderait plus. Il fallait convoquer la sage-femme. C'était la semaine des fêtes et la majorité des domestiques était en congé. Elle disposait de peu de personnel pour l'aider avec les enfants et la tenue de la maison. Lorenzo était trop généreux avec la domesticité, et c'était elle qui en payait le prix. D'ordinaire, elle ne se plaignait pas, car elle savait que souffrir était le lot des épouses, mais, en ce neuvième mois de sa grossesse, elle était à bout de patience.

Selon la tradition florentine, elle n'avait pas le droit d'entrer dans le bureau de Lorenzo et n'avait jamais encore transgressé cet interdit. Mais, à ce stade du travail, elle avait besoin d'aide, et de trouver Lorenzo à tout prix. Elle courut vers le *studiolo* dont elle ouvrit la porte sans frapper.

Clarice se figea et blêmit devant le spectacle qui s'offrait à elle : un immense tableau où Lucrezia Donati, enceinte, était la figure centrale d'un ensemble d'un paganisme si outré qu'aux yeux de Clarice tous ceux qui vivaient sous le même toit iraient droit en enfer.

Lorenzo, surpris et inquiet de la présence de sa femme en ce lieu, leva les yeux du livre de comptes de la banque Médicis de Lyon qu'il étudiait.

— Qu'y a-t-il, Clarice ? C'est le bébé ?

Les deux mains sur son ventre, Clarice hocha la tête sans quitter des yeux le chef-d'œuvre de Botticelli. Lorsqu'elle eut recouvré ses esprits, elle parla enfin.

— Lorenzo, je ne veux pas de ça dans ma maison.

— C'est ma maison, Clarice, fit Lorenzo, agacé mais sans élever la voix. Et cette pièce est mon domaine privé, le seul. C'est à moi et à personne d'autre de décider de ce que j'y mets.

— Mais ce n'est pas juste, Lorenzo, explosa Clarice dont l'état accroissait encore l'hystérie. C'est trop me demander, que de subir une telle chose. C'est cruel. Vous vous vantez de votre sens de la justice et de votre humanité. Pourquoi n'avez-vous jamais su me manifester ces qualités, à moi, votre épouse ?

Elle s'exprimait avec une passion que Lorenzo n'avait jamais vue chez elle.

— Chaque jour de ma vie, je souffre mille morts car je sais que vous ne m'aimerez jamais. Il y a trois personnes dans ce mariage et je suis la moins importante des trois. Je le sais, je vis avec ça et je m'efforce de ne pas dépérir dans cet hiver permanent. Je trouve le soleil dans mes enfants – nos enfants. Je n'en demande pas beaucoup, Lorenzo. Mais si vous ne retirez pas cet abominable objet païen, je retourne à Rome et j'emmène les enfants. Votre chère Maddalena y compris.

Lorenzo n'était pas homme à se laisser impressionner par les menaces ou la coercition, mais les remarques de Clarice sur la justice l'avaient touché. Jamais, durant toutes ces années, il n'avait imaginé qu'elle souffrait. Elle s'était toujours montrée si indifférente, subissant les accouplements destinés à peupler la dynastie des Médicis exactement comme elle préparait un déjeuner ou brodait un coussin : des tâches qui incombaient à une épouse.

Mais il s'apercevait soudain qu'elle était blessée. Par sa faute. Et ses remords étaient sincères.

— Je suis navré, Clarice, répondit-il d'une voix douce, empreinte de tendresse.

Elle laissa couler les larmes amères qui l'étouffaient, ne désirant qu'une chose, qu'il vînt à elle, la prît dans ses bras et lui offrît la chaleur et le réconfort qu'elle avait espéré trouver en lui lorsqu'elle était arrivée à Florence, jeune étrangère terrifiée, pour épouser un inconnu. Mais ils ne pouvaient revenir en arrière et leur guerre, certes larvée, durait depuis trop longtemps. Tout ce que Lorenzo pouvait faire pour la malheureuse qui se tenait devant lui, éplorée et sur le point d'accoucher, était de céder à sa demande. Il répondit doucement, mais sans chaleur.

— Je le ferai enlever dès demain matin.

Alors, dans un geste d'audace comme elle n'en avait jamais accompli, Clarice prit sur elle de parler.

— Lorenzo, ne pourrais-tu... Ne voudrais-tu me dire un mot, un seul mot d'amour ?

— Tu me parles d'amour, Clarice ? s'exclama Lorenzo, interloqué. Mais je ne t'ai jamais entendue employer ce mot. Tu parles de devoir, oui. Mais d'amour ? Jamais ! Pardonne-moi, mais je ne sais pas comment répondre à ta demande.

— Mais Lorenzo, tu es mon mari. Et... et moi, je t'aime.

Empli de tristesse et de pitié, Lorenzo soupira en regrettant le rôle qu'il jouait dans le malheureux destin de son épouse. Certes, elle avait des défauts, mais ce n'était pas une femme méchante ; elle était le pur produit de sa famille et de sa foi.

— Alors, dit-il sans se vouloir cruel, mais incapable d'une autre réponse, je suis vraiment désolé. Sincèrement.

Elle s'enfuit en sanglotant. *Donna* Lucrezia la croisa dans les couloirs du palais et la ramena dans sa chambre où elle la mit au lit en attendant la sage-femme.

Le lendemain, Lorenzo fit enlever du palais le chef-d'œuvre que Sandro et lui appelaient *Le Temps revient*. Lorenzo le fit encadrer et décida de l'offrir en cadeau de mariage à son cousin Lorenzo di Pierofrancesco, qui avait lui aussi étudié les classiques et apprécierait certainement les éléments mythologiques de l'œuvre. Lorenzo demanda à Sandro de le personnaliser à l'intention de son cousin. Comme l'emblème de la famille de ce dernier était une épée d'un genre particulier, Sandro se contenta de peindre cette arme le long de la taille d'Hermès.

Lorenzo di Pierofrancesco et son épouse furent enchantés de la générosité de leur cousin.

Mais Lorenzo, pour sa part, ne se consola pas de la perte du chef-d'œuvre de Sandro. En guise de compensation, Clarice donna naissance à un garçon en pleine santé le 11 décembre. Ils le nommèrent Giovanni.

Colombina accoucha d'un garçon, en présence de sa sœur Costanza et de Ginevra Gianfigliazi. Niccolo était en mer.

Le père biologique de l'enfant ne put assister à l'événement.

Colombina avait pleuré de douleur durant l'accouchement, mais elle sanglota plus amèrement encore, plus tard dans la soirée, en berçant le magnifique petit garçon contre son cœur. Il avait un nez parfait, des traits délicats, et lui ressemblait énormément. Heureusement pour eux tous, le bébé n'avait ni le menton en galoche ni le nez épaté des Médicis. Son visage ne le désignerait pas comme le fils bâtard de la putain des Médicis. Au moins, songea Colombina avec gratitude, ceci lui serait épargné.

Pourtant, en le regardant, elle ne put s'empêcher de regretter un peu qu'il n'y eût pas plus de Lorenzo dans son enfant.

Florence,

1476

Assise à sa fenêtre, Ginevra Gianfigliazi contemplait les rives de l'Arno ; elle ressentait jusque dans ses os l'humidité de cette journée orageuse et sombre. Elle ne se leva pas lorsque Colombina entra dans la pièce. Les deux femmes étaient trop intimes pour s'embarrasser de politesses et chacune comprenait l'humeur de l'autre comme seules en sont capables des amies qui ont partagé de multiples secrets. Colombina resta silencieuse; elle s'assit en face de son amie et contempla la même vue.

Ginevra finit par lever sur elle des yeux rouges et gonflés. Sans surprise, elle constata que ceux de Colombina étaient dans le même état.

— Tu as compris, toi aussi, dit simplement Ginevra.

Colombina hocha la tête et éclata en sanglots. Elle se prit le visage entre les mains le temps de recouvrer son calme.

— Elle est si malade, Ginevra. Elle le sait, et elle ne dit rien. Pourquoi ne dit-elle à personne qu'elle est en train de mourir? Comment est-il possible que personne ne le voie?

Les deux femmes étaient allées séparément chez les Vespucci, rendre visite à Simonetta qui gardait la chambre depuis quelques jours. Elle toussait de plus en plus, et crachait du sang. Pourtant, sa famille semblait inconsciente de la gravité de son état. Elle se comportait comme s'il s'agissait d'une petite rechute sans conséquence, due à sa faible constitution.

— Elle le cache si bien! Et Simonetta est si belle que les ombres sur son visage ne font qu'accentuer la transparence de son teint. Et la fièvre rehausse la couleur inhabituelle de ses yeux.

— Je ne sais pas quoi faire au sujet de Sandro. Ou de Lorenzo et Giuliano, d'ailleurs. Ils seront aussi malheureux que nous. Mais toi et moi, nous y sommes préparées. Nous voyons la mort rôder autour d'elle depuis des années, et se rapprocher de plus en plus. Les hommes n'en sont pas conscients. Ils la savent fragile, mais aucun d'eux, à mon avis, n'a envisagé l'idée que nous allions la perdre.

— Oui, et bientôt.

— Combien de temps lui reste-t-il? Il faut que je la serre dans mes bras encore une fois, que je lui dise qu'elle est ma sœur, et combien je l'aime.

— Alors, Colombina, je te suggère d'y aller immédiatement. Je l'ai vue aujourd'hui, et je n'ai plus d'espoir. Nous devrions envoyer un messager à Lorenzo et Giuliano. Ils voudront la voir, eux aussi.

— Ils ne sont pas ici, fit Colombina, redoublant de pâleur. Ils sont à Pise, tous les deux. Mais ils seront de retour dans quelques jours, et je les ferai prévenir dès qu'ils seront à Florence. Tu crois vraiment que... Nous allons la perdre aussi vite ? Oh, non ! Je t'en prie !

Ginevra, la force faite femme, se mit à sangloter. Elle considérait Simonetta comme sa jeune sœur, elle l'aimait profondément. La perdre serait une épreuve pour eux tous. À quoi donc pensait Dieu, qui offrait au monde une telle beauté et la lui reprenait ainsi ?

Le messager de Colombina s'en fut jusqu'à Pise avec l'odieuse nouvelle de la mort soudaine de Simonetta Cattaneo de Vespucci, en ce jour du 26 avril.

Personne n'avait eu l'occasion de lui dire adieu.

Lorenzo et Giuliano firent une longue promenade pour parler de leur douce et pure Simonetta et partager leur chagrin. Ils l'aimaient tous profondément ; elle était devenue la petite sœur de l'Ordre.

— Le 26 avril sera à jamais un jour de tristesse, Giuliano.

Le cadet hocha la tête et désigna le ciel.

— Tu vois cette étoile ? Celle qui est plus brillante que les autres ? Tu crois que c'est Vénus ?

— Peut-être, répondit Lorenzo. Ou peut-être que notre Simonetta est avec Dieu et que la lumière de son âme a créé cette étoile, aussi belle et brillante qu'elle.

— Je n'aurai jamais ton don pour la poésie, mon cher frère. Tout ce que je peux dire, c'est que je l'aimais et qu'elle me manquera. Je prierai pour qu'elle soit désormais environnée d'autant de grâce et de beauté qu'elle nous en a apporté.

— Et tu prétends que tu n'es pas poète ? sourit Lorenzo.

Plus tard dans la nuit, de retour dans sa chambre, Lorenzo pleura la perte de sa belle petite sœur. Comme l'y incitait toujours Angelo, Lorenzo traduisit son chagrin en un poème qui deviendrait l'un des préférés du peuple toscan : *O Chiara Stella*.

Désormais, Simonetta était un éclat de ciel.

Les funérailles de Simonetta Cattaneo de Vespucci donnèrent lieu à une cérémonie triste et raffinée. Les hommes des familles Vespucci et Médicis qui l'avaient aimée portèrent son cercueil jusqu'à l'église des Ognissanti. Des milliers de Florentins se pressèrent autour du cortège en signe de deuil. Cette affluence prouvait que le peuple de Florence comprenait qu'il avait trop tôt perdu un trésor inestimable.

Marco Vespucci se remaria assez vite avec une paysanne lourdaude qu'il pouvait engrosser à loisir. Un soir de beuverie, on l'entendit déclarer à la taverne des Ognissanti : « Les déesses, il faut les vénérer, mais elles ne sont pas destinées à devenir des épouses. Simonetta n'était pas faite pour moi. Elle appartenait au monde entier, et surtout à Dieu, qui l'a rappelée à lui car sans elle le ciel était incomplet. »

La bella Simonetta

Elle était la plus exquise des créatures, elle était la muse des poètes, parfaite, divine, intouchable.

On a dit que j'étais amoureux d'elle. Évidemment, je l'étais, comme tous ceux qui l'ont approchée. Mais ce n'était pas un amour défini par Éros, pas un désir de possession physique. Simonetta nous touchait tous au cœur et nous ouvrait le chemin de la compréhension de la vraie nature du principe divin féminin. Je suis personnellement certain qu'elle était l'incarnation de Vénus. Et c'est comme cela que je l'ai peinte.

Dans le jardin de Lorenzo, il y a une statue de la Rome antique que l'on appelle la Vénus des Médicis. Sa nudité est la perfection même. Son bras droit est replié sur ses seins et de la main gauche elle dissimule ses parties les plus intimes. C'est le modèle que j'ai choisi pour peindre le corps de Simonetta, mais le reste est tout à fait elle : les longues boucles dorées, la peau de pêche, les yeux pailletés. Elle sort de la mer sur une coquille, qui est le symbole d'Asherah, notre mère qui est au ciel et qui est la Beauté même, celle que les Grecs nommèrent par la suite Aphrodite, et les Romains Vénus.

Zéphyr et Chloris lui insufflent la vie et l'aident à s'incarner sur terre. Elle est nimbée d'or, pour rappeler au spectateur que ce qu'ils voient, la vraie Beauté, qui est aussi l'Amour, est précieux plus que la vie.

Une femme vient pour la couvrir d'une cape rouge brodée de fleurs. Cette femme, c'est Colombina, elle représente la sœur qui la protégera contre la dureté de ce monde. Colombina la trouve très belle dans sa nudité, mais elle sait que le monde ne la comprendra pas et le lui reprochera, donc elle la recouvre d'une cape pour la cacher aux yeux d'un monde qui ne la mérite pas.

Colombina porte l'emblème de Lorenzo, le laurier.

La Naissance de Vénus *est l'hommage que j'ai offert à Simonetta, mais aussi à l'amour qui unit les femmes de l'Ordre.*

À l'instar de Donatello, qui a choisi de reposer pour l'éternité à côté de Cosimo, j'ai demandé à être enterré aux pieds de Simonetta. Je formulerai ma requête par écrit, pour prouver à Marco Vespucci que je suis très sérieux. Je suis certain que même ses ossements seront magnifiques et qu'ils m'inspireront pour l'éternité.

Elle était, en vérité, l'Inégalée.

Je demeure
Alessandro di Filipepi, alias Botticelli

Extrait des *Mémoires secrets* de Sandro Botticelli.

Florence,

De nos jours

Vittoria parlait dans son téléphone portable.

— Tout est organisé, Bérenger. Viens me retrouver demain à deux heures au Palazzo Vecchio. Le maire nous mariera dans le Salon Rouge. C'était la chambre à coucher de Cosme de Médicis. Il y a conçu ses enfants. Idéal, non?

— Pourquoi es-tu si pressée, Vittoria? Pourquoi faut-il que ce soit demain? J'ai besoin de temps. Mon frère est en prison, pour l'amour de Dieu! Et ma famille est plongée dans le chaos.

— Mais, Bérenger, je te l'ai dit. Ce ne sera qu'une cérémonie civile, à la mairie; en toute intimité. J'ai besoin de voir que tu prends ton fils à cœur, et que tu te préoccupes de sa destinée. Personne ne sera au courant. Et, plus tard, nous organiserons un mariage dont le monde entier parlera. Octobre est magnifique, en Toscane.

— Vittoria, je t'en prie…

— Tu ne m'en feras pas démordre. Et je ne te laisserai pas essayer de me voler mon fils. Lui et moi, nous formons un tout, Bérenger. C'est nous deux ou rien. D'ailleurs, tu devrais t'estimer heureux! Tu sais le nombre d'hommes qui tueraient père et mère pour avoir la chance de m'épouser?

Bérenger tenta une autre approche.

— Voyons-nous ce soir, Vittoria, pour parler. Puis-je passer chez toi un peu après dix heures?

La perspective d'un rendez-vous nocturne avec lui enchanta Vittoria. Enfin, il cédait à sa volonté, comme elle s'y était attendue. Tous les hommes en faisaient autant. Tous.

***

« Le Temps revient. » Tel était le leitmotiv préféré de l'hérétique. C'était leur ignoble devise depuis des temps immémoriaux, avant même cet Antéchrist de Lorenzo de Médicis et sa putain adultère. Dans le temps, son grand-oncle, le père Girolamo, haïssait si violemment les Médicis qu'il ne pouvait prononcer le nom de ces maudits sans s'étouffer dans sa bile. Il y avait bien long-temps déjà que ses ancêtres, notamment Savonarole, avaient créé la confrérie à Florence, pour combattre les traditions des hérétiques.

Paradoxalement, le frère dominicain était venu à Flo-rence sur l'invitation de Laurent de Médicis en per-sonne. On ignorait pourquoi Lorenzo avait accueilli le prêcheur si prompt à menacer chacun des flammes de l'enfer et l'avait installé à la tête du monastère de San Marco, la retraite favorite de Cosme. Les sermons de Savonarole contre la frivolité et le relâchement des mœurs choquaient les Florentins, qui n'étaient pas habi-tués à se voir menacer de la colère divine. Lorenzo regretterait amèrement son initiative, car Savonarole ne tarda pas à accuser les Médicis d'être des tyrans et à dénoncer l'influence diabolique des arts. La Madone du Magnificat, de Botticelli, était représentée comme une courtisane de luxe, tonnait-il. Et il surenchérirait encore avec ses fameux bûchers des vanités, volontaires paro-dies des festivités raffinées qui avaient fait la réputation de Florence et des Médicis. Dans la Florence de Savo-narole, les disciples du moine frappaient aux portes et exigeaient qu'on leur remît toutes sortes de frivolités afin d'alimenter le gigantesque feu de joie qui serait allumé Piazza della Signoria. Mais ce que Savonarole et ses disciples – que les Florentins appelaient les *piagnoni*, les « pleurnicheurs » – appréciaient le plus, c'était de mettre la main sur des objets d'art et sur des livres qu'ils jetaient aux flammes dans des transports de joie, car il fallait à tout prix éradiquer ces agents de l'hérésie. Nul plus que Savonarole ne détruisit des centaines d'œuvres d'art d'une valeur inestimable.

Bon débarras, songeait Felicity. Mais il en était resté beaucoup trop.

Maintenant que son grand-oncle avait perdu la foi, la jeune fille estimait qu'il lui incombait de mener la guerre sainte contre ceux qui perpétuaient le blasphème initié par les Médicis cinq siècles auparavant. Elle serait la digne disciple de Savonarole. Il y aurait une nouvelle Renaissance, certainement, mais pas celle de Laurent l'hérétique et de Maureen Pascal, la blasphématrice. Ce serait la résurrection des efforts acharnés de Savonarole pour laver Florence de ses péchés. Elle remettrait à l'honneur les bûchers des vanités, en commençant par la commémoration de l'anniversaire de la mort de Savonarole, qui devait se dérouler cette semaine.

Ayant obtenu l'autorisation d'ériger un bûcher des vanités dans le jardin de Santa Felicita, la jeune fille avait demandé aux membres de la Confrérie de rassembler des objets de frivolité, surtout des livres considérés comme hérétiques et blasphématoires, afin d'alimenter le feu. Elle apporterait des exemplaires de tout ce qu'avait publié Maureen Pascal, en anglais comme en italien.

La campagne américaine avait très bien fonctionné. Les membres italiens de la Confrérie avaient mobilisé les organisations sœurs aux États-Unis afin d'attaquer Maureen Pascal sur tous les forums de discussion du Web. Certains étaient payés pour s'en prendre à elle, d'autres étaient de fidèles disciples soucieux de tout tenter pour discréditer ses blasphèmes. Ils avaient été rapides et efficaces, et avaient répandu contre Maureen les rumeurs élaborées à Rome, allant jusqu'à inspirer des menaces de mort, douces comme des cerises sur le gâteau. Lorsque la presse s'était faite l'écho de ces menaces, l'équipe de la confrérie s'était de nouveau répandue sur Internet pour prétendre que les chargés de publicité de Maureen faisaient courir ces fausses nouvelles pour lui attirer la sympathie et vendre plus de ses livres. C'était un cercle vicieux efficace, qui avait réussi à entacher la réputation de Maureen. Et ce n'était que le début.

Après avoir rencontré la blasphématrice et son groupe d'amis, Felicity était plus déterminée que jamais à accentuer sa campagne contre l'impie. Malheureusement, l'Antica Torre, où ils habitaient à Florence, était quasiment impénétrable. Et elle en était encore à élaborer la deuxième partie de son plan, grâce auquel elle éliminerait à jamais le blasphème en supprimant la blasphématrice.

Le Temps revient? songeait-elle. Et comment qu'il revient!

Congrégation de la Sainte-Apparition,

Cité du Vatican,

De nos jours

Le père Girolamo DiPazzi achevait de se préparer à partir pour Florence. Il était fatigué, épuisé même, et n'avait qu'une envie : demeurer dans son sanctuaire romain jusqu'à la fin de ses jours. Mais il y avait trop d'affaires urgentes à régler en Toscane et il ne pouvait se contenter de rester inactif : il en savait trop.

Il aurait certainement à s'occuper de Felicity, mais ce n'était pas la priorité. Au courant des projets imminents concernant l'élimination du problème Buondelmonti, il fallait qu'il fût à Florence pour en gérer les répercussions. La congrégation de la Sainte-Apparition existait depuis cinq siècles et, si son propos officiel était d'examiner et d'honorer les visions de la Sainte Vierge, elle avait en fait un objectif officieux plus important. La Congrégation était désormais un élément incontrôlé, opérant à l'extérieur du Vatican, et qui déterminait elle-même les actions à entreprendre pour protéger l'Église. Si une menace pointait, elle était systématiquement éliminée.

Avant son attaque, le père Girolamo avait été le plus impitoyable et le plus efficace des chefs de la Congrégation. Condamner un ennemi de l'Église à mort ne lui coûtait pas le moindre effort. La foi devait être protégée, à tout prix. Mais, bien qu'il crût toujours passionnément en l'Église, les événements qui s'étaient déroulés ces trois dernières années l'avaient ébranlé. Ce changement de personnalité était la cause de son conflit avec Felicity et, en vérité, avec les autres membres de la congrégation. Depuis qu'on l'avait jugé trop conciliant dans l'affaire « Maureen Pascal et le Livre de l'Amour », on l'avait écarté des affaires.

Il demeurait un vieillard vénéré et respecté, mais ce n'était plus lui qui prenait les décisions. Cependant, les chefs actuels de la Congrégation l'avaient consulté au sujet de Vittoria Buondelmonti, car le père Girolamo était un spécialiste des familles de la Lignée, de l'Ordre, et de tous leurs secrets. Considérait-il Vittoria Buondelmonti comme un danger pour l'Église officielle ? Quel objectif poursuivait-elle en exhibant ainsi son enfant ? Pourquoi l'identité du père était-elle aussi importante ? Ils étaient assez bien renseignés par leurs agents pour comprendre qu'elle posait un problème, mais ils ne saisissaient pas toutes les nuances de l'affaire.

Les réponses du père Girolamo furent inquiétantes. Apparemment, plusieurs des nobles familles d'Europe conspiraient pour s'unir derrière cet enfant, dont elles prétendaient qu'il était un messie et même la deuxième résurrection du Christ. La menace était à prendre au sérieux, car les familles en question avaient accès à de nombreux documents sur l'origine de la chrétienté et possédaient des reliques inestimables. Depuis des siècles, la congrégation essayait de s'emparer du Libro Rosso et de la Lance de la Destinée, afin que leur existence et leur authenticité ne puissent jamais être prouvées. Le Libro Rosso était la plus dangereuse des armes contre l'autorité de l'Église officielle, et la Lance de la Destinée avait le pouvoir de garantir la victoire sur tout opposant. Ces deux objets valaient tous les sacrifices, quels que puissent être les dommages collatéraux.

La menace Buondelmonti était avérée. Il fut donc décidé de retirer Vittoria et son enfant de l'échiquier. La jeune femme était suivie par la congrégation depuis qu'elle avait clamé l'existence de son enfant. Lorsque les chefs de l'organisation apprirent qu'elle avait rendez-vous avec Bérenger dans la soirée, ils élaborèrent un plan.

Ils pouvaient faire d'une pierre trois coups.

Girolamo DiPazzi ne donna pas l'ordre de molester Bérenger, Vittoria et l'enfant. Mais il savait qu'il se trouverait forcément quelqu'un à la tête de la congrégation pour être prêt à prendre toutes les mesures nécessaires au maintien du statu quo et supprimer la menace. Car c'étaient ceux-là que la congrégation attirait : les fanatiques, les prétendus soldats du Christ, prêts à tout entreprendre au nom de la sécurité de leur Église.

Vittoria Buondelmonti était allée trop loin, elle le paierait de sa vie, tout comme son enfant et le père de ce dernier. Le père DiPazzi en était certain. Et n'avait aucun moyen de l'empêcher.

Cette trinité impie menaçait l'Église. Elle serait éradiquée.

Florence,

1477

En poussant un long soupir, Lorenzo saisit le luxueux gobelet qui se trouvait sur son bureau. Il but une bonne gorgée de vin en prenant soin de ne pas en renverser sur les documents officiels qui retenaient son attention. Ce parchemin représentait sans conteste l'un des défis diplomatiques les plus importants qu'il eût eu à relever.

En tant que dirigeant de la banque Médicis, devenue l'institution financière la plus puissante et la plus rentable du monde, Lorenzo était souvent sollicité pour accorder des prêts risqués ou inhabituels. Les demandes émanaient en général des puissants de ce monde : rois, cardinaux ou commerçants influents et habiles négociateurs. Lorenzo avait fait son éducation en observant son grand-père, qui traitait ces problèmes de main de maître. Mais il en avait également beaucoup appris en voyant son père saboter des négociations et se créer de dangereux ennemis en gérant mal ces demandes. Il avait compris que l'équilibre était indispensable. Et la présente sollicitation émanait de Francesco della Rovere ! Elle promettait d'être la plus délicate de toutes celles auxquelles il avait eu à répondre.

Della Rovere n'avait aucune classe. De haute taille, fruste et pratiquement édenté, il s'était si bien laissé aller à sa gloutonnerie naturelle qu'il en était devenu presque obèse. Bien qu'instruit, il manquait totalement d'éloquence. Mais il était malin et, comme tous les membres de sa famille, rusé, manipulateur, ambitieux et égoïste. Grâce à ces qualités, les della Rovere, issus d'un pauvre village de pêcheurs, s'étaient élevés jusqu'à la position sociale enviée qu'ils occupaient désormais à Rome. Mais aucun des membres du clan n'avait aussi bien réussi que le bourru, le déplaisant et narcissique Francesco.

En fait, on ne l'appelait plus ainsi depuis 1471, lorsqu'il avait été élu pape sous le nom de Sixte IV.

Durant son ascension jusqu'au trône de saint Pierre, il avait corrompu, négocié des faveurs, et tracé ainsi sa route dans le labyrinthe de la politique romaine. Personne n'en profita davantage que sa famille, notamment la parentèle de sa sœur, la famille Riario. En quelques mois, il nomma cardinaux six de ses neveux. De ses actes naquit une expression que l'on utiliserait durant des siècles pour illustrer la mauvaise habitude de nommer à des postes enviés des membres de sa famille plutôt que des personnalités plus qualifiées : le népotisme, du mot italien *nipote*, qui signifie « neveu ».

C'était l'un d'entre eux qui préoccupait Lorenzo. Le nom de Girolamo Riario suscitait mille ricanements. Officiellement, il était l'un des six neveux de Sixte, mais on chuchotait qu'il était en fait le fils bâtard du pape.

Contrairement à ses frères, qui avaient un certain charme et de la culture en dépit de leur ostentation et de leurs vantardises, Girolamo était colérique, fruste et enclin à une corpulence excessive, bref, le portrait craché de son « oncle ». Comme on le murmurait dans la société romaine, les manières et l'apparence de Girolamo confirmaient l'exactitude du proverbe « les chiens ne font pas des chats », ou encore « la pomme ne tombe jamais loin de l'arbre ».

En signe de gratitude envers sa sœur, qui avait gardé le secret et prétendu que l'enfant était d'elle, Sixte avait fait pleuvoir les honneurs sur ses neveux.

Et voilà que les manœuvres retorses et souvent malhonnêtes de la famille atterrissaient sur le pas de la porte de Lorenzo, que ces pratiques révulsaient. Mais elle était désormais la plus puissante de Rome. Lorsque Sixte était monté sur le trône papal, Lorenzo était allé à Rome pour lui présenter ses respects et sécuriser sa position de banque principale de la Curie. Il en allait ainsi depuis trois générations : son arrière-grand-père Giovanni l'avait établie en prêtant de l'argent à l'Église à un moment crucial. Le pape avait embrassé Lorenzo et lui avait affirmé que la position de la banque des Médicis était toujours aussi forte à Rome.

Il fallait qu'elle le restât. Son commerce avec l'Église était la pierre angulaire de la fortune de la banque et renforçait son influence dans les autres régions d'Europe.

Toutes ces données se bousculaient dans l'esprit de Lorenzo tandis qu'il étudiait la requête du pape, arrivée le matin même. Sixte réclamait un prêt de quarante mille ducats, une somme considérable, pour son neveu Girolamo qui désirait ajouter la ville d'Imola à ses autres possessions.

L'argent n'était pas un problème, la banque pouvait disposer de la somme, qui serait garantie par l'autorité papale. Aucun risque, donc. Mais une autre question se posait. Girolamo était un être instable au caractère agressif, et Imola, située à côté de Bologne, entre Florence et la riche région d'Émilie-Romagne, était une position stratégique en mesure d'assurer à son propriétaire l'expansion de ses territoires pour peu qu'il en eût le désir. Ce qui, selon ce que savait Lorenzo de Girolamo, était exactement le cas. En outre, la route qui reliait Florence au nord passait par Imola et serait donc contrôlée par le seigneur de cette ville.

Si Lorenzo consentait ce prêt à Girolamo Riario, il fragilisait les territoires alentour, qui se trouvaient sous la protection de Florence – sa ville. Il ne s'y résoudrait jamais, même sous la menace de la Curie.

Lorenzo le refusa donc. Il envoya à Rome un messager porteur d'une lettre aux termes soigneusement pesés pour informer le pape que la banque procédait à divers changements de structure et qu'elle suspendait pour le moment les prêts de cette importance. Il renâclait, et tout le monde le comprit. Le pape aussi.

Rome,

1477

— Ce fils d'un marchand goutteux et d'une putain florentine! tonna Sixte lorsqu'on lui apporta la réponse de Lorenzo.

Il balaya d'un geste la coupe de fruits posée sur la table; raisins et cerises se répandirent tandis qu'il gesticulait.

— Comment ose-t-il me dire non?

Girolamo Riario n'était pas moins furieux. De dépit, il ramassa une grappe de raisin et l'enfourna.

— Je veux Imola. Il me faut Imola.

— Je le sais, ingrat! Ne vois-tu pas que je m'y emploie? Les Médicis ne sont pas les seuls banquiers d'Italie. Envoie chercher les Pazzi. Ils adorent ramasser les miettes de Lorenzo.

Les Pazzi – littéralement « fous » – étaient une famille de banquiers de Florence depuis fort longtemps jalouse du monopole des Médicis. Composée de fripouilles sans scrupules, envieuses et avides, elle ne manquerait pas de sauter sur l'occasion d'entrer dans les bonnes grâces de la papauté. Bref, elle correspondait exactement aux attentes de Sixte.

— Bien, je vais les convoquer, marmonna Girolamo de sa curieuse voix haut perchée. Mais ça ne suffit pas. Je veux que Lorenzo paie cher l'insulte qu'il m'a infligée... enfin, qu'il vous a infligée, plutôt ! Comment un Médicis ose-t-il refuser quoi que ce soit à Votre Sainteté ?

Comment l'ose-t-il, en effet ? songea Sixte après le départ de Girolamo. Le pape réfléchit longuement au problème. Il aurait certes été plus simple que les Médicis accédassent à sa demande et jouassent le jeu selon le plan, mais on pouvait tirer avantage de la situation créée par leur refus. Lorenzo était beaucoup trop puissant et respecté dans toute l'Europe, comme l'avait été son grand-père. La banque des Médicis était établie à Bruges et à Genève, on envisageait d'en installer une succursale à Londres. Leur richesse devenait sérieusement problématique. Mais ce n'était pas le plus grave. Il y avait surtout ce fameux secret qui protégeait les Médicis sur le continent tout entier, grâce aux liens royaux qu'ils avaient tissés de Paris à Jérusalem en passant par Constantinople. Le roi de France lui-même appelait Lorenzo son cousin, et ces satanés marchands de Florence avaient été autorisés à inscrire la fleur de lis sur l'étendard familial, affichant ainsi la loyauté indéfectible de la royauté française envers leur famille. Mais pourquoi ?

Le pape Sixte IV le savait. Il en avait fait son affaire. On ne monte pas sur le trône le plus puissant du monde sans devenir expert en espionnage.

Le pape avait des agents dans l'ordre du Saint-Sépulcre.

Dans le bourbier des querelles et des rivalités familiales où était plongée Florence, il n'avait pas été difficile, ni bien coûteux, de dénicher des gens prêts à nuire aux Médicis. Le moment venu Sixte se servirait du secret de l'hérésie des Médicis comme de l'arme absolue. Il abattrait Lorenzo, et il réaliserait son objectif principal : mettre à genoux l'arrogante et fière république de Florence, et l'annexer. Jamais jusqu'alors la papauté n'avait réussi une telle acquisition. Florence serait le plus précieux joyau de sa tiare. Il la posséderait, et pas un Médicis ne pourrait l'en empêcher.

Il savait exactement par où commencer. Il frapperait Lorenzo au plus intime, pour attirer son attention et lui rappeler qui en Italie détenait vraiment le pouvoir.

Florence,

1477

Angelo Poliziano, hors d'haleine, se précipita dans le *studiolo*.

— Lorenzo ! Un messager ! Sixte... Il a attaqué Sansepolcro !

Lorenzo fit entrer son ami et posa une main apaisante sur son épaule tout en le conduisant à un fauteuil.

— Assieds-toi, Angelo, reprends ton souffle. Et commence par le début.

— Un messager est arrivé de Sansepolcro. Le pape a envoyé des troupes à Citta del Castello. Il a excommunié Niccolo Vitelli pour cause d'hérésie et il a déclaré qu'il mettrait un de ses hommes à la tête de la ville, qui est désormais une possession de la papauté.

— Il ne veut pas de Citta del Castello, dit Lorenzo qui avait compris la manœuvre. Et il n'a rien contre Vitelli. Il veut se venger de moi, et de Florence à cause de moi.

Citta del Castello, située à la frontière sud de la Toscane, représentait certes un enjeu stratégique, mais Lorenzo y était attaché pour une autre raison : elle était l'avant-poste le plus proche de Sansepolcro. Sixte envoyait un avertissement aux Médicis en menaçant l'Ordre. Il n'osait ni envahir Sansepolcro, qui était une possession de Florence, ni déclarer ouvertement la guerre. Mais s'emparer de son avant-poste et offenser le commandant de la région, un allié des Médicis, était une agression parfaitement calculée.

Lorenzo n'hésita pas. Si le pape voulait la guerre dès le début de son règne, libre à lui. Florence ne tolérerait pas que l'on s'en prît à ses territoires, ni à ses alliés. Il persuada sans peine le Conseil de défendre la ville et Vitelli. Six mille hommes en furent chargés.

En dépit des efforts de Lorenzo et de Florence, Citta del Castello tomba entre les mains du pape. Vaincu, Niccolo Vitelli fut accueilli à Florence en héros, ce que le pape considéra comme un nouvel acte de guerre. Mais cela n'avait plus d'importance. La haine de Sixte IV pour Lorenzo ou Florence était désormais inextinguible. Le pouvoir et la richesse du jeune banquier florentin, qui ne cessaient de croître, obsédaient littéralement Sixte qui les considérait comme des insultes personnelles contre sa sainte personne et sa noble famille.

La crise entre Florence et Rome s'aggrava encore lorsque l'un des neveux de Sixte décéda subitement. Piero Riario, qui était archevêque de Florence, était le dernier bastion della Rovere dans la ville. Le pape se trouva désemparé après cette mort inattendue. Lorenzo ne lui laissa pas le temps de nommer un remplaçant. Soucieux de ne pas autoriser Rome à interférer dans les affaires intérieures de Florence, Lorenzo nomma à ce poste Rinaldo Orsini, le frère de Clarice. Cela se fit si vite qu'Orsini était installé avant même que l'intention de Lorenzo fût connue.

Furieux de ne pas avoir été consulté et en guise de représailles, Sixte nomma un homme à lui, Francesco Salviati, archevêque de Pise. Mais la riche ville portuaire de Pise était un bastion florentin, et les lois de la République stipulaient que le pape ne pouvait y prendre aucune initiative sans le consentement de la *Signoria*, qui s'y refusa. Le pape fut avisé en termes sans ambiguïté que Francesco Salviati ne deviendrait pas archevêque de Pise dans un avenir proche. En fait, la *Signoria* décréta que l'homme du pape était désormais banni de tout le territoire florentin.

Lorenzo venait de se faire un nouvel ennemi. Salviati, privé de son poste lucratif à Pise et de la possibilité de prouver sa fidélité au pape, marinait dans sa bile à Rome. Ce parvenu de Médicis était allé trop loin. Il fallait trouver le moyen de châtier son effronterie.

Mais Lorenzo considérait, lui, qu'il n'était pas allé assez loin. La menace du pape sur Sansepolcro lui avait prouvé que Sixte était au courant des secrets de l'Ordre. Il était essentiel de découvrir l'identité du traître qui informait Rome. Plus important encore, il fallait protéger la République et sa démocratie contre toute nouvelle incursion papale. Il organisa une réunion avec les dirigeants de Milan et de Venise et leur proposa une alliance, qu'ils acceptèrent. Le traité du Nord fut signé. Le message était limpide : les républiques de Florence, de Milan et de Venise combattraient ensemble toute menace émanant de la tyrannie papale. Il comportait aussi un sous-entendu qui n'échappa pas au pape : aux yeux des dirigeants européens, Lorenzo de Médicis était plus important que lui.

Les Pazzi étaient l'une des plus anciennes et des plus riches familles de Florence. Ils avaient fait fortune dans la banque, comme les Médicis, mais n'avaient pas aussi bien réussi à transformer cette fortune en pouvoir et en influence politique. Ces fanfarons dépensaient des sommes folles pour construire des monuments à la gloire de leur famille, alors que les Médicis avaient investi pour la communauté et su inspirer de la fierté à leur ville, stimuler l'économie et protéger les arts.

Jacopo de Pazzi, l'actuel patriarche, n'éprouvait d'amitié pour aucun des Médicis, bien qu'il eût entretenu avec Cosimo et Piero des relations cordiales. Avec un peu d'intelligence, on comprenait qu'il était plus avantageux d'être l'allié des Médicis que leur ennemi. Jacopo n'était pas un homme outrageusement ambitieux ; il ne cherchait pas à accroître la fortune des Pazzi, simplement à la maintenir. C'était en outre un joueur invétéré, et son passe-temps préféré mobilisait une large part de son énergie.

Lorsque son neveu Francesco vint à Florence, porteur d'un message de la banque Pazzi de Rome, Jacopo ne sauta pas sur la prétendue occasion de renverser le pouvoir des Médicis. Il trouvait l'idée ridicule, née de la jeunesse et de l'inexpérience de Francesco.

— Mais, mon oncle, protesta le jeune homme incapable de tenir en place, ne comprenez-vous pas que vous pouvez vaincre les Médicis une fois pour toutes ? Et débarrasser Florence de Lorenzo le tyran ?

— Lorenzo n'est pas un tyran, et tu le sais très bien, comme le sait tout le peuple de Florence, répliqua Jacopo. Ce serait une entreprise idiote, Francesco. Sixte reste client de notre banque, et je m'en satisfais parfaitement.

— C'est grâce à moi qu'il le reste ! rugit le jeune homme. Parce que je vis à Rome et que je sais ce qui s'y trame. Je sais ce que veut Sixte. Ce qu'il veut, c'est la fin des Médicis. Nous n'aurons jamais de meilleure occasion.

— L'occasion de quoi faire ?

— De tuer Lorenzo.

Jacopo recracha la gorgée de vin qu'il avait en bouche.

— Tu veux assassiner Lorenzo de Médicis ? C'est de la folie ! Et même si je l'envisageais une seconde, ce qui n'est pas le cas, je te signale qu'il a un frère, Giuliano. Si tu assassines Lorenzo, Giuliano héritera, et sera soutenu par le peuple de Florence. Et ce peuple te haïra.

— Tuons-les tous les deux. Et les Médicis ne seront plus un obstacle.

— Je refuse de t'entendre plus longtemps. Retourne à Rome, Francesco. On ne conspire pas ainsi, dans notre république.

— Tant que les Médicis tiendront le haut du pavé, notre famille n'aura aucun pouvoir. Et, en tant que catholiques, nous devons soutenir le pape. Lorenzo a gravement offensé le Saint-Père. C'est un hérétique qui insulte la Curie, qui empêche l'évêque légitime de Pise de prendre la place qui lui revient et d'administrer les âmes des Toscans.

Jacopo se leva et raccompagna son neveu à la porte. Il en avait entendu plus qu'assez. En outre, on l'attendait pour une partie de dés dans sa taverne préférée de l'Oltrano.

— Garde tes prêches pour quelqu'un qui ne te connaît pas depuis l'enfance, Francesco. Je ne soutiendrai jamais une quelconque conspiration visant à un assassinat, non que j'éprouve un amour particulier pour les Médicis, mais parce qu'elle serait vouée à l'échec. Ne m'en parle plus jamais, et je ferai comme si je n'avais rien entendu.

— Mais, mon oncle…

— Va-t'en, maintenant !

Jacopo poussa son neveu dehors et claqua la porte derrière lui, en espérant qu'il n'entendrait effectivement plus jamais parler de l'idée grotesque d'un coup d'État contre les Médicis.

Appartements privés du pape Sixte IV,

Rome,

1477

Gian Battista da Montesecco était mal à l'aise. En tout premier lieu, il était assis sur un siège beaucoup trop petit pour sa forte corpulence et il gigotait sans arrêt pour garder l'équilibre. Mais son inconfort n'était pas seulement physique, il avait contaminé son esprit.

Montesecco était un guerrier endurci, un mercenaire qui n'avait connu que les batailles et le sang. Il avait toujours servi la Curie, mais, depuis quelques années, il était au service exclusif de l'arrogant neveu du pape, Girolamo, qui était désormais seigneur d'Imola et ne manquait pas de le rappeler à chaque occasion. C'était ce seigneur qui se lamentait aujourd'hui devant lui.

— Imola ne vaut pas une poignée de haricots tant que Lorenzo est vivant ! Il s'oppose à tous mes projets, il s'arrange pour que personne en Romagne ne commerce avec moi.

Montesecco ne dit mot. En tant que chef militaire, il avait appris qu'avant de prononcer la moindre parole, il fallait avoir compris la position de tous les protagonistes. Au nom de quoi celui-ci était-il prêt à mourir ? ou celui-là prêt à tuer ? Avant de le savoir, parler était imprudent. Il observa les deux hommes qui se trouvaient avec lui dans l'antichambre du pape. L'un, Francesco Salviati, était l'archevêque détrôné de Pise. Montesecco songea, sans s'en étonner, que la sainteté ne semblait pas faire partie des qualités de ce personnage au physique de belette. Avec ses petits yeux ronds trop rapprochés, son nez crochu et son absence de menton, on ne pouvait s'empêcher de constater sa ressemblance avec un rongeur, et d'en être troublé.

— Si nous le guidons, le peuple de Florence se soulèvera contre les tyrans Médicis. Nous le libérerons de Lorenzo et de ses hordes ! disait le rongeur.

Montesecco était un soldat de fortune, mais pas un ignorant. Il savait que Lorenzo était fort aimé de son peuple, qui l'avait surnommé le Magnifique dès son plus jeune âge. Les Médicis avaient toujours traité le petit peuple avec justice et contribué généreusement à financer les organisations qui venaient en aide aux nécessiteux. De quelles hordes Salviati supposait-il que les Florentins souhaitaient se débarrasser ? Les artistes ? Les philosophes ? Les poètes ? L'homme-belette poursuivait sa harangue. Agacé, Montesecco finit par l'interrompre :

— Il te faudra prendre tout Florence. C'est un grand territoire, souvent rebelle à toute autorité extérieure. Et l'autorité intérieure, c'est Lorenzo qui la détient.

De dégoût, Salviati fronça le nez, accentuant ainsi sa ressemblance avec un rongeur.

— Tu prétends en savoir plus que moi sur Florence ? Je suis archevêque de Pise, je suis toscan ! Je connais mieux Florence que n'importe quel Romain, et je parle au nom du peuple en affirmant qu'il nous considérera comme ses libérateurs si nous supprimons les Médicis.

Montesecco hocha la tête sans rien dire. Il attendrait désormais que le petit groupe fût introduit auprès du pape, dont il était le mercenaire. Si Sixte et la Curie lui ordonnaient de tuer Lorenzo, il s'exécuterait. Cependant, songea-t-il, étant donné le calibre des hommes qui prendraient le pouvoir, si les Médicis étaient supprimés, que Dieu vienne en aide aux Florentins !

Les trois hommes furent introduits dans les appartements du pape, où Montesecco put enfin étendre ses jambes et s'installer sur un banc rembourré mieux adapté à sa corpulence ; Girolamo Riario se laissa tomber sur le siège le plus proche de son oncle, tandis que l'archevêque de Pise prenait place sur une banquette, à côté de Montesecco. Le pape était assis derrière un imposant bureau et déchiquetait une grenade qu'il savoura durant tout l'entretien, en recrachant les pépins sur une assiette en argent.

— Donc, en ce qui concerne Florence, Montesecco, je tiens énormément à ce que nous trouvions un moyen de... disons, de neutraliser la grave menace que représente pour moi et pour mon saint office cet hérétique, Lorenzo de Médicis.

Du jus de grenade coula sur son menton et il se tourna vers Salviati.

— Quel est votre avis, monsieur l'archevêque ?

— Je pense, Très Saint Père, qu'il n'y a qu'une manière de neutraliser les Médicis, c'est la mort des deux frères.

Le pape lâcha sa grenade et se frappa théâtralement le torse de la main.

— Je ne puis approuver le meurtre, archevêque. C'est incompatible avec mon office. Lorenzo est un être nuisible et sa famille est composée d'hérétiques, mais je ne puis réclamer la mort de personne. Je souhaite seulement que Florence change de mains.

Girolamo se redressa sur son siège pour déclarer de sa voix haut perchée :

— Évidemment, mon oncle ! Il est parfaitement clair que vous ne nous demandez pas de tuer Lorenzo ! N'est-ce pas, messieurs ?

Il attendit que chacun hochât la tête et poursuivit.

— Mais nous voudrions seulement savoir si, dans l'éventualité où Lorenzo mourrait, accidentellement bien entendu, au cours de nos efforts pour prendre le contrôle de Florence, vous accorderiez votre pardon à quiconque serait directement ou indirectement impliqué dans la disparition de Médicis.

Le pape lança un regard à l'homme qui ressemblait un peu trop à ce qu'il avait été dans sa jeunesse. Son visage exprimait un incoercible dégoût, comme s'il n'avait qu'une envie : jeter le reste de la grenade au visage de Girolamo.

— Tu es un idiot, et je t'interdis de prononcer encore un seul mot à ce sujet en ma présence.

Ce fut à Salviati et à Montesecco qu'il s'adressa ensuite.

— Vous m'avez bien compris, messieurs. Jamais au grand jamais je n'ai, moi, l'héritier du trône de saint Pierre, approuvé le meurtre. J'ai simplement constaté que le retrait de cette venimeuse famille du gouvernement de Florence satisferait pleinement notre mère la Sainte Église. J'ai confiance en toi, Montesecco, pour mener à bien cette mission, et je t'en confie le soin. Tu disposeras du nombre d'hommes que tu voudras. Et maintenant, il suffit. Sortez.

Puis il ajouta en regardant son neveu :

— Sortez tous !

Les trois conspirateurs se retirèrent dans les appartements de l'archevêque pour mettre leur plan au point. Leur interprétation du discours tenu par le pape était identique : ils pouvaient tuer Lorenzo et tous les Médicis qu'ils voulaient à condition que le sang versé ne coulât jamais jusqu'aux portes du Vatican.

Montesecco irait en Romagne pour rassembler l'armée qui soutiendrait leur assaut sur Florence au cas où

Salviati se serait trompé sur l'approbation massive des Florentins à l'assassinat de leur prince. Pour prendre la mesure de l'homme qu'il devrait tuer, il lui porterait une lettre dans laquelle Riario lui offrirait son amitié et son pardon. Le mercenaire aurait ainsi l'occasion d'observer Lorenzo dans son palais, d'étudier le comportement de sa cible et de déceler ses faiblesses potentielles.

Lorenzo se trouvait dans sa villa de Caffagiolo avec des membres de la famille Orsini, car un des frères de Clarice était mort soudainement. En dépit de l'atmosphère de deuil qui régnait dans la maison, Lorenzo accueillit chaleureusement ce visiteur inattendu et se conduisit en hôte parfait. Il invita Montesecco à dîner, engagea avec lui une longue conversation et l'incita à lui conter ses différentes campagnes. Ce comportement était parfaitement naturel pour Lorenzo, qui, en tant que prince et poète, portait un intérêt sincère à la nature humaine. Jusqu'au jour de sa mort, il pensa que chaque être humain rencontré offrait une occasion d'apprendre quelque chose d'unique. À l'instar de son grand-père, Lorenzo était un collectionneur d'expériences humaines.

Cette attitude de Lorenzo de Médicis plongea Montesecco dans un profond désarroi. Les guerriers endurcis qui tuaient pour gagner leur vie, comme lui, ne se laissaient pas aisément séduire. Mais ce prince florentin était différent de tous les hommes qu'il avait connus. Aucun des prétendus saints hommes de la Curie n'avait cette grâce, cette élégance ni cette magnifique hospitalité. Au cours de la soirée, Montesecco vit Lorenzo jouer avec ses enfants, manifester sa sincère affection à son frère, traiter sa mère avec un amour et un respect remarquables et s'occuper, apparemment sans le moindre effort, de sa nombreuse maisonnée d'invités et de serviteurs. À plusieurs reprises, le soldat de fortune se força à se rappeler que cet homme était l'ennemi. Sa faiblesse était sa famille. Il ne portait pas d'arme sur lui, il était détendu. Manifestement, il faudrait les tuer, lui et son charmant et timide jeune frère, dans la fausse sécurité de leur foyer. Il n'aurait aucune difficulté à introduire des armes à l'occasion d'un dîner dans la demeure des Médicis.

Tout en élaborant sa stratégie, Montesecco ne pouvait s'empêcher de déplorer d'avoir été choisi pour tuer un homme d'abord aussi agréable, à l'heureux caractère, et si brillant causeur; lorsqu'il parlait du peuple de Florence, c'était sans hauteur ni mépris, mais avec une sincère inquiétude, et même de l'amour. Bref, il méritait le titre que le peuple lui avait donné.

Lorenzo était magnifique.

Montesecco était un soldat et un mercenaire, habitué donc à obéir et à être payé, et certainement pas à éprouver des remords. Son devoir était d'exécuter les ordres : provoquer l'avènement à Florence d'un autre gouvernement. Et cela passait forcément par l'élimination de Lorenzo et de son frère.

Plusieurs réunions eurent lieu chez les Pazzi, en présence du patriarche Jacopo, qui s'était opposé à ce qu'un meurtre fût commis au bénéfice de sa famille jusqu'à ce que Montesecco l'eût convaincu que cette action avait la bénédiction du pape. Les mouvements de troupes en direction de Florence, destinés à contenir les émeutes qui ne manqueraient pas d'éclater dans la République à la suite du coup d'État, le prouvaient.

Jacopo de Pazzi céda enfin et se joignit aux conspirateurs. Bien que la perspective d'un meurtre ne l'emplît pas d'enthousiasme, il était assez opportuniste pour ne pas demeurer hors d'un complot cautionné par le pape. Grâce à la mort de Lorenzo et de Giuliano, les Pazzi s'empareraient du pouvoir bancaire en Italie et, en tant que ses « libérateurs », deviendraient la famille la plus influente de Florence. Il se laissa même convaincre par son neveu que ce ne serait pas un titre usurpé. Une fois libéré, le peuple de Florence ne comprendrait-il pas qu'il avait vécu sous la tyrannie d'un despote?

Jacopo proposa le premier d'une série de plans voués à l'échec. Il était d'avis que tuer Lorenzo à Rome serait plus pratique et moins à même de déclencher une révolte dans les rues de Florence. En outre, en séparant les deux frères et en envoyant deux équipes de tueurs, on risquait moins de rater l'un des deux. Mais ce plan ne put être mis à exécution, car Lorenzo refusa toutes les invitations à se rendre à Rome. Les affaires de Florence le retenaient chez lui et il n'avait aucune envie de voyager aussi loin pour séjourner dans une ville qu'il trouvait fort ennuyeuse.

Puisque cette solution ne pouvait être mise en pratique, Montesecco en revint à son projet initial : chez eux, les Médicis vivaient sans aucune protection, il serait facile de tuer les deux frères en même temps en profitant de festivités organisées dans l'une de leurs villas. Connaissant la réputation d'hospitalité de Lorenzo, dont il avait lui-même fait l'expérience, il conseilla d'imaginer un scénario qui obligerait les Médicis à recevoir un nombre important d'invités.

Jacopo de Pazzi s'en chargea. Il suggéra d'inviter à Florence le plus jeune des neveux du pape, âgé de dix-sept ans, afin de fêter son accession au cardinalat. Ce titre était ridicule pour quelqu'un d'aussi jeune, mais apparemment il était hors de question qu'un neveu de Sixte n'en fût pas doté. Raffaelo étudiait à l'université de Pise, l'inviter à Florence paraîtrait donc logique, et il était trop jeune et trop innocent pour se douter qu'il jouerait le rôle d'appât. Il accepta avec joie de venir à Florence, où il s'installa chez Jacopo de Pazzi. Puis il envoya une lettre d'introduction à Lorenzo de Médicis.

Fidèle à la tradition, ce dernier invita immédiatement Raffaelo en sa ville de Fiesole, où, sur la demande de son frère, il passait quelques jours avec lui. Le lieu et la date du meurtre des Médicis ainsi fixés, il ne restait aux conspirateurs qu'à choisir entre le poison et le poignard.

*
* *

Villa Médicis de Fiesole,

1478

Lorenzo était inquiet au sujet de son frère. Giuliano se comportait bizarrement et, pour la première fois de leur vie, il ne s'était pas confié à lui. Il avait supplié Lorenzo de l'emmener à Fiesole et lui avait promis de tout lui expliquer une fois qu'ils seraient seuls et à l'écart des ragots de Florence. Mais Giuliano n'avait encore rien dit. En fait, il avait disparu dès l'aube, sans prévenir personne, sauf le responsable des écuries qui avait sellé son cheval.

Lorenzo s'était résolu à attendre patiemment un jour ou deux, en profitant de la tranquillité du lieu et de l'incomparable vue sur Florence, dont le splendide *Duomo* étincelait dans le lointain. On devait à Cosimo le financement de ce chef-d'œuvre de l'architecture qui attirait des admirateurs venus de toute l'Europe. On lui devait en fait la majorité des œuvres d'art du centre de la ville : les bronzes du Baptistère, l'agrandissement de la cathédrale et l'édification de son célèbre dôme avaient tous été mis en chantier et en partie financés par l'argent des Médicis.

Lorenzo, heureux de laisser Clarice et les enfants en ville, sous la garde de sa mère, avait emmené Angelo avec lui en espérant trouver le temps de travailler à ses derniers poèmes. Il avait négligé son art en raison des multiples et complexes négociations qu'il devait mener et il aspirait à disposer d'un peu de temps pour s'y consacrer. Il avait aussi espéré que Colombina pourrait s'échapper pendant une journée, mais cet espoir avait été déçu. Elle lui manquait affreusement, mais, retenue par son travail avec le maître et ses devoirs envers son fils, il lui était désormais presque impossible de quitter Florence.

La gorge de Lorenzo se serra en évoquant le petit garçon aux yeux noirs, âgé de trois ans, et selon tous les avis exceptionnellement précoce. Lorenzo n'avait guère le temps de s'apitoyer sur la profonde tristesse de sa vie privée, mais elle recouvrait d'un voile constant une existence par ailleurs privilégiée.

Il cherchait Angelo lorsqu'il se fit un grand remue-ménage du côté des écuries. Beaucoup de cris et des hennissements de chevaux.

Lorenzo y courut, et le cœur lui manqua lorsqu'il aperçut son frère allongé sur une civière, parfaitement immobile, porté par deux des garçons d'écurie et par un inconnu.

— Qu'est-il arrivé? s'écria-t-il à la cantonade.

— Il est tombé de cheval, répondit l'inconnu qui se présenta comme le régisseur de la propriété voisine. Je parcourais les terres quand je l'ai trouvé. Il respire, et n'a apparemment rien de cassé. Mais il a dû se cogner durement la tête, car il est toujours inconscient. Nous faisons venir le médecin du village, mais je suppose que vous voudrez appeler le vôtre.

Lorenzo ordonna que l'on envoyât chercher le meilleur médecin de Florence, que l'on fît porter un message à sa mère et que la chambre de Giuliano fût aménagée pour son confort. Une fois son frère installé dans son lit, Lorenzo s'assit près de lui, lui essuya le front avec une serviette humide et lui parla à voix basse. Giuliano reprit lentement conscience et gémit de douleur.

— Giuliano, tu es là? le taquina Lorenzo en voyant les paupières de son frère palpiter.

Le cadet avait peut-être atteint l'âge de vingt-cinq ans, mais aux yeux de Lorenzo il était toujours son petit frère.

— Heu… Je suis tombé. J'allais trop vite et on ne voyait pas très clair. Oh! Ma tête! ajouta Giuliano en faisant la grimace.

— As-tu mal ailleurs?

— À la jambe gauche. Je suis tombé dessus.

Le jeune homme était désormais tout à fait conscient. Il tendit le bras pour se tâter la cuisse et le genou.

— Je peux le plier, il n'est sans doute pas cassé, ce n'est qu'une bonne entorse.

— Bon! Tu ne monteras pas pendant quelques jours, alors installe-toi confortablement. Et, puisque tu n'as rien de mieux à faire, tu pourrais peut-être m'expliquer pourquoi tu te conduis si bizarrement.

— Fioretta, dit simplement Giuliano.

Une femme, bien sûr! Lorenzo l'avait envisagé, mais sans en être certain. Toutes les jeunes Florentines en âge de convoler rêvaient de Giuliano, qui n'avait manifesté d'intérêt particulier pour aucune d'entre elles, et avait résisté à toutes les tentatives de le marier. Quelle chance avait le cadet! songea Lorenzo. Tous les avantages, et aucune des responsabilités. Giuliano avait le droit de jouer, et ne s'en privait pas. Comparée à celle de Lorenzo, sa vie était insouciante, mais il n'y avait aucune jalousie entre les frères. Chacun menait la vie à laquelle il était destiné, et s'en contentait.

— Fioretta Gorini. Elle vit sur la colline. C'est la fille d'un berger, Lorenzo. Elle n'a pas un sou. Pas beaucoup d'instruction. Mais elle est si charmante. Innocente, ravissante... comme un ange. Des yeux couleur d'ambre...

Le regard de Giuliano s'égara et Lorenzo se demanda si c'était dû à sa chute ou si son frère souffrait des affres du véritable amour.

— Au début, j'ai cru à un caprice passager. Mais ce n'est pas le cas. Quand je ne suis pas avec elle, je pense constamment à elle. Après avoir été en sa compagnie, c'est pire.

Giuliano essaya de se redresser, mais Lorenzo le força à se recoucher.

— Oh, Lorenzo! Je n'avais jamais vraiment compris ce que tu ressens pour Colombina. Mais aujourd'hui, ça y est. Et je regrette tant que tu aies été privé de ton bonheur!

Lorenzo, très ému, hocha doucement la tête.

— Tu connais cette impression, Lorenzo? Quand tu quittes la femme que tu aimes, tu la sens encore sur ton corps, elle est dans tous les pores de ta peau. Son odeur est sur toi, sa douceur soyeuse est encore en toi...

Il ferma un instant les yeux, empli de l'extase amoureuse.

— C'est ce qui m'arrive avec Fioretta. Et si je t'ai demandé de venir ici, c'est parce qu'elle est enceinte. Hier soir, elle a eu les premières douleurs et dès l'aube j'ai voulu savoir si l'accouchement s'était bien passé. Je t'en prie, Lorenzo, envoie quelqu'un chez elle, tout de suite. Il faut que je sache si elle va bien et si mon enfant est né.

Le médecin de Fiesole arriva pendant la confession de Giuliano. Lorenzo quitta la chambre en promettant à son frère d'envoyer quelqu'un aux nouvelles.

— En attendant, mon cher frère, essaie de dormir, et n'ennuie pas le docteur.

Lorenzo savait qui envoyer, mais, auparavant, il avait une course à faire.

La maison des Gorini était certes petite et modeste, mais tenue impeccablement et avec amour. Des fleurs de printemps plantées avec soin absorbaient les vestiges du soleil de l'après-midi. Lorenzo avait mis plus de temps que prévu à faire sa course, mais il était satisfait du résultat, car il avait trouvé ce qu'il cherchait.

Une fillette d'une dizaine d'années jouait dans le jardin. Elle sourit à Lorenzo tandis qu'il descendait de cheval.

— Il est gentil, ton cheval ? demanda-t-elle.

— Très gentil, surtout si tu lui frottes les naseaux, répondit Lorenzo. Regarde, je vais tenir doucement ses rênes et tu pourras le caresser. Il s'appelle Argo.

Avec son ossature fine et ses traits délicats, la petite fille ressemblait à un oisillon à la longue chevelure noire. Elle s'approcha avec précaution et tendit la main pour toucher le naseau velouté de l'étalon, que Lorenzo maintenait. Puis elle se tourna vers Lorenzo.

— Tu es venu voir le bébé ?

— Oui, il est arrivé ?

La fillette sourit, tout excitée par l'événement.

— Oui, ce matin. Je ne l'ai vu qu'une minute. Il était couvert de sang et tout collant, mais il a crié très fort, et ma mère a dit que c'était bon signe. Fioretta dormait, alors je suis sortie.

Le bruit de la porte d'entrée les surprit tous les deux. Une femme d'un certain âge se tenait sur le seuil.

— Gemma! appela-t-elle d'un ton sec. À qui parles-tu?

La voix de la femme s'éteignit lorsqu'elle aperçut son visiteur. L'homme le plus célèbre de Florence se tenait devant elle, dans son jardin.

— *Magnifico*!

Elle s'essuya les mains sur son tablier, apparemment couvert du sang de l'accouchement, mais ne s'éloigna pas de la porte. Elle semblait frappée de sidération.

— Je... Vous êtes venu prendre le bébé?

Hésitant sur le sens de ses paroles, Lorenzo répondit simplement:

— Je suis venu voir Fioretta pour la saluer de la part de mon frère. Il a voulu venir ici ce matin, mais il est tombé de cheval.

La femme se prit la tête dans les mains.

— Il est...

— Il va très bien. Il est contusionné, et il s'est cogné la tête, mais il ne court aucun danger. Rien de cassé! Mais il est désolé de ne pas avoir de nouvelles de Fioretta et de son enfant.

La femme voulut parler, mais elle éclata en sanglots et se précipita vers Lorenzo.

— Oh! Pardon, *Magnifico*. J'ai dit à Fioretta que votre frère ne viendrait pas. Qu'il ne s'occuperait jamais d'une fille de berger et de son fils bâtard. Je ne voulais surtout pas qu'elle espère qu'un Médicis se soucie de gens comme nous.

Lorenzo passa les rênes d'Argo sur la barrière et posa sa main sur l'épaule de la mère de Fioretta.

— Il s'en soucie énormément. Comme nous tous.

— Et puis, poursuivit la femme en sanglotant de plus belle, je vous ai vu... et j'ai pensé... *Oh, mon Dieu, il est venu prendre l'enfant de Fioretta. Elle en mourra!* La naissance a été si difficile... elle est si faible.

C'était au tour de Lorenzo d'être stupéfait. Il n'avait pas imaginé un instant que Fioretta pût courir un danger en accouchant.

— Mais… Comment va-t-elle ?

— Elle a perdu beaucoup de sang, et le bébé est très gros. Vous autres, les Médicis, vous êtes grands, et Fioretta a de tout petits os…

En un instant, Lorenzo revécut l'accouchement de Colombina, trois ans plus tôt. La jeune femme à la frêle ossature avait également souffert lors de la délivrance, et il avait redouté des semaines durant qu'elle ne s'en remît pas.

— Il y a deux médecins chez nous en ce moment ; je vais les envoyer voir Fioretta sur-le-champ. A-t-elle assez de forces pour me parler ? Et puis-je voir le bébé ?

Donna Gorini hocha la tête en s'essuyant nerveusement les mains sur son tablier et fit entrer Lorenzo dans l'humble ferme où elle vivait avec ses filles bien-aimées.

Lorenzo tendit les bras et l'on y plaça le minuscule paquet. Il éclata de rire.

— C'est le portrait craché de Giuliano, quelle chance pour lui ! Il a pris le meilleur des Médicis et il a évité le pire.

Lorenzo se considérait toujours comme le Médicis laid, alors que Giuliano était le beau. Mais le bébé avait les traits marqués des Médicis, un long nez, des yeux noirs et une abondante chevelure foncée.

Une voix faible, venue de la chambre d'à côté, l'interrompit.

— Giuliano ?

Bien que faible, la voix était emplie d'espoir. Lorenzo regarda *donna* Gorini, qui lui reprit le bébé et lui montra la porte de la chambre.

— Je regrette de vous décevoir, dit-il, souriant, en s'avançant vers l'unique femme à Florence qui risquait d'être déçue en voyant entrer Lorenzo de Médicis dans sa chambre à coucher.

— Oh ! Lorenzo ! souffla Fioretta en essayant de se relever sans y parvenir.

Il s'approcha de son lit et s'agenouilla.

— Repose-toi, ma sœur.

Bien qu'elle fût extrêmement pâle, Lorenzo comprit sans peine l'engouement de son frère. Elle était d'une beauté absolument pure. Un teint de lait, une masse de cheveux noirs attachés dans le dos sans dissimuler leur brillant et leur longueur. Mais le plus frappant était ses yeux, couleur de l'ambre de la mer Baltique, comme l'avait dit Giuliano, immenses, et qui le fixaient.

— Votre sœur ! Comme j'aimerais pouvoir l'être.

— Mais tu l'es, répondit Lorenzo en lui caressant la main. Tu es la mère du fils de Giuliano, Fioretta. Tu fais partie de notre famille. Et, surtout, mon frère t'aime.

— Mais il n'est pas venu.

— Tu te trompes.

Lorenzo lui conta les événements de la matinée et la rassura sur l'état de Giuliano, qui sembla l'inquiéter profondément.

— Il est ma vie, dit-elle, et ses yeux d'ambre s'emplirent de larmes. Il est mon cœur, mon âme, tout ce que je suis. Je l'aime tellement ! Comme je voudrais qu'il ne soit pas un Médicis ! Comprenez-moi, *Magnifico*. S'il était un simple berger, comme ma famille, nous pourrions être ensemble. Nous pourrions nous marier et élever notre enfant. Et même en avoir d'autres ! Mais je sais que c'est impossible, ajouta-t-elle en pleurant.

Lorenzo compatissait, car il savait ce que signifie être séparé de la personne qu'on aime plus que sa vie, qui nous apporte le soleil et la lune et les étoiles. La personne sans laquelle il n'y a pas de lumière. Pas de vie.

— Fioretta, Giuliano m'a prié de te donner ceci.

Lorenzo sortit de la poche de son gilet une bourse en velours et la tendit à la jeune fille exténuée. Il l'aida à se soulever sur un bras pour en détacher le lacet. Une cascade d'ambre s'éparpilla sur la couverture en laine.

Fioretta retint son souffle. C'était une longue chaîne de grains d'ambre et de perles, un collier inestimable et digne d'une reine.

— Giuliano dit que tes yeux sont couleur d'ambre, et les perles symbolisent ta beauté éternelle, comme celle

318

d'Aphrodite, car son amour pour toi est plus profond que la mer.

Fioretta serra le collier contre son cœur et pleura toutes les larmes de son corps.

— Son amour sera éternel, et je te fais moi aussi un serment. Tu es ma sœur et j'aime ton enfant comme s'il était le mien. Quoi qu'il arrive, ma douce amie, tu fais partie de la famille des Médicis. À jamais.

Comme pour ponctuer le discours de Lorenzo, le bébé, qui recevrait le prénom de Giulio, manifesta son appétit par des cris perçants.

À l'heure où Lorenzo revint à Fiesole, *donna* Lucrezia avait la situation bien en main. Elle plaisantait avec Giuliano, qui serait toujours son petit dernier, mais Lorenzo remarqua les traits tirés de sa mère. C'était une femme au caractère trempé, mais, dès que sa famille était impliquée, son tendre cœur de mère prenait le dessus. Plus que jamais, elle s'inquiétait pour ses fils.

— Tes enfants sont encore très jeunes, Lorenzo, déclara-t-elle à son aîné. Tu sais que les parents ont toujours peur pour leurs petits. Mais ne crois pas que cela s'arrange par la suite, mon fils. Ça devient de plus en plus dur, car ils affrontent un monde moins favorable et on a de plus en plus peur. Mes plus chers désirs ont toujours été de vous savoir tous en sécurité et heureux. Mais, hélas ! les plus aimants des parents n'ont pas le pouvoir de vous offrir cet état.

Lorenzo se réjouit que sa mère abordât le sujet des enfants, car il désirait l'entretenir d'une question délicate et elle lui fournissait une ouverture.

— Mère, je sais que vous m'avez donné tout ce qui était en votre pouvoir. Le reste, vous n'y pouviez rien...

Il n'eut pas besoin de s'expliquer plus avant. Sa mère avait compris les souffrances qu'il endurait à être séparé de Colombina. Il avait réussi à nouer une relation cordiale avec Clarice, qui était une épouse compétente et une excellente mère. Mais Lucrezia de Médicis savait qu'en arrangeant son mariage, elle et son époux avaient condamné Lorenzo à une vie sans amour.

— Mais, poursuivit Lorenzo, vous pourriez offrir ce bonheur à Giuliano. Laissez-le épouser Fioretta, accueillons-la dans notre famille et élevons le petit Giulio comme le Médicis qu'il est.

Lucrezia tressaillit. On lui avait parlé de la fille du berger et de la naissance de l'enfant, elle n'était donc pas étonnée. Il arrivait souvent que des garçons bien nés culbutassent des paysannes, et la campagne grouillait d'enfants illégitimes. Cosimo lui-même avait eu un bâtard avec une esclave circassienne. Cet enfant, Carlo, avait été élevé comme un Médicis et la femme de Cosimo, Contessina, l'avait accepté dans son foyer. Lucrezia parlait souvent de sa belle-mère comme d'une sainte.

— J'accepterai volontiers d'élever l'enfant dans notre famille, Lorenzo. Il est du sang de Giuliano. Mais il n'a pas besoin d'épouser cette fille pour ça. Nous adopterons l'enfant, et nous pourvoirons à tous ses besoins.

— Il ne s'agit pas de ça, mère, rétorqua Lorenzo plus sèchement qu'il ne l'aurait voulu, car une amertume profondément enfouie en lui perçait dans la conversation. Il l'aime. Ce n'est pas une fille qu'il a culbutée au hasard. Et ce n'est pas une traînée. Ils sont amoureux l'un de l'autre. Ce ne serait pas merveilleux si pour une fois quelqu'un de notre famille pouvait faire un mariage d'amour? Et respecter ainsi les enseignements auxquels nous croyons et que nous chérissons? J'ai fait tout ce que vous avez voulu. J'ai épousé celle que vous m'avez choisie, j'ai donné des héritiers à la famille et à l'Ordre. Giuliano n'est pas obligé d'en faire autant.

— Mais Lorenzo, il se destine à l'Église!

— Vraiment? Il a vingt-cinq ans, mère, et il n'a pas encore prononcé ses vœux, parce qu'il n'en a aucune envie. D'ailleurs, tant que ce criminel de Sixte sera sur le trône pontifical, Giuliano n'aura jamais aucune fonction à Rome. Le moment est peut-être venu d'être honnêtes. Que Giuliano vive sa vie, et qu'il soit heureux. L'un de nous au moins devrait y avoir droit.

Donna Lucrezia, impressionnée, garda le silence. Lorenzo élevait rarement la voix avec sa mère, qu'il vénérait. Il avait dit ce qu'il avait à dire, et ce qu'il souhaitait maintenant était de sortir de l'atmosphère angoissante de la villa. Il laissa sa mère méditer ses paroles et partit se promener au clair de lune.

En marchant, il se rappela qu'il avait invité le neveu du pape et quelques membres de la famille Pazzi à dîner le lendemain. Il devrait envoyer un messager à Florence pour annuler les festivités. Giuliano serait trop faible pour accueillir des visiteurs pendant au moins quelques jours.

Gian Battista da Montesecco était de mauvaise humeur ; il avait mal à la tête et le cœur lourd.

Il avait passé la soirée de la veille à s'enivrer dans une taverne du quartier des Ognissanti, dans l'espoir d'étouffer ses réserves au sujet de sa mission à Florence. Pour se distraire, il avait eu recours aux remèdes habituels des soldats : le vin et les femmes faciles.

On aurait juré que Dieu et le sort s'étaient ligués contre lui pour le narguer. Tous les clients de la taverne, du vieillard solitaire qui sirotait son verre dans un coin à la ribaude qui avait soulevé ses jupes pour lui dans une chambre à l'étage, avaient quelque chose à raconter sur Lorenzo de Médicis. Et chaque histoire était le récit d'un acte de générosité : « Lorenzo n'a jamais réclamé l'argent que lui devait mon père », « Lorenzo a reconstruit notre église lorsque le toit s'est effondré », « *il Magnifico* a fondé les confréries où l'on instruit gratuitement les jeunes Florentins pauvres », « grâce aux Médicis, Florence est la plus belle ville d'Europe »… la litanie de louanges n'en finissait pas. Les hommes le vénéraient, les femmes se pâmaient devant lui. C'était écœurant, et déprimant.

Quelles cartes le sort lui avait-il donc distribuées pour qu'il ait été choisi afin de tuer un homme de cette trempe ? Pourquoi avait-on désigné sa main pour plonger un poignard dans le cœur de cet homme que tous appelaient leur prince ? Un homme qui, selon la rumeur publique et les constatations personnelles de Montesecco, était en vérité un rare, un noble et généreux seigneur, dédié au bien de son peuple.

Et qui voulait donc la mort de ce prince ? Un gros et arrogant fils de pêcheur qui avait manœuvré pour se hisser sur le trône de saint Pierre, et son infâme fils, plus gros et plus odieux encore – une espèce de rongeur enragé qui croyait que sa fonction d'archevêque le plaçait au-dessus des lois de Dieu et des hommes –, ainsi qu'un banquier imbécile et sans scrupules, doté de plus d'ambition que de sens commun. Des individus qui étaient censés représenter la noblesse et la sainteté de leurs fonctions de chefs. Les soldats aimaient les chefs sans peur et sans reproche, capables d'inspirer de belles actions. Ces qualités, c'était chez Lorenzo de Médicis qu'il les percevait, non chez le pape Sixte IV et son entourage. Ces derniers ne savaient que manipuler les gens en leur inspirant de la crainte.

Au cours de la nuit, alors que Montesecco était de plus en plus sous l'emprise du vin, il avait commencé une conversation avec le vieillard solitaire, dont le souvenir, à la lumière crue du jour et avec la tête qui résonnait comme un tambour, était désormais assez brumeux. Le vieillard lui avait fait signe d'approcher ; il était resté seul toute la nuit, comme s'il attendait quelque chose. Montesecco avait obtempéré en vacillant et s'était assis à sa table.

— Es-tu un soldat ? avait-il demandé au vieil homme qui avait souri en hochant la tête, révélant ainsi la cicatrice qui barrait sa joue gauche.

— On dirait bien un souvenir de bataille, vieillard, avait fait remarquer Montesecco.

— C'est vrai, jeune homme. Et d'une dure bataille que j'ai menée contre moi-même et ma conscience, exactement comme tu le fais en ce moment.

Montesecco était ivre, certes, mais encore assez conscient pour être stupéfait.

— Comment connais-tu mes pensées, vieillard ?

— Je suis vieux. Et je sais reconnaître un soldat qui doute. Tu te demandes si tu as fait le bon choix, n'est-ce pas ? Si tu es du bon côté de la guerre. N'oublie pas, soldat, que certes tu reçois et exécutes des ordres, mais Dieu t'a donné un cerveau, un cœur et une conscience afin que tu sois capable de décider par toi-même de ce qui est essentiel. En fin de compte, la seule véritable bataille est celle qui se déroule entre toi et ton âme. Fais le bon choix, mon ami. Fais le bon choix.

— Je suis un mercenaire. Je n'ai aucun choix à faire, je vais où l'on me paie.

— Vraiment ? Et que t'apportera cet argent, si tu perds ton âme pour lui ? Ou si tu meurs en te battant ?

— Toute guerre présente des risques. Mourir en fait partie.

— Certes, mais cette fois-ci tes chances sont faibles. Cette bataille, tu ne peux pas la gagner. Tu es du mauvais côté. Ton ennemi est plus fort que tu ne peux l'imaginer.

Trop embrumé par le vin, Montesecco, qui luttait contre ses propres démons, en oublia toute discrétion. Il frappa du poing sur la table.

— C'est le pape en personne qui m'emploie ! Je combats du côté de l'Église. Que peut-il y avoir de plus fort qu'elle ?

Le vieil homme considéra le soldat usé par la guerre, secoua la tête et soupira avec toute la tristesse d'un homme qui avait trop souvent connu les effets de cette guerre-là.

— Dieu est ton adversaire. Tu ne remporteras pas cette bataille, soldat, car ton adversaire est un protégé de Dieu.

Montesecco en avait assez entendu et le discours de l'étrange vieillard lui arracha un ricanement. Il se leva en éclatant de rire.

— Dieu ! Vraiment ? Et j'imagine que dans un instant tu vas prétendre que Lorenzo de Médicis est un archange !

Et, tandis qu'il tournait le dos au vieillard à la balafre, le soldat de fortune crut l'entendre murmurer :

— Si tu savais à quel point tu as raison !

***

En ce début d'après-midi, Montesecco, de retour chez Jacopo de Pazzi et son agaçant neveu, observait la figure de belette de l'archevêque Salviati, qui ne décolérait pas.

— Les Médicis nous échappent une fois de plus. Maudit soit cet abruti de Giuliano, incapable de monter à cheval correctement ! Je les voulais morts tous les deux, dès ce soir !

Montesecco songeait au vieil homme de la taverne. Fallait-il voir la main de Dieu dans la chute de Giuliano, qui lui évitait d'être assassiné ? Il secoua la tête pour en écarter l'idée, et ce geste lui arracha un gémissement de douleur.

— Élaborons un nouveau plan, dit Francesco de Pazzi. Utiliser le jeune Raffaelo Riario comme appât me semble toujours judicieux. Lorenzo a un faible pour les étudiants, il adore leur casser les oreilles avec des idioties sur Platon. Et cet étudiant-là est le neveu du pape. Envoyons une autre lettre de Raffaelo à Lorenzo, pour lui dire qu'il aimerait admirer la collection de chefs-d'œuvre de la villa Médicis. Raffaelo doit assister à la messe, ici, dimanche prochain. Proposons un banquet en son honneur.

Montesecco s'aperçut qu'il n'avait qu'une envie : frapper Francesco de Pazzi en pleine figure. Il se contint pour dire d'une voix calme :

— Dimanche prochain, c'est Pâques. Vous voudriez assassiner les Médicis le jour de la résurrection de Notre-Seigneur ?

L'archevêque Salviati rétorqua sèchement :

— Nous accomplissons le dessein de Dieu, nous libérons Florence de son tyran pour protéger la sainte Église. Accomplir notre tâche un jour saint ne peut que nous attirer la bénédiction divine.

Jacopo de Pazzi darda sur Montesecco un regard entendu. Les deux hommes se fixèrent assez longtemps pour comprendre qu'ils nourrissaient tous deux les plus extrêmes réserves sur ce projet, qui ne correspondait plus à l'engagement qu'ils avaient pris. Et la situation empirait chaque jour.

Une semaine plus tard, les conspirateurs, frustrés une fois de plus, étaient réunis au palais Pazzi. Francesco de Pazzi s'était rendu au palais Médicis pour parler de l'organisation du banquet donné en l'honneur du jeune cardinal. Ils avaient opté pour le poison le plus rapide, l'arsenic, et il était nécessaire d'établir avec *donna* Lucrezia un plan de table adapté à leur projet. L'épouse de Lorenzo, Clarice, n'était jamais consultée sur le sujet des divertissements, car ses habitudes de Romaine ne convenaient pas à Florence. Elle se consacrait à l'éducation de ses enfants et laissait à son hospitalière belle-mère le soin des festivités. Francesco négligea le protocole pour déterminer les places à table. Il prétendit que Montesecco avait été si impressionné par Lorenzo qu'il désirait être assis à côté de lui et que l'archevêque Salviati souhaitait discuter des affaires de l'Église avec Giuliano, que l'on disait fort versé en ces matières. Ce que Lucrezia ne pouvait évidemment pas savoir, c'était que Francesco installait les deux assassins, tous deux porteurs de poison, à côté de ses deux fils bien-aimés et de leurs gobelets de vin.

Cependant, Lucrezia avait sidéré Francesco en lui annonçant que Giuliano n'assisterait pas au banquet.

— Sa jambe est encore très douloureuse et il a attrapé une inflammation très contagieuse à l'œil. Il l'a déjà transmise au jeune Piero. Il est donc préférable qu'il garde la chambre pendant encore quelques jours.

Francesco de Pazzi s'efforça de dissimuler sa déception. Le complot ne pouvait réussir que si les deux frères étaient tués le même soir.

— Mais…, marmonna-t-il en essayant de réfléchir rapidement, le jeune cardinal espère tant s'entretenir avec lui, et sera tellement déçu de ne pas le voir.

Lucrezia sourit. Giuliano était si aimable qu'ils seraient nombreux à le regretter. Mais, à dire vrai, il était un peu vaniteux et ne voulait pas exhiber ses yeux enflammés. Elle tenta d'apaiser Francesco.

— Le cardinal rencontrera Giuliano à la grand-messe de Pâques. Il ne la raterait sous aucun prétexte, car il tient à exprimer sa gratitude à Dieu qui l'a protégé, et à célébrer la résurrection de Notre-Seigneur. Mais il rentrera au palais immédiatement après, certainement épuisé et souffrant, car il est resté couché depuis son accident.

Francesco de Pazzi n'écoutait plus. Tous les plans étaient bouleversés une fois de plus. Il ne restait qu'une solution : assassiner les deux frères à la cathédrale, pendant la messe du lendemain matin.

— Vous êtes fous ! Complètement fous !

Les protestations de Montesecco retentissaient entre les murs du palais Pazzi.

— Il n'en est pas question ! Vous m'avez déjà entraîné trop loin. Je n'ajouterai pas le sacrilège à mes crimes. Je ne tuerai jamais un homme, quel qu'il soit, pendant la messe. Dans une cathédrale. Le dimanche de Pâques. Vous rendez-vous compte de ce que vous dites ? Avez-vous perdu tout respect ?

Salviati fronça son nez de rongeur.

— Comment oses-tu nous parler sur ce ton ? Nous n'avons pas le choix, Dieu nous force la main. C'est donc Sa volonté que nous accomplirons.

Jacopo de Pazzi était fatigué. Il était trop vieux pour ce genre de choses et n'appréciait guère le tour qu'elles prenaient.

— Montesecco a raison. Ceci va trop loin.

— Mais vous ne comprenez donc pas que c'est notre dernière chance ! s'exclama Francesco de Pazzi, au bord de la crise de rage. Montesecco nous l'a dit : les troupes d'Imola et des alentours de la Romagne sont en marche, elles seront sous les murs de Florence demain, à l'heure où s'achèvera la messe. Nous devons nous organiser pour qu'elles accourent à notre défense sur-le-champ. Montesecco s'occupera de Lorenzo et moi de Giuliano.

Jacopo de Pazzi cligna plusieurs fois des yeux, comme s'il voyait son neveu pour la première fois.

— Toi! Toi, tu brandiras le poignard qui tuera Giuliano de Médicis?

— Évidemment, répliqua Francesco comme si c'était la chose la plus naturelle du monde. Je serai salué comme un héros, comme l'un des hommes assez courageux pour braver la menace des Médicis et libérer Florence de ses tyrans.

Oh, mon Dieu! se dit Jacopo en secouant la tête. Francesco est vraiment fou.

En cet instant, chacun des hommes impliqués dans ce que l'on appellerait la « conspiration des Pazzi » fut contraint de prendre une décision. Pour Francesco de Pazzi et l'archevêque Salviati, tous deux aveuglés par l'avidité, l'envie et une ambition débridée, il n'y avait qu'un choix possible. Ils étaient décidés à tuer les frères Médicis à Pâques. L'idée les stimulait. Bien que Salviati n'eût aucun poignard à manier, son rôle était décisif. Sitôt reçu le signal de la cathédrale, il marcherait sur la *Signoria*. Il s'emparerait du gouvernement avec l'aide d'un complice chargé de donner aux troupes le signal d'entrer dans la ville et d'une bande de mercenaires du groupe de Montesecco tout disposés à tuer le premier membre du conseil qui tenterait de les arrêter. C'était une révolution, c'était la guerre. Des gens mourraient. Ainsi va le monde.

Mais, pour Gian Battista da Montesecco, ce complot avait irrévocablement viré à la démence et au sacrilège. Il avait cherché le moyen de s'en retirer. Avant même sa conversation avec le vieil homme de la taverne, il avait compris qu'il était du mauvais côté. Il ne voulait pas tuer Lorenzo de Médicis. Il ne serait pas la main qui mettrait un terme à une si noble vie. En fait, il lui passa même par la tête de tuer plutôt Francesco de Pazzi et l'archevêque Salviati afin d'assurer la sécurité des Médicis. Plus tard, il regretterait amèrement de n'avoir pas suivi son instinct.

— Ne comptez plus sur moi, déclara-t-il aux trois hommes qui l'entouraient. Il me semble, Jacopo, que tu es en retrait, toi aussi, mais tu es un homme ; fais ton choix. Quant à vous deux, ajouta-t-il en crachant par terre avant de partir, vous vous tiendrez compagnie en enfer. Saluez le diable pour moi, et dites-lui que je vous suis de près.

Avant que quiconque eût pu proférer un seul mot, Montesecco avait quitté la pièce et Florence. Et il ne jeta pas un seul regard en arrière en chevauchant à bride abattue en direction de la Romagne.

Jacopo Bracciolini avait perdu la grâce.

L'ancien compagnon de Lorenzo en hermétisme et en hérésie était devenu un bel homme, narcissique et corrompu jusqu'à la moelle, dévoré de jalousie envers Lorenzo de Médicis, le plus respecté et le plus aimé des citoyens de Florence. Le jeune Bracciolini possédait l'acuité mentale de son père, mais aucune de ses nobles qualités. C'était un homme à l'intelligence mauvaise et dépourvu de cœur. Bien qu'intellectuellement brillant, il ne mettait son cerveau qu'au service de la satisfaction de ses désirs. Il avait volé de l'argent à son père pour payer ses dettes de jeu, avait vendu les bijoux de sa mère et dilapidé la dot de ses sœurs pour se sortir des mauvais pas où il se mettait constamment. S'étant décerné le titre de plus grand hédoniste de Florence, il organisait des orgies débridées auxquelles il conviait la fange à partager des plaisirs effrénés et souvent innommables. Il n'y avait rien qu'il ne voulût essayer, aucun risque qu'il ne voulût courir, et il prétendait fièrement qu'il commettait quotidiennement tous les péchés mortels. Lorsque Francesco de Pazzi lui proposa de participer au coup d'État visant à renverser le gouvernement de Florence, il applaudit, enchanté par la perspective.

— Quel bénéfice pour moi ?

Ce fut sa première question, celle qu'il posait en toutes circonstances. Francesco de Pazzi lui offrit tout d'abord une somme d'argent ridicule, pour attirer son attention. Puis il y ajouta un certain nombre d'avantages dont il ne pouvait ignorer qu'ils séduiraient l'hédoniste : une maison de campagne, des esclaves circassiennes, vierges bien entendu, et nombre de biens précieux propres à séduire sa vanité.

Mais Bracciolini, bien qu'outrageusement narcissique, n'était pas un imbécile. Il posa la question clé.

— Pourquoi moi ? Je ne m'intéresse ni à la guerre ni à la politique. Je suis cultivé, certes, mais je pratique l'hédonisme. La seule fois où j'ai tenu une épée, ce fut à l'occasion d'un tournoi de Lorenzo, pour le spectacle. Pourquoi voulez-vous que je mène cette rébellion avec vous ?

— L'ordre du Saint-Sépulcre, répondit Francesco en fixant sa proie dans les yeux.

Bracciolini avait alors cessé de sourire. Dieu ! Comme il haïssait l'Ordre et tous ceux qui y étaient mêlés ! La simple mention de ce nom lui donnait envie de vomir.

— Je vois. Et comme Lorenzo est le Prince Poète, le héros de cet ordre moralisateur, vous imaginez que sa mort me fera plaisir.

Il ne mentionna pas ce qui le motivait le plus fortement : rien ne le rendrait plus heureux que de voir cette petite garce de Colombina se jeter dans l'Arno de désespoir. Cette satisfaction comptait plus pour lui que tout l'argent qu'on lui avait promis.

— Oui, fit Francesco. Mais ce n'est pas tout. Si vous décidez de nous aider, votre avenir sera plus glorieux que vous ne pouvez l'imaginer. C'est le pape en personne qui vous demande votre aide.

Nous y voilà, songea Bracciolini. Figurer sur la liste des effectifs du pape garantissait un avenir pavé d'or.

— Que veut-il de moi ?

— Des renseignements. Il veut que vous alliez à Rome et que vous lui disiez tout ce que vous savez sur l'Ordre et sur les Médicis. Il veut les reliques et les documents appartenant à l'Ordre que votre père a peut-être conservés, ainsi que tous les livres ou les papiers que Cosimo lui a donnés.

Le père de Bracciolini, Poggio, avait été le meilleur ami et l'allié de Cosimo de Médicis. Il avait œuvré pour l'Ordre, auquel sa famille était liée depuis des générations. Jacopo avait été élevé dans le respect de ses traditions. Dans son enfance, il avait suivi l'enseignement du maître avec Lorenzo. Mais il était toujours resté extérieur aux règles d'amour et de communauté qui étaient le fondement du Libro Rosso. Être perpétuellement comparé à Lorenzo et à Sandro, élèves modèles et dévoués, n'avait rien arrangé. Bracciolini était jaloux de la position de Lorenzo et du talent de Sandro, qu'il n'égalait aucunement. Il aurait voulu être peintre, mais quelques passages dans les ateliers avaient démontré qu'il valait mieux le cantonner au broyage des minéraux destinés à créer les pigments.

Lorsque Lucrezia Donati, connue au sein de l'Ordre sous le nom de Colombina, était entrée dans l'Ordre à l'âge de seize ans, quelque chose avait dérapé dans le cerveau déjà dérangé de Bracciolini. Jamais il n'avait connu plus ravissante créature. À la regarder, il comprenait les enseignements de l'Ordre sur la divinité des femmes. Mais son adoration déclina rapidement lorsqu'il devint évident qu'elle appartenait à Lorenzo. Sa jalousie et sa haine s'épanouirent. Il se rendit chez les Donati pour les avertir que ce commerçant de Médicis entendait faire sa maîtresse de leur fille adorée, s'il n'avait pas déjà commis ce péché. À la suite de ces informations, les Donati avaient interdit tout contact entre Lorenzo et Lucrezia. Ce fut également Bracciolini qui mit Niccolo Ardinghelli au courant de la liaison entre Lorenzo et son épouse, en y incluant de nombreux et infâmes détails, et provoqua de la sorte la colère qui poussa Ardinghelli à frapper Colombina.

Une nuit, après s'être copieusement enivré, il attendit Colombina devant l'Antica Torre. Elle était devenue la princesse de l'Ordre, leur précieuse Élue et l'élève préférée du maître. Mais, lui, il savait ce qu'elle était en réalité : la putain de Lorenzo. Et Lorenzo était à Milan, en mission pour son père. Il en déduisit, en toute logique, que Colombina avait besoin d'un remplaçant durant son absence. Il la saisit lorsqu'elle passa sur le petit chemin qui reliait l'Antica Torre à Santa Trinita et lui mit une main sur la bouche pour l'empêcher de crier. Elle le mordit au sang. Et ne s'en tint pas là. La douce Colombina savait aussi se battre. Elle enleva la broche qui retenait sa cape et le frappa de toutes ses forces avec l'épingle. Bracciolini hurla si fort qu'un membre de la famille des Gianfigliazi sortit de la tour pour se porter au secours de Colombina.

Bracciolini la menaça, la soumit au chantage, essaya par tous les moyens de la faire taire, mais sans résultat. Colombina, la voix de la vérité, exigeait qu'il payât pour son agression et refusait de passer pour responsable de sa faute. Elle ne serait pas la victime de ses mensonges, ne permettrait pas qu'il s'en sortît sans mal et s'en prît impunément à une autre femme. Il avait non seulement déshonoré le nom des Bracciolini, mais aussi violé toutes les règles de l'Ordre, ce qui, pour son malheureux père, était le plus odieux des crimes. En conséquence, Jacopo fut frappé d'ostracisme par sa famille et déshérité.

Bref, Jacopo imputait à Lorenzo, à sa putain et à leur précieux Ordre la responsabilité de tous les désagréments qu'il avait subis dans sa vie.

Était-ce vraiment possible? se demandait-il. On lui offrait d'être royalement payé pour nuire à Lorenzo et à l'Ordre? C'était la chance de sa vie!

— Quelles sont les intentions du pape? interrogea-t-il. Les déclarera-t-il hérétiques?

Voilà qui serait délicieux! Que Lorenzo rôtît sur un bûcher comme cette sorcière française dont ils faisaient tous si grand cas! Sa putain y serait peut-être condamnée elle aussi, et il assisterait à son supplice. Il pourrait même le suggérer au pape. Il lui suffirait de souligner le double rôle de Colombina, hérétique et adultère, et d'informer Sa Sainteté des crimes contre l'Église régulièrement commis par l'Ordre.

— Ce n'est pas à moi de dire ce que fera le Saint-Père de ces renseignements, répondit Pazzi, mais je suppose que son plus cher désir est d'éliminer l'hérésie sous toutes ses formes.

— C'est également le mien, Francesco. Considère-moi désormais comme ton associé et dis au pape que, s'il m'accueille comme il se doit, je lui fournirai toutes les preuves qu'il veut. Et peut-être même plus qu'il n'en espère.

Peu après son rendez-vous secret avec Francesco de Pazzi, Jacopo rendit une visite-surprise au palais Médicis de la via Larga.

Bien que Lorenzo fût au courant de la réputation désastreuse du jeune Bracciolini et qu'il n'eût jamais oublié ce qu'il avait fait à Colombina, il accepta de recevoir son ami d'enfance dans son *studiolo*, au nom des liens entre les deux familles. Il se demandait toutefois combien de temps durerait la conversation avant que Bracciolini ne cherchât à lui emprunter de l'argent.

— Lorenzo, mon vieil ami, s'exclama Jacopo en le serrant dans ses bras et en l'embrassant sur les deux joues. Je suis venu te présenter mes excuses pour ma conduite passée. Cela fait bien des années que j'ai si mal agi avec ta Colombina. J'aurais souhaité solliciter son pardon directement, car les événements de cette nuit hantent ma mémoire encore aujourd'hui, mais je sais qu'elle refusera de m'entendre. Je désire que tu lui dises à quel point je regrette mon inqualifiable conduite. Crois-moi, je ne suis plus le même homme.

Lorenzo hocha la tête. Jacopo semblait sincère, mais il n'était pas entièrement convaincu et voulait connaître la raison de sa venue. Il garda donc le silence et laissa Jacopo parler.

— Tu te demandes pourquoi je suis venu, je le sais ; je parie même que tu t'attends à ce que je te demande de me prêter de l'argent. Eh bien, tu te trompes. Je ne suis ici que pour implorer ton pardon. Et t'offrir un cadeau.

Jacopo sortit de sa sacoche un livre magnifiquement relié qu'il tendit cérémonieusement à Lorenzo.

— L'*Histoire de Florence*, par mon père, Poggio Bracciolini. Il l'a écrite en latin, comme tu le sais, mais, inspiré par ton amour pour le toscan, je l'ai entièrement traduite dans notre langue vernaculaire. Cela fait des années que j'y travaille, et je t'ai dédié cette version, à toi qui as tant fait pour notre langue et qui fais partie désormais de l'histoire de notre ville, au même titre que ton grand-père.

Interloqué, car il ne se serait jamais attendu à un cadeau aussi splendide de la part d'un membre de la noblesse de la ville, Lorenzo feuilleta l'ouvrage, un véritable chef-d'œuvre d'histoire et de traduction. Peut-être ne fallait-il donc pas désespérer de Bracciolini, puisqu'il était encore capable de tant d'érudition, en dépit de sa vie de débauche, et qu'il avait eu l'amabilité d'ajouter au texte des passages sur les succès de Lorenzo.

Après l'avoir remercié, Lorenzo fit apporter plusieurs bouteilles de son meilleur vin. Les deux hommes burent ensemble en évoquant le bon temps de leur jeunesse. Lorenzo se détendit en discutant de Platon et de leur apprentissage auprès de Ficino, et ils rirent ensemble de leurs espiègleries d'enfants. Persuadé de la sincérité de Brocciolini, Lorenzo mit son vieil ami au courant des dernières nouvelles de l'Ordre et de ses projets à venir.

Malgré les années passées au cœur des dangers de la politique florentine, Lorenzo n'avait jamais cessé de chercher les aspects positifs en chaque homme. Ce n'était pas un sceptique et il estimait juste de donner une deuxième chance à tout individu qui se repentait sincèrement de ses actions passées. Il devait ce trait de caractère tant aux enseignements spirituels qu'il avait reçus qu'à sa nature profonde. Sa noblesse et sa faculté de pardon participaient de sa grandeur. Et aussi de sa vulnérabilité.

Jacopo Bracciolini tint la parole qu'il avait donnée aux conspirateurs. Il fournit à Sixte IV plus de preuves de l'hérésie de Lorenzo que le pape n'eût pu en imaginer. Il avait parfaitement calculé sa visite à Lorenzo, qu'il connaissait assez bien pour savoir qu'il ne résisterait pas à un cadeau tel que ce livre. Comme il l'avait prévu, Lorenzo avait baissé la garde et lui avait confié de nombreux secrets. En une soirée, Bracciolini avait pu vérifier tout ce qu'il savait sur l'Ordre ; il embellit un peu les faits dans son rapport au pape, afin de pouvoir exiger double rétribution pour ces preuves de l'hérésie des Médicis et de leurs partisans. Ironiquement, la Curie le paya en deniers d'argent.

Bracciolini s'était fermement engagé à prendre la *Signoria* d'assaut avec Salviati, l'archevêque de Pise, après l'assassinat. Ce serait un acte dramatique et théâtral, où il se réjouissait d'avance de jouer un rôle important. Il espérait presque que le Conseil résisterait, afin d'avoir l'occasion de tuer un de ses membres, pour ajouter encore à l'excitation. Il n'avait jamais plongé une lame dans le corps de quiconque et cette nouvelle expérience l'enthousiasmait.

Bracciolini enrôlé, Francesco de Pazzi avait besoin de quelques assassins de plus. La perte de Montesecco était un mauvais coup, mais il n'était pas insurmontable. L'archevêque Salviati lui proposa une solution, imparfaite peut-être, mais néanmoins viable. Le prélat avait déniché deux prêtres prêts, et même désireux de tuer Lorenzo de Médicis. Le premier se nommait Antonio Maffei. C'était un homme de petite taille au caractère brouillon, originaire de Volterra, une possession florentine où s'était déroulée une sanglante guerre civile. Au cours du soulèvement, la moitié de la population avait trouvé la mort. La mère et les sœurs de Maffei avaient été assassinées par des mercenaires à la solde des Médicis, dépêchés pour mater la révolte à un moment où les armées de Florence étaient occupées aux frontières. Ce n'était pas la faute de Lorenzo si les mercenaires en question étaient des brigands et des criminels, mais on lui reprochait souvent les massacres de Volterra. Il s'était rendu plusieurs fois dans la ville martyre et avait offert des dédommagements personnels aux victimes de la tuerie. Il avait consacré sa fortune personnelle à la reconstruction de la ville et à l'indemnisation des citoyens survivants. Cette culpabilité ne le laissait pas en repos, Volterra hantait ses nuits et constituait l'épine la plus douloureuse de sa carrière politique.

Mais, pour le jeune prêtre Antonio Maffei, Lorenzo de Médicis était un scélérat de première grandeur. S'il jouait un rôle dans le meurtre d'un tel homme, Volterra le considérerait comme un héros. Il accepta de brandir le poignard sans réclamer d'autre compensation que le pardon du pape pour son acte.

Un autre prêtre se joindrait à lui ; Stefano da Bagnone, très endetté auprès de la banque des Pazzi et en quête d'un moyen de se libérer de cette dette, accepta d'assister Maffei s'il fallait plus d'un homme pour venir à bout de Lorenzo. La grand-messe de Pâques était une cérémonie officielle et Lorenzo revêtirait le costume de circonstance qui, à Florence, comportait une épée. C'était un athlète confirmé, qui saurait se servir de son arme. Les deux prêtres l'attaqueraient donc par-derrière, avant qu'il eût le temps de sortir son arme.

Avec l'archevêque, ils mirent au point un plan qui leur garantissait le succès. Le signal de l'attaque serait le moment où l'officiant, face à l'autel, se préparait à la sainte communion. Ce signal ne pouvait être raté car il s'accompagnait de sons de cloche. Autre avantage, les dévots florentins auraient tous les yeux fixés sur leur livre de prières, ce qui donnerait aux assassins le temps de frapper par-derrière sans être remarqués. La réussite de leur projet semblait assurée.

Palais Médicis,

25 avril 1478

En voyant Giuliano entrer en boitillant dans son *studiolo*, Lorenzo sourit de joie.

— Vivant, et sur ses pieds ! Comment te sens-tu ? lui demanda-t-il en le serrant dans ses bras.

— Beaucoup mieux! J'ai eu un peu de mal à descendre les escaliers, et il me faudra encore du temps pour récupérer entièrement, mais je suis en bonne voie.

Giuliano s'interrompit, et Lorenzo constata que ses yeux, encore rouges des suites de l'inflammation, brillaient de manière peu naturelle. Inquiet, il posa une main sur l'épaule de son frère.

— As-tu de la fièvre? Tes yeux te font-ils encore souffrir?

Giuliano éclata de rire et écarta la main de son frère pour aller s'asseoir sur le siège capitonné, auparavant proche du chef-d'œuvre de Botticelli, *Le Temps revient*.

— Non, pas du tout! Je vais bien. Voici ce que je suis venu te dire, frère. Je reviens de la chapelle, où j'ai prié devant le Libro Rosso pendant une heure, comme tu m'as conseillé de le faire. J'ai écouté les anges, et ils m'ont parlé. Ils m'ont dit d'épouser Fioretta, de choisir l'amour. De reconnaître et d'élever mon enfant.

Lorenzo sentit une boule se former dans sa gorge. Il mit quelques instants à répondre.

— Je suis très heureux de ce que tu m'annonces, et je crois que tu as bien entendu les anges. Que pourraient-ils dire d'autre que l'amour est toujours le plus fort?

— Mais tu ne sais pas encore tout! Tu ne vas pas me croire, c'est un vrai miracle... Mère ne s'y oppose pas! Elle m'attendait devant la chapelle pour me dire qu'elle avait interrogé son cœur, et qu'elle voulait mon bonheur. Tu t'imagines? Je vais épouser Fioretta!

Lorenzo embrassa son jeune frère et le serra dans ses bras. En cet instant, ils étaient redevenus des enfants, innocents, heureux, qui jouaient leurs rôles respectifs d'aîné protecteur et de cadet choyé. Les yeux de Lorenzo brillaient de larmes lorsqu'il s'écarta de Giuliano.

— Je suis si heureux pour vous deux. Et j'imagine la joie de Fioretta quand tu lui annonceras la nouvelle.

— J'ai décidé de demander sa main dès demain, si mes yeux vont mieux. Ce sera mon cadeau de Pâques. Dès l'aube, je partirai pour Fiesole.

— Tu ne viendras pas à la grand-messe? Le jeune cardinal y sera; c'est le neveu du pape. Il a demandé à t'y rencontrer, puisque tu ne pourras assister au banquet de demain soir.

— J'irai peut-être, et je partirai pour Fiesole après. Tout dépendra de mon état. Si je marche jusqu'à la cathédrale, aller et retour, ma jambe me fera peut-être trop mal pour que je puisse monter. Mais, pour le moment, il faut que j'aille appliquer sur mes yeux la compresse que le médecin m'a donnée, afin de pouvoir fêter les plus heureuses Pâques de ma vie.

Florence,

Dimanche de Pâques 1478

La cathédrale se remplit tôt, les Florentins se pressant afin d'obtenir une place pour la grand-messe de ce dimanche de Pâques. Les premiers rangs étaient toujours réservés à l'élite dirigeante, dont les Médicis faisaient bien entendu partie. Le siège de Lorenzo était au milieu du premier rang, juste devant l'autel. En cette occasion officielle, il serait accompagné de ses plus proches amis et de son frère, car sa famille – mère, épouse et enfants – assisterait au service dans sa basilique personnelle de San Lorenzo.

Francesco de Pazzi vit entrer Lorenzo et Angelo Poliziano. Il jeta un regard alentour, en quête de Giuliano, et s'affola en ne voyant nulle part la haute et reconnaissable silhouette du jeune Médicis. Il s'approcha de Lorenzo, qui lui apprit que la jambe de Giuliano le faisait beaucoup souffrir et qu'il avait décidé de s'épargner la marche jusqu'à la cathédrale.

Après une course effrénée jusqu'au palais de la via Larga, Francesco de Pazzi fut reçu par *donna* Lucrezia qui se préparait à aller à la messe avec ses petits-enfants.

Hors d'haleine, Francesco de Pazzi lui fit part de la déception du cardinal Riario et insista pour que Giuliano se rendît à la cathédrale, afin de ne pas offenser un membre de la famille du pape. Lucrezia lui conseilla de s'adresser directement à son fils.

Comme tout un chacun à Florence, Francesco de Pazzi connaissait la gentillesse naturelle et la courtoisie de Giuliano. Il fit appel à ces traits de son caractère pour le convaincre.

— Le cardinal est le plus jeune d'une nombreuse et puissante fratrie. Il est certain que vos conseils lui seraient précieux pour se montrer à la hauteur de la réputation de sa famille. Et je suis convaincu que le pape sera mieux disposé envers Lorenzo si vous accordez cette courte audience à son neveu. Quelques minutes seulement, à la fin de la messe, et vous serez de retour au lit en un rien de temps.

Giuliano soupira. En vérité, sa jambe allait beaucoup mieux, et il se sentait capable de marcher jusqu'à la cathédrale en boitillant. Mais il était impatient d'être à Fiesole, avec Fioretta et l'enfant. Pourtant, si les dires de Francesco étaient véridiques, si le neveu du pape souhaitait réellement passer quelques instants avec lui, il irait à la cathédrale. Posséder un allié au sein de la famille du pape profiterait à Lorenzo. Après tout, cela ne le retarderait pas beaucoup. Sans compter qu'avec tous les bienfaits dont il était comblé, passer une heure à genoux pour célébrer la résurrection de Notre-Seigneur était la moindre des choses. En fait, il s'était senti coupable à l'idée de manquer la messe. Peut-être Dieu lui-même lui envoyait-il Francesco de Pazzi pour le remettre sur le droit chemin.

En s'habillant, Giuliano se souvint de la date : on était le 26 avril, date anniversaire de la mort de leur ravissante Simonetta. Qu'avait donc déclaré Lorenzo ? « Le 26 avril sera toujours pour nous un jour de deuil. »

Il irait à la messe, il prierait pour l'âme de Simonetta et pour les familles Vespucci et Cattaneo, qui la pleuraient.

Il se vêtit rapidement et s'étonna, lorsqu'il sortit de sa chambre, que Francesco le serrât si étroitement dans ses bras en manifestant une joie débordante à le voir bien droit sur ses jambes et capable de le suivre. L'innocent Giuliano ne pouvait supposer qu'en fait Francesco de Pazzi vérifiait qu'il ne portait pas d'arme. En effet, dans sa hâte, Giuliano avait négligé de revêtir le costume d'apparat et tout l'attirail militaire. Lorenzo l'arborerait, en toute magnificence, et il représenterait la famille, comme de coutume.

Giuliano parcourut la via Larga d'un pas hésitant, en direction de la splendide cathédrale dont la façade de marbre gris et rose resplendissait au soleil et dont le superbe dôme de brique rouge invitait les Florentins à la prière en ce jour saint.

Lorsqu'ils y pénétrèrent, il était assez tard et les places à côté de Lorenzo étaient occupées. Giuliano alla s'asseoir ailleurs, à l'arrière de la nef. Son frère l'aperçut et, surpris par sa présence, leva un sourcil interrogateur. Giuliano y répondit en haussant les épaules et en désignant Francesco. Lorenzo lui sourit et fit un geste de la main, comme pour remettre les explications à plus tard, avant de se rasseoir. Puis il posa son épée et son fourreau sur ses genoux, afin qu'ils ne heurtent pas le prie-Dieu durant la messe. Ce faisant, il remarqua deux prêtres qu'il ne connaissait pas assis derrière lui, leur adressa un bref salut et leur souhaita de joyeuses Pâques avant de faire remarquer à Angelo que le tout récemment nommé cardinal Riario semblait bien jeune et très nerveux. Sans doute n'avait-il jamais eu l'occasion d'assister à une messe solennelle dans une cathédrale aussi impressionnante que leur grandiose Santa Maria dei Fiori.

Giuliano suivit Francesco de Pazzi dans l'aile nord de la cathédrale, près du chœur, et s'assit à côté de lui. Il s'efforçait de se concentrer sur l'office, mais en réalité toutes ses pensées étaient avec Fioretta. Lorsque les cloches se mirent à sonner, il inclina la tête en signe de respect, comme presque tous les participants.

Sur le point de commencer à prier en l'honneur du Dieu qu'il aimait tant, Giuliano de Médicis ne vit pas venir le poignard. Stimulé par une bouffée d'adrénaline,

Francesco de Pazzi l'en frappa si fort que le premier coup, porté à la gorge, la trancha net.

Transporté par l'odeur du sang, il frappait de plus en plus vite et de plus en plus fort tout en ahanant. Sa frénésie était telle qu'il en vint à se porter un coup à sa propre hanche, la prenant pour celle de Giuliano.

Le chaos s'empara de la cathédrale, où retentirent des hurlements parmi l'assistance proche du drame, éclaboussée par les flots de sang répandus. Les gens s'éparpillèrent dans le désordre. Les deux prêtres assis derrière Lorenzo avaient attaqué simultanément, mais Antonio Maffei commit une erreur tactique. Au moment où il tirait d'une main le poignard dissimulé dans la manche de sa tunique, il prit appui de l'autre sur Lorenzo.

Lorenzo de Médicis était prompt comme l'éclair et entraîné par des années de chasse et d'exercice physique. Sitôt se sentit-il touché par-derrière qu'il bondit sur ses pieds et le coup de Maffei perdit de sa force. La lame mordit le cou de Lorenzo mais la blessure n'était pas mortelle.

La victime eut le temps de sortir son arme et d'être prête à se défendre avant que l'autre assaillant ne portât son coup.

Pour Angelo Poliziano, ce moment cristalliserait à jamais tout ce qu'il avait été, tout ce qu'il avait vu. Son père, source majeure de sagesse et d'amour, avait été poignardé à mort sous ses yeux lorsqu'il était enfant. Aujourd'hui, Lorenzo de Médicis, source majeure de sagesse et d'amour, était pareillement menacé, vingt ans plus tard. Cette fois-ci, Angelo interviendrait.

De stature moyenne, plus féru de poésie que d'exercice physique, Angelo Poliziano n'était ni fort ni athlétique. Mais il était déterminé. Il frappa l'un des assassins du revers de sa main droite, assez fort pour le déséquilibrer, et saisit Lorenzo de l'autre pour le tirer en arrière, hors d'atteinte. Les deux prêtres, pétrifiés par les vives réactions de Lorenzo et d'Angelo, prirent leurs jambes à leur cou et s'enfuirent sans qu'on pût les arrêter.

— Vite ! cria Angelo à Lorenzo, qui saignait abondamment et n'était pas en état de discuter.

Ses amis lui firent franchir les colossales portes de bronze de la sacristie, qu'ils refermèrent immédiatement derrière eux afin d'être à l'abri d'autres agressions. Tout d'abord abasourdi, Lorenzo ne tarda pas à être submergé par une terrible angoisse au sujet de son frère.

— As-tu vu Giuliano ? demanda-t-il anxieusement à Angelo.

Mais les amis de Lorenzo, soucieux comme ils l'avaient été de protéger *il Magnifico*, ignoraient tout du sort de Giulianio, assis loin derrière eux. En outre, nul ne pouvait imaginer qu'il eût constitué une cible. Qui, en vérité, pourrait vouloir assassiner le gentil Giuliano, si peu concerné par la politique ? Cela n'avait pas de sens. Le loyal entourage de Lorenzo ne pensait qu'à sauver son chef. Son jeune ami Antonio Ridolfi suçait sa blessure, car, si les assaillants étaient habiles, leurs lames étaient sans doute empoisonnées. Ridolfi était tout disposé à ingurgiter le venin si cela pouvait sauver *il Magnifico*. Un jour, peut-être, Florence lui serait reconnaissante de son sacrifice.

— Giuliano ! s'écria encore une fois Lorenzo, affaibli par la perte de sang, tandis qu'Angelo essayait de le faire tenir tranquille pour lui bander la gorge avec sa cape.

Mais l'angoisse de Lorenzo était à son comble.

Un autre des vieux compagnons des Médicis, Sigismondo Stufa, se jucha sur une échelle et grimpa sur le chœur pour avoir une vue d'ensemble du chaos qui régnait et avait transformé le dimanche de Pâques en un bain de sang. Quelqu'un hurla que le dôme allait s'effondrer, et les gens se piétinaient pour fuir la basilique. Sigismondo mit plus d'une longue minute à découvrir le spectacle de cauchemar qui hanterait ses nuits sa vie durant.

Giuliano de Médicis, rendu méconnaissable par le sang dont il était inondé, était allongé, sans vie, dans le couloir de la nef nord. Il avait été littéralement déchiqueté par plus de dix-neuf coups de poignard.

L'heure n'était pas au deuil. Nul ne connaissait le nombre des agresseurs. Il fallait mettre Lorenzo à l'abri. Et s'il apprenait que Giuliano avait été massacré et gisait sur le sol de la cathédrale, il n'accepterait jamais de quitter les lieux. Sigismondo prétendit n'avoir pas vu Giuliano et donna à Lorenzo le faux espoir que son frère était indemne. Ce mensonge lui fendait le cœur, mais c'était l'unique moyen de persuader Lorenzo de quitter la basilique et de se réfugier entre les murs du palais Médicis aussi vite qu'ils pourraient l'y porter.

Par la suite, Sigismondo proclama qu'il n'avait pas menti, mais que, dans la fureur du moment, il n'avait pas reconnu dans la masse de chair et de sang son meilleur ami et compagnon de joute. Cet amas sanguinolent ne pouvait être Giuliano de Médicis. C'était impensable.

Restait à mettre en œuvre la deuxième étape de la conspiration des Pazzi. Bracciolini et Salviati, accompagnés d'une bande de farouches mercenaires originaires de Perugia, se dirigèrent vers la *Signoria*. Bien qu'elle fût menée par un évêque, la vue de cette bande de soldats dépenaillés alerta le Conseil. Le *gonfaloniere* alors en poste, qui avait rang de commandant de la République, était un homme rude et sans peur du nom de Cesare Petrucci. Il déjeunait lorsque l'archevêque et sa horde se présentèrent pour solliciter une audience. Le prudent Petrucci les laissa entrer, mais sépara l'archevêque Salviati et Bracciolini de la meute des mercenaires, en exigeant que leur garde d'honneur attendît dans une pièce adjacente. L'archevêque ne comprit pas que la pièce en question avait toutes les caractéristiques d'une cellule : on ne pouvait en sortir sans qu'un membre de la *Signoria* en ouvrît la porte.

Salviati informa Petrucci qu'il avait un message du pape à transmettre. Il commença un discours incohérent où il était question de libérer Florence ; emporté par ses nerfs, il butait sur les mots. Mais Petrucci en avait assez entendu. Des mots comme « soulèvement » et « tyran » suffirent à lui faire comprendre qu'il y avait un problème dans l'air. En outre, la place et les rues alentour retentissaient de tumulte et de cris. Il en appela à la garde de la *Signoria* et fut soudain attaqué par un Bracciolini hors de lui, lent et maladroit.

Petrucci était un soldat entraîné. Il ne perdit pas de temps à sortir une arme, mais saisit Bracciolini par les cheveux et l'écrasa au sol en quelques secondes. Les gardes pénétrèrent dans la pièce et s'emparèrent de lui, sans négliger de bourrer de coups l'archevêque de Pise dont ils s'emparèrent aussi.

— Sonnez la *vacca* ! cria Petrucci.

La *vacca* était la grande cloche de la *Signoria* ; on lui avait donné ce nom, la « vache », à cause de l'espèce de mugissement qu'elle émettait. On ne donnait la *vacca* que lorsqu'il se passait un événement grave dans la ville : elle sonnait le rassemblement des citoyens de la République sur la Piazza della Signoria.

Tandis qu'elle lançait son appel, des cavaliers portant la livrée des Pazzi chargèrent en hurlant : « Liberté ! Mort aux Médicis ! Mort aux tyrans ! Pour le peuple de Florence ! Pour le peuple ! »

Si les conspirateurs avaient compté sur le ralliement des citoyens de Florence, ils allaient être amèrement déçus. Le bruit de l'horrible meurtre de Giuliano de Médicis par Francesco de Pazzi s'était répandu dans toute la ville, qui s'en indignait. D'autres complices des Pazzi sillonnaient la place, aux cris de « Liberté ! » Le peuple de Florence s'y précipita, clamant pour sa part « *Palle ! Palle !* Pour l'amour des Médicis ! » Les pierres pleuvaient sur les cavaliers des Pazzi. Les rumeurs sur le meurtre de Giuliano s'amplifiaient, les détails les plus atroces circulaient. « Il a été taillé en pièces ! Ses membres sont éparpillés tout autour de l'autel ! On lui a arraché les yeux ! Ce voyou de Pazzi lui a tranché le nez ! »

L'horrible assassinat du gentil Giuliano ne resterait pas impuni. La garde avait d'ores et déjà tué les mercenaires venus de Perugia et placé leurs têtes au bout de piques, afin de prévenir du sort qui les attendait ceux qui seraient assez fous pour menacer la paix de cette république civilisée. Le premier des instigateurs de la conspiration à se faire prendre fut Bracciolini. Il n'en croyait pas ses yeux ! Ce n'était pas exactement ainsi qu'il avait imaginé le coup d'État qui mettrait fin à la vie de Lorenzo et au règne des Médicis. Il promit de tout dire, de dénoncer tous les conspirateurs, si on lui laissait la vie sauve, et commença à parler à toute vitesse. Petrucci écoutait depuis moins d'une minute lorsqu'on vint lui annoncer la mort de Giuliano pendant la grand-messe. Il cracha sur Bracciolini et fit signe aux gardes.

— Faites de cet homme un exemple que l'on n'oubliera pas !

En quelques instants, les gardes trouvèrent une solide corde dont ils attachèrent l'une des extrémités à une poutre et l'autre autour du cou de Bracciolini. Sans plus attendre, ils le firent basculer par la fenêtre et ne se donnèrent même pas la peine de le regarder heurter le mur du Palazzo Vecchio et se briser le cou et les dents. On laissa le corps disloqué se balancer à la vue de tous, afin qu'il servît d'exemple. Ce ne serait que le premier.

Ils s'emparèrent ensuite de l'archevêque de Pise, qui se mit à hurler et à donner des coups de pied en invoquant la protection du pape jusqu'à ce qu'on le réduisît au silence d'un solide coup de poing dans la mâchoire. Les gardes l'envoyèrent rejoindre Bracciolini. Il ne mourut pas aussi vite et Angelo Poliziano narrerait plus tard, et en détail, sa longue agonie. Après avoir été jeté par la fenêtre, il se cogna au corps sans vie de Bracciolini, et la dernière chose qu'il fit avant de mourir fut de planter ses dents dans la chair du cadavre. La raison de cet acte demeura un macabre mystère que les Florentins tentèrent d'élucider pendant des années. On supposa qu'il avait imaginé sauver sa vie en commettant cette ultime vilenie. Et ce plan, comme tous ceux qu'il avait précédemment concoctés, avait échoué.

La foule réclamait à grands cris de voir couler le sang des Pazzi et se précipitait vers leur palais, où se cachait Francesco. Sa blessure à la hanche saignait abondamment et il fut aisé de suivre sa trace jusque sous le lit où il se dissimulait. La meute lui arracha ses vêtements et le traîna, nu comme un ver, jusqu'à la *Signoria* afin qu'il partageât le sort de ses complices. Ce fut bientôt chose faite.

La rumeur enflait. Le peuple de Florence voulait savoir si Lorenzo était sain et sauf. Des centaines de personnes défilèrent dans les rues en direction de la via Larga tout en criant le nom de leur héros. Elles furent bientôt rejointes par une véritable foule, qui exigeait la preuve que Lorenzo était bien en vie.

Chez les Médicis, on avait immédiatement décidé d'éloigner Clarice et les enfants le plus vite possible. Le chaos allait régner sur la cité jusqu'à ce que toute la lumière fût faite sur les tragiques événements qui l'avaient ensanglantée, et Lorenzo ne voulait pas que sa famille y assistât. En dépit de ses prières, sa mère ne consentit pas à quitter la ville avec eux. Lucrezia était en état de choc depuis qu'elle avait appris l'assassinat cruel de son cher Giuliano.

Le médecin personnel de Lorenzo, que l'on avait fait entrer dans le palais par une porte latérale, examina soigneusement la blessure au cou.

— Tu es béni des dieux, Lorenzo! dit-il en secouant la tête. Tu n'aurais en aucun cas survécu si le coup avait pénétré tout droit. Mais regarde.

Le médecin montra un fragment de chaîne en argent, qu'il avait extrait de la blessure. Il était toujours attaché au collier couvert de sang où était accrochée la relique de la Vraie Croix offerte à Lorenzo enfant, et qu'il portait depuis qu'il était en âge d'en apprécier la valeur. C'était l'inestimable cadeau du roi René d'Anjou, qui avait appartenu à Jeanne d'Arc.

— On dirait que la lame a coupé la chaîne et que par conséquent elle a été détournée vers le haut du cou, au-dessus de l'artère. Ce pendentif t'a probablement sauvé la vie.

Florence était en proie au chaos. La pagaille était à son comble, tandis que les citoyens réagissaient aux rumeurs contradictoires qui agitaient la ville. Ils étaient des centaines, rassemblés autour du palais Médicis, à réclamer des nouvelles de Lorenzo.

Angelo se fit le messager entre la rue et le palais; il déclara à la foule que Lorenzo était entre les mains de son médecin et leur demanda de continuer à prier avec ferveur pour sa guérison. Mais, dans l'après-midi, la foule grossit encore, sans qu'on pût l'apaiser. Elle voulait Lorenzo.

Tandis que le médecin bandait le cou de son blessé, Colombina et Fra Francesco furent introduits dans la pièce. Colombina tomba aux genoux de Lorenzo lorsqu'elle l'aperçut et lui prit la main en sanglotant.

— Oh! Lorenzo! Grâce à Dieu, tu es vivant!

Il lui caressa les cheveux et laissa couler ses larmes en lui demandant si elle était au courant de la mort de Giuliano.

Bouleversée par son chagrin d'une part, et par le soulagement qu'elle éprouvait à savoir Lorenzo vivant, Colombina hocha la tête sans prononcer un seul mot.

— Maître, dit alors Lorenzo, comment puis-je concilier tout cela avec les enseignements de l'Ordre? Où se trouvait Dieu, lorsque mon frère est allé célébrer la résurrection de Jésus et lui exprimer sa gratitude? Pourquoi a-t-il emporté mon magnifique, mon innocent jeune frère?

Fra Francesco avait été le témoin de plus de violences et de tragédies qu'il n'était imaginable pour un seul homme. Il posa doucement la main sur l'épaule de Lorenzo.

— Écoute-moi bien, mon fils : il est facile d'avoir la foi lorsque tout va bien. Il est difficile de la garder en un jour aussi tragique que celui-ci. Je ne peux te dire pourquoi Dieu n'a pas sauvé Giuliano, mais il est évident qu'il y a eu intervention divine pour te garder en vie. Alors, au lieu de maudire Dieu pour ce qu'il n'a pas fait, je préfère le remercier pour ce qu'il a fait. Je suis heureux que *donna* Lucrezia ne pleure pas aujourd'hui ses deux fils. Et le peuple de Florence partage mon sentiment, dirait-on.

— Je sais, maître, et je remercie Dieu d'avoir épargné ma vie. Mais j'ai l'impression qu'il va me falloir du temps avant d'appliquer les enseignements de l'amour envers ceux qui ont commis ces actes.

— C'est cependant ce que tu dois faire, Lorenzo, et dès maintenant. Il a fallu quatorze siècles à des hommes décidés pour obscurcir les véritables enseignements de Jésus et pour détruire le Chemin de l'Amour. Tu ne parviendras pas à les rétablir tous en ta seule vie. Mais tu dois montrer l'exemple à ton peuple et aux générations futures en délivrant dès maintenant un message de paix.

Colombina lui prit la main et leva sur lui un regard éperdu.

— Les citoyens de la ville craignent qu'il ne te soit arrivé quelque chose, et le chaos règne dans les rues. Des Florentins seront blessés, il y aura peut-être d'autres massacres. Mais le peuple t'aime, Lorenzo, et il te suivra. Parle-lui, il t'écoutera.

Lorenzo acquiesça. Sa première tentative de se mettre debout n'aboutit pas. Affaibli par la perte de sang et par le choc, il fut pris de vertige. Colombina, le maître et le médecin l'aidèrent à se redresser et le soutinrent jusqu'à ce qu'il eût repris son équilibre. Hors d'haleine, Angelo fit irruption dans la chambre avec des nouvelles fraîches. La foule était de plus en plus agitée et devenait incontrôlable. Il avait annoncé que Lorenzo ferait une déclaration, et qu'il la lui transmettrait.

— Je parlerai moi-même, Angelo. Mais sans doute faudra-t-il que tu répètes mes paroles après moi, car le vacarme couvrira peut-être ma voix.

— Regardez! Lorenzo est vivant!

La foule amassée devant le palais attendait d'être informée par Angelo lorsqu'une fenêtre du deuxième étage s'ouvrit et que Lorenzo apparut, le cou bandé, les vêtements éclaboussés de sang et le visage d'une pâleur de cire. Il était évident, même de loin, qu'*il Magnifico* avait été gravement blessé. Tous retinrent leur souffle pendant que Lorenzo luttait pour tenir sur ses jambes et délivrer son message. Angelo se tenait à son côté. Ce que la foule ne pouvait voir, c'était Colombina et le médecin qui le retenaient par-derrière afin qu'il ne tombât pas.

— Citoyens de Florence, mes frères et sœurs, commença-t-il le plus fort possible, un crime affreux a été commis aujourd'hui. Une offense à Dieu, une tache sur notre république et un crime contre ma famille. Comme certains d'entre vous le savent, mon frère, Giuliano, est mort. Il a été assassiné dans la cathédrale pendant la messe, en ce jour béni entre tous.

La confirmation de l'affreuse nouvelle provoqua un rugissement de colère dans la foule. Lorenzo, qui faiblissait, ne s'autorisa qu'une courte pause avant de reprendre la parole et de contraindre la foule au silence.

— Mais nous sommes un peuple civilisé, nous n'ajouterons pas aux crimes commis aujourd'hui. La république de Florence est considérée dans toute l'Europe comme un État de progrès, indépendant, reconnu pour sa culture, son enseignement et son sens de la justice. Notre devoir est de donner l'exemple et de respecter nos lois afin de traduire les responsables de ces actes odieux en justice.

Au mot de justice, la foule s'exclama bruyamment. Lorenzo poursuivit.

— Et la justice ne se rend pas dans la rue, quels que soient nos sentiments et notre sens du bien et du mal. Une république civilisée ne le tolère pas. Notre liberté tient à notre respect de la loi. Alors, demeurons libres, en respectant la justice. Ma famille apprécie plus que je ne saurais le dire votre manifestation d'amour et de loyauté. Mais nous vous supplions de ne pas vous livrer à de sanglantes représailles afin de nous prouver votre fidélité. Ceux qui connaissaient mon frère savent que c'était un homme doux et bon, qui haïssait la violence ; il ne voudrait pas que l'on fît couler le sang en son nom. Je vous supplie, en cette terrible épreuve, de rester unis, de prendre soin les uns des autres. Et de profiter au mieux des précieux instants que vous passez avec vos familles.

Lorenzo tremblait de tous ses membres, car la perte de Giuliano prenait de la réalité tandis qu'il parlait. Il abrégea son discours.

— Voici le seul message qui compte désormais. Aimez-vous les uns les autres. Et merci. Merci pour votre soutien et pour votre fidélité.

Lorenzo s'effondra sur Angelo sous les yeux effarés de la foule. On le porta sur son lit sous les acclamations du peuple de Florence, qui se dispersa en criant son nom dans les rues de la ville. Jamais sa sympathie pour Lorenzo et sa famille n'avait été plus forte. Le pape Sixte IV, sa famille et ses partisans, traités comme les criminels qu'ils étaient, firent l'objet d'injures mille fois répétées. Les citoyens de la République florentine faisaient front derrière Lorenzo et soutiendraient toutes ses décisions. Les conseils traditionnels furent abolis ou disparurent d'eux-mêmes pour laisser place à un conseil de dix partisans des Médicis chargé des affaires de la ville pendant la période tourmentée qui suivit le massacre de la cathédrale. Ce conseil, provisoirement instauré pour parer au plus pressé, devint le gouvernement de fait de Florence.

Et durant la décennie suivante, Florence appartint exclusivement à Lorenzo tandis qu'il devenait l'homme le plus puissant d'Europe à ne détenir aucun titre ou mandat officiel.

Par l'une de ces étranges coïncidences qui jalonnent l'histoire des Médicis, Fioretta Gorini mourut des suites de son accouchement le matin même où Giuliano était assassiné dans la cathédrale, et elle eut la chance de n'en rien apprendre. Le dernier message qui lui parvint de Giuliano était une lettre d'amour et d'espoir, où il lui annonçait que sa famille avait consenti à leur union. Elle s'endormit peu après en avoir pris connaissance, et ne s'éveilla jamais du rêve heureux où l'avait plongée la lettre de son amant.

Si Giuliano était allé à Fiesole ce matin-là, il serait arrivé juste à temps pour prendre la main de sa bien-aimée au moment où elle le quittait pour rejoindre Dieu.

Désormais, morts le même jour, ils étaient ensemble au ciel.

Avec l'autorisation et la bénédiction de la famille de Fioretta, Lorenzo de Médicis adopta le bébé, prénommé Giulio. Les Gorini furent considérés comme faisant partie de la famille Médicis, et ne manquèrent jamais de rien. Giulio fut élevé avec le fils préféré de Lorenzo, Giovanni, et les deux enfants devinrent aussi proches que des jumeaux. Ils jouèrent ensemble, s'instruisirent ensemble, rivalisèrent amicalement, inventèrent un langage qu'ils étaient seuls à comprendre. Et, à l'instar de beaucoup de vrais jumeaux, développèrent des personnalités opposées : Giovanni était joyeux et doux, Giulio, sérieux et réservé. Bien que Lorenzo l'eût toujours traité avec l'affection qu'il manifestait à tous ses enfants, le jeune garçon semblait nourrir un certain ressentiment envers le monde qui l'avait privé de ses vrais parents. Son demi-frère, qu'il appelait Gio, devait souvent l'arracher à son humeur maussade.

Les destins des deux enfants étaient aussi entremêlés que s'ils étaient nés d'un même ventre.

L'Église est un monstre hybride.

Depuis des siècles, l'art la représente comme telle, le plus souvent sous la forme d'un Minotaure, la créature qui vivait au plus profond du labyrinthe crétois et dévorait les enfants. Car c'est une juste description, n'est-ce pas ? Un genre mystérieux de monstre hybride, mi-horrible et mi-rachetable, mi-fondé sur la vérité et mi-fondé sur le mensonge. Un hybride d'amour et de haine, de justice et de rapacité. Ce monstre vit au milieu d'une forteresse imprenable et se nourrit du sang des innocents.

Moi, je l'ai peinte en Centaure. Un monstre méchant et stupide, qui représente Sixte et la couvée de créatures horribles capables de fomenter le complot de massacrer des

innocents le dimanche de Pâques. Il s'accroche désespéré-
ment à son arme, mais il sait qu'elle lui est désormais
inutile. Il est pris. La vérité est connue.

Le Centaure est facilement maîtrisé par la grande Pallas
Athéna, déesse de la sagesse éternelle. C'est ma façon
d'affirmer qu'elle triomphera, car elle symbolise la vérité.
Je l'ai vêtue d'une robe où l'on remarque les signes des
Médicis, les anneaux de mariage entremêlés de Lorenzo, et
je l'ai couronnée de lauriers. Pour un observateur éclairé,
il est évident que la sage et puissante déesse protège notre
Lorenzo. Puisse-t-il en aller toujours ainsi. Ce tableau est
un talisman pour lui et toute sa famille.

Je demeure
Alessandro di Filipepi, alias Botticelli

Extrait des *Mémoires secrets* de Sandro Botticelli.

Florence,

De nos jours

— Le pape Sixte IV a excommunié Lorenzo peu après
avoir fait assassiner Giuliano dans la cathédrale.

Destino s'adressait au petit groupe d'amis rassemblés
dans le salon de Petra : Maureen, Peter, Roland, Tammy
et Petra elle-même.

— Sous quel prétexte ? s'enquit Peter.

— Pour avoir survécu. Vous pouvez rire, je vous en
prie, car c'est grotesque. Mais c'est la vérité. Sixte était si
furieux que Lorenzo ait osé survivre à sa tentative de
meurtre qu'il l'a excommunié pour cette raison. Et
lorsque les citoyens de Florence refusèrent d'accréditer

l'anathème contre le Magnifique, Sixte a excommunié toute la ville.

Incrédules, tous s'exclamèrent bruyamment.

Peter, l'ancien prêtre qui avait précédemment travaillé au Vatican, ajouta :

— On ne peut excommunier toute une ville ! Et certainement pas à cause des actes d'un seul de ses citoyens.

— C'est absurde, en effet, mais tout ce qu'a accompli ce pape est incroyable. Et il s'en est toujours sorti. L'autorité pontificale étant ce qu'elle était, et le pape étant infaillible, il pouvait agir à sa guise, et ne s'en priva pas. Vous comprendrez pourquoi Lorenzo a combattu avec autant de détermination l'autorité pontificale absolue, tout en s'efforçant de trouver les moyens de déstabiliser la structure de l'Église catholique.

— Qu'arriva-t-il ? demanda Roland. Les citoyens de Florence acceptèrent-ils leur excommunication ?

— Bien sûr que non. À leurs yeux, Sixte était un criminel et rien de ce qu'il pouvait dire ou faire n'avait de réelle importance. Le Conseil de la *Signoria* répondit au pape pour lui annoncer avec désinvolture que Florence préférait de beaucoup suivre Lorenzo plutôt que lui. C'était l'ultime affront ! J'aurais aimé voir la tête de Sixte quand il a lu leur lettre.

— L'histoire de Giuliano et Fioretta est si triste ! fit remarquer Tammy. Encore qu'il y ait quelque chose de très romantique dans le fait qu'ils soient morts le même jour.

— C'étaient des âmes sœurs, évidemment, précisa Petra. Ils ont quitté ensemble cette terre, et je suis certaine qu'ils ont été immédiatement réunis au ciel, pour ne plus faire qu'un.

Peter s'était longuement penché sur la théorie des âmes sœurs qu'il avait lue dans le Libro Rosso. Elle le fascinait, le troublait et surtout le déconcertait.

— Vous prétendez donc que chaque être a une âme sœur. Dans la légende de Salomon et de la reine de Saba que j'ai lue dans le Libro Rosso, on en parle très souvent. Toutes les âmes sont-elles sœurs ?

Petra le regarda longuement avant de répondre, avec une douceur inaccoutumée :

— Oui, Peter, toutes les âmes sont sœurs. Toutes. Mais nous ne nous incarnons pas forcément au même moment, car cela dépend des exigences de notre mission. Sandro Botticelli en est un parfait exemple. C'est un personnage singulier. Son objectif n'était pas de rencontrer l'âme sœur, c'était la création. C'est pourquoi il fut aussi prolifique. Et ceci vaut pour beaucoup des grands Angéliques : Donatello, Sandro, Michel-Ange. Se consacrer à l'amour d'un autre être est une tâche à part entière, et pour certains cela fait partie de leur mission, si ce n'est pas leur mission même. Pour d'autres, c'est une distraction. Le plus beau est que ceux qui désirent trouver l'âme sœur le font parce qu'il en existe une pour eux. Les autres ne s'y intéressent pas, car ce n'est pas la raison de leur présence sur cette terre. Destino considère que Sandro est l'un des hommes les plus heureux qu'il ait jamais connus, et il était pourtant absolument seul. Cela lui convenait, car rien ne devait le distraire de son art.

— Je ne saisis pas très bien, insista Peter. Sandro n'avait donc pas d'âme sœur? J'avais cru comprendre que tout le monde en avait une.

— Ce n'est pas toujours facile de comprendre les anges, n'est-ce pas? intervint Destino. Chaque être a une âme sœur, et Sandro en avait donc une, mais cette personne ne vivait pas à la période de la Renaissance, il a donc dû canaliser tout son amour et toute sa passion dans son art.

— Mais, poursuivit Petra, il est essentiel de comprendre qu'il n'éprouvait pas ce terrible sentiment de manque qui apparaît lorsque l'on est en quête de quelqu'un. Car son âme sœur avait choisi de demeurer parmi les anges et de l'aider de là-haut. Lorsqu'il travaillait, il puisait dans l'énergie de sa moitié d'âme. C'est pourquoi son œuvre est si extraordinaire : elle trouve sa source en deux personnes, une ici-bas et l'autre là-haut, qui accomplissent le miracle de l'un. C'est aussi la raison de l'extase qu'il ressentait lorsqu'il peignait. Ni tristesse ni solitude, que l'on éprouve seulement si les âmes sœurs sont incarnées en même temps, et ne peuvent s'unir; dans ce cas, le désir de trouver l'autre peut être une torture.

Peter, fasciné, contemplait cette femme stupéfiante, si intelligente, si intense, en si parfait accord avec elle-même et avec son entourage. Fait-elle partie des Angéliques ? se demandait-il. Est-elle si engagée dans sa mission qu'elle ne s'est jamais autorisée à connaître l'amour humain ?

Maureen, pour sa part, songeait à plusieurs de ses amis, solitaires et malheureux.

— En d'autres termes, se sentir seul provient de la sensation qu'il y a quelqu'un pour nous quelque part ?

— Exactement. Dieu n'est que bonté, Maureen. Il ne voudrait pas que nous ressentions le manque d'un compagnon que nous ne pourrions jamais trouver.

— Il paraît évident, dit Peter en désignant Roland et Tammy, que ces deux-là sont nés pour vivre ensemble. Est-ce seulement de la chance ? Certaines personnes bénéficient-elles de cette bénédiction et d'autres pas ? Dois-je croire que chaque être humain jouit de cette possibilité ?

Petra inspira profondément et se redressa tout en préparant sa réponse. Elle était douée pour l'enseignement, et Peter, qui avait été professeur pendant vingt ans, savait reconnaître ce talent chez les autres.

— Nous sommes tous censés rencontrer l'âme sœur, comme nous sommes censés accomplir notre destinée. Mais nous n'y réussissons pas toujours. Ce que je veux dire, c'est qu'il est inutile de se mettre en quête systématique de l'âme sœur, car on ne la trouve jamais ainsi. Il n'y a qu'une seule manière de la trouver, c'est de se trouver soi-même d'abord. Je vais vous confier quelque chose de personnel. Je n'ai pas eu la chance de rencontrer l'amour divin durant ma vie, pourtant je garde l'espoir. Je sais qu'en enseignant les rituels du *hierosgamos* et en les rendant accessibles à ceux qui ont trouvé l'être aimé et à ceux qui n'ont pas encore eu cette chance, je trace le chemin par lequel me rejoindra celui qui m'est destiné. Si j'étais restée dans la mode, mon premier métier, je serais restée seule, ou j'aurais vécu avec quelqu'un qui n'était pas mon âme sœur.

Peter réfléchit quelques instants. Pour lui, tout cela était si nouveau ! Étrange, mais tout aussi attirant.

— Vous vous reconnaîtrez en vous voyant ? Ce sera un coup de foudre ?

— Ces choses ne se dévoilent pas ainsi, Peter, répondit Destino. Il arrive que l'un des deux comprenne bien avant l'autre.

Alors qu'ils s'apprêtaient à prendre congé, Petra s'approcha de Tammy et lui demanda si elle pouvait poser les mains sur son ventre pour sentir le bébé.

— Bien sûr, répondit Tammy, mais c'est beaucoup trop tôt pour sentir quoi que ce soit.

— Pas pour Petra, dit Destino en souriant.

La jeune femme ferma les yeux et promena doucement ses mains sur le ventre de Tammy. Elle s'interrompit, respira profondément, et reprit son manège pendant une minute environ, sans ouvrir les yeux. Puis elle secoua légèrement la tête, comme pour s'éclaircir les idées et reprendre pied dans la réalité. Souriant à Tammy, elle dit simplement :

— *Serafina*.

— « *Serafina* » ? s'étonna Tammy. C'est une fille ?

— Oui, c'est une fille. Le saviez-vous ?

Tammy secoua la tête et regarda Roland.

— Je te l'avais dit, fit simplement ce dernier.

— Oui. Et elle est bénie. C'est une Angélique. Elle est l'un des séraphins, les anges étincelants qui entourent le trône de notre Père et de notre Mère qui sont aux cieux. Le mot séraphin signifie « fougueux » et, si vous étudiez bien le Libro Rosso, vous constaterez que l'on nommait ainsi la reine de Saba, Makeda. La Fougueuse. Car elle était un séraphin venu sur terre pour changer le monde avec son âme sœur. Comme le fera cette enfant.

— Ma fille serait la réincarnation de la reine de Saba ?

— Quelque chose comme ça, plaisanta Petra. Une même énergie, en tout cas ! En Italie, on appelle ces anges femelles des *serafinas*, et elles sont bénies.

— *Serafina*, murmura Tammy en rendant son sourire à Petra.

Puis elle éclata en sanglots de joie.

Petra les raccompagna à la porte et retint Peter.

— Pour eux, cette conversation sur les âmes sœurs est inutile. Ils ont déjà trouvé la leur. Mais pour vous, je crois qu'elle est plus importante. Si vous désirez la poursuivre, allons chercher une bouteille de vin.

— Comment pourrais-je refuser une telle proposition? s'exclama Peter en riant.

— J'espérais que vous ne le pourriez pas, dit Petra.

Maureen pénétra sur le toit-terrasse et profita de la beauté du panorama qui s'offrait à ses yeux. Elle s'immobilisa en apercevant une silhouette, debout contre la balustrade, dos à elle. Mais elle n'avait pas besoin de voir son visage pour le reconnaître. La brise ébouriffait ses boucles brunes et sa chemise laissait deviner la perfection de sa carrure athlétique.

Elle s'approcha de lui et passa sa main sur son dos.

— Seigneur Dieu! s'exclama-t-il, surpris par son approche silencieuse.

Troublée, Maureen le vit s'écarter brusquement. Elle le regarda, cligna les yeux et secoua la tête. L'homme qui se tenait devant elle était la copie conforme de Bérenger. Mais...

— Vous n'êtes pas Bérenger, dit-elle avec gêne. Je suis désolée...

— Ne le soyez pas, dit l'homme en riant. Ça m'est arrivé toute ma vie. Je suis Alexandre Sinclair, le frère de Bérenger. Et vous devez être Maureen.

— Vous pourriez être jumeaux, souffla Maureen, sous le choc.

— Bérenger a deux ans de plus que moi, mais on nous a toujours confondus. Ça nous a beaucoup amusés quand nous étions gamins, mais Bérenger n'a pas tardé à comprendre qu'il avait le mauvais rôle, parce que c'était toujours moi qui créais des problèmes !

— Sait-il que vous êtes ici ?

— Maintenant, il le sait, fit une voix presque identique.

Et Bérenger sortit de l'ombre.

— Ces accusations sont montées de toutes pièces, expliquait Alexandre à son frère.

Maureen les avait laissés seuls sur la terrasse après l'apparition surprise d'Alex. Manifestement, Bérenger mourait d'envie de parler avec elle, mais il n'avait pas prévu l'arrivée de son frère. Épuisée, Maureen était allée se coucher en lui promettant de le retrouver au petit-déjeuner, le lendemain matin. Elle avait besoin d'un peu de sommeil avant de prendre les décisions qui engageraient son avenir.

— Il est évident qu'elles ne tiendront pas, c'est pourquoi ils m'ont relâché aussi vite, poursuivit Alexandre. On n'aurait jamais dû m'arrêter, et ils le savent. Il nous reste maintenant à comprendre qui a orchestré tout cela, et qui avait le pouvoir de me faire arrêter.

— Et la raison de ces actes, ajouta Bérenger qui avait écouté attentivement son frère et s'efforçait d'assembler les différentes pièces du puzzle.

Alexandre était président de la Sinclair Oil, mais il n'alimentait pas la chronique au même titre que Bérenger. Il occupait une position importante dans le monde de l'industrie, et n'avait pas la réputation de se faire des ennemis. Arrêter un des grands patrons du monde des affaires britannique n'était pas facile ; il fallait des preuves flagrantes, qui manifestement manquaient ici.

— As-tu la moindre idée du motif, Alex ? Quelqu'un doit vouloir se débarrasser de toi, au moins provisoirement. Qui ?

Alexandre, manifestement gêné, garda les yeux baissés pendant quelques instants.

— Oui, il y a quelqu'un ; et c'est pour cela que je suis venu. Pas uniquement pour te voir, mais pour mettre les choses au clair avec Vittoria.

— Vittoria ? Je ne comprends pas.

Alex hésita un instant avant de se lancer.

— Vittoria et moi avons couché ensemble il y a trois ans. En mars, après une soirée, à Milan. Exactement quarante semaines avant la naissance de Dante. Et deux mois avant qu'elle ne te séduise.

— Qu'est-ce que tu me racontes ?

— Que Dante est vraiment un Sinclair, mais qu'il n'est pas ton fils, mais le mien. Vittoria était enceinte de deux mois à Cannes et je pense qu'elle s'est jetée à ta tête pour t'obliger à l'épouser et à reconnaître Dante.

— Mais tu es un Sinclair, toi aussi.

— Oui, mais je ne suis pas Bérenger Sinclair. C'est toi la star. Moi, je ne suis qu'un ennuyeux homme d'affaires. En fait, elle a toujours été amoureuse de toi et elle s'est servie de moi comme d'un substitut. En outre, tu es l'héritier ésotérique, non ? Le Prince Poète.

Bérenger se laissa envahir par le poids de ces révélations. Si Dante n'était pas son fils, la situation était totalement différente. L'enfant était un Sinclair, un Prince Poète, mais il n'était pas l'héritier d'une prophétie infiniment plus troublante.

— Mais l'enfant était prématuré. Il pourrait être de moi.

— Il n'était pas prématuré, simplement maigrichon. Vittoria est mannequin ; pendant sa grossesse, elle ne mangeait rien, et elle fumait. Dante est né petit et malade, mais pas prématuré.

— Comment sais-tu tout cela ?

— Je ne suis pas un imbécile, et je suis capable d'additionner deux plus deux. J'ai été arrêté le jour où elle a annoncé que tu étais le père de son enfant. Vittoria savait que je te téléphonerais immédiatement pour te dire la vérité. Il fallait qu'elle invente une histoire pour se débarrasser de moi. Je suis certain que sa famille a tiré quelques ficelles, ils en sont tout à fait capables.

— Mais ils n'avaient pas prévu que tu sortirais aussi vite. Et certainement pas avant demain deux heures!

En pensant à ce qui l'attendait le lendemain dans le Salon Rouge du Palazzo Vecchio, Bérenger frissonna.

— C'est évident. Je suis donc venu car, sachant que tu étais à Florence, j'ai pensé que Vittoria ne serait pas loin. L'as-tu vue?

— Non. Elle m'a harcelé de demandes de rendez-vous, mais j'ai refusé. Je voulais disposer de quelques jours pour réfléchir. Mais je dois la voir ce soir.

— Où?

— Elle a un appartement tout près, qui donne dans la via Tornabuoni.

Alexandre eut un sourire malicieux.

— Cela t'ennuierait si j'allais à ce rendez-vous à ta place?

— Pas le moins du monde. Qu'as-tu l'intention de faire?

— Je sais que cela peut sembler fou, après toutes ces révélations. Mais je vais lui demander de m'épouser.

— As-tu perdu la tête? Cette femme est un poison mortel!

— Non, Bérenger, je ne le crois pas, même après ce qu'elle t'a fait. Je pense qu'elle est perdue, que ses parents lui ont monté la tête, et qu'elle est, à sa façon, la victime de la folie des sociétés secrètes que nous connaissons aussi bien l'un que l'autre.

Alexandre ne partageait pas la passion de Bérenger pour l'héritage ésotérique de sa famille. Il ne s'y était jamais intéressé. Il avait constaté que l'on envoyait chaque été Bérenger en France, afin qu'il fût initié à des choses qu'il ne comprenait pas et auxquelles on ne le mêlait pas. Bérenger était l'enfant béni, le Prince Poète, et Alex était un petit garçon normal. Il n'avait jamais reproché cette inégalité de traitement à son frère, mais elle avait laissé des traces indélébiles.

— Vittoria est la mère de mon fils. Je tiens à faire partie de la vie de cet enfant, et la meilleure façon de m'assurer qu'il reçoive la meilleure éducation possible est d'épouser Vittoria. Je tiens à le protéger de la folie et à lui donner une vie normale. En outre, même si cela semble malsain, je suis amoureux d'elle. Je l'ai toujours été. Après tout, il pourrait m'arriver pire que d'épouser la plus belle femme du monde.

Bérenger passa presque une heure à tenter de dissuader Alex, mais sans succès. Il était pris dans les filets de Vittoria, et sans espoir d'en sortir. N'avait-il pas souvent constaté que des hommes par ailleurs intelligents perdaient la tête à cause de la beauté d'une femme ? Il comprenait en outre que d'autres éléments pesaient dans la détermination d'Alexandre. Bérenger n'avait peut-être jamais perçu la profondeur de la jalousie qu'il inspirait à son frère. Il se verrait ainsi restituer quelque chose de la lignée familiale. Son fils serait le prince au sang le plus bleu d'Europe. Épouser Vittoria, élever Dante, ce qui représentait un cauchemar pour Bérenger était un rêve pour Alexandre.

Bérenger donna à son frère l'adresse et l'heure du rendez-vous. Alexandre s'y rendrait à sa place, et Vittoria aurait le loisir de jouir de sa surprise.

Après lui avoir donné l'accolade, Bérenger souhaita bonne chance à son frère, mais il ne put s'empêcher, après l'avoir quitté, de penser que c'était une très mauvaise idée.

Souffrant d'un mal de tête persistant et épuisée par plusieurs jours d'insomnies et d'émotions intenses, Maureen était trop fatiguée pour jouir d'un repos réparateur ; elle dormait par à-coups. Comme toujours, elle rêvait beaucoup. Ses rêves s'étaient souvent révélés prophétiques et avaient provoqué de stupéfiantes découvertes. Ainsi se consolait-elle de ses nuits agitées.

Apparemment, cette nuit-là ne ferait pas exception.

Elle gémit et se redressa dans son lit en se passant une main sur le visage. Il était 22 h 50. Cela faisait une heure qu'elle s'était couchée. Son téléphone était sur la table de chevet; elle s'en saisit et composa le numéro de Bérenger qui répondit dès la première sonnerie, apparemment très heureux qu'elle l'appelle. Mais l'heure n'était pas à la conversation.

— J'ai fait un cauchemar, Bérenger. Quelque chose de grave va arriver, et Vittoria est concernée. Un incendie, une explosion. J'ai d'abord cru que c'était toi, car l'homme était de dos; mais il s'est retourné, et j'ai vu que c'était Alexandre, avec elle.

— Et tu crois que cela se passe en ce moment? À Florence?

Le rêve avait revêtu une intensité inégalée, et provoqué un sentiment d'urgence absolue.

— Oui. Appelle-les. Il faut le prévenir. Vittoria aussi. Tu as son numéro?

— Oui, fit Bérenger qui appela immédiatement Alex. La sonnerie retentit quatre fois, puis la boîte vocale s'enclencha. Bérenger envoya alors un sms à son frère, dans l'espoir de le joindre plus vite. Il était parfois difficile d'obtenir le réseau derrière les épais murs de pierre de bâtiments aussi anciens que le palais Tornabuoni.

Puis il essaya d'appeler Vittoria, mais chacun savait que la jeune femme était très difficile à joindre, car elle ne branchait son téléphone que si elle voulait s'en servir. En effet, il fut immédiatement connecté à sa messagerie.

— Dante! s'écria Bérenger en comprenant que l'enfant était lui aussi en danger.

Il rappela Maureen.

— J'y vais! C'est à côté d'ici. Il faut que je les trouve.

Bérenger ne mettait jamais en doute les prémonitions de Maureen. La croire lui était aussi naturel que l'instinct de sauver son frère et son neveu. Maureen n'était pas encore informée du retournement de situation, son rêve n'en était que plus terrifiant de clairvoyance.

Il sortit de sa chambre en courant.

**

Au pas de course, Bérenger Sinclair dépassa les boutiques de luxe, traversa devant la vieille église et s'engouffra dans la via Tornabuoni. Le palais où avait demeuré la mère de Lorenzo de Médicis avait été transformé en appartements hors de prix. Les travaux n'étaient pas achevés et seuls quelques-uns avaient été livrés. Vittoria Buondelmonti avait été l'une des premières à acquérir un de ces logements, qu'elle considérait comme un bon investissement mais qu'elle habitait rarement car le bruit des travaux était très énervant. Elle le préférait cependant à l'hôtel, où elle ne parvenait pas à semer les paparazzi lancés à ses trousses. Car il lui arrivait, surtout lorsqu'elle était avec Dante, de vouloir échapper à sa célébrité. Elle l'avait expliqué à Bérenger en lui donnant l'adresse et en lui indiquant une porte latérale. Il savait exactement comment entrer et tourna dans la petite rue qu'elle lui avait décrite.

Mais il ne réussit pas à approcher. Une boule de feu explosa dans la nuit étoilée et illumina Florence d'un halo jaune tandis que des gravats s'abattaient sur lui de toutes parts.

Florence,

1486

Lorenzo travaillait à un sonnet particulièrement difficile dans la bibliothèque de Careggi lorsque Clarice entra. Il soupira, le plus discrètement possible, et enleva ses lunettes. À la mine de sa femme, il comprit qu'il devait s'attendre à un affrontement.

Clarice s'adressa à lui avec la froide politesse romaine qu'elle abandonnait rarement, malgré leurs dix-sept années de mariage et leurs sept enfants vivants.

— Lorenzo, considérez-vous que j'ai été une épouse loyale et une bonne mère pour nos enfants ?

Il savait qu'elle lui tendait un piège et tenta d'abréger la chasse.

— Bien évidemment, Clarice! De quoi s'agit-il?

— Laissez-moi finir, Lorenzo. Ce n'est pas ce que vous croyez.

Lorenzo se tut et la laissa poursuivre.

— Cela fait longtemps que j'ai appris à vivre avec le spectre de Lucrezia dans notre chambre à coucher. C'est une blessure qui ne guérira jamais complètement, mais qui ne saigne plus. Je ne la hais même pas! Elle vous aime. Comme toutes les femmes. Non, je ne suis pas venue parler d'elle.

Clarice hésitait à poursuivre, ce qui rendit Lorenzo nerveux. Que pouvait-il y avoir de si périlleux pour qu'elle rechignât à aborder le sujet avec lui? Il était trop fatigué pour se montrer patient.

— Alors, de quoi s'agit-il?

Clarice prit une longue inspiration et se lança.

— Angelo.

— Angelo? Mon Angelo? demanda Lorenzo qui pensait qu'il avait mal entendu.

Son incrédulité sembla renforcer la détermination de Clarice.

— Oui. Peut-être est-il votre Angelo, je ne choisis pas vos amis. Mais je peux et je veux choisir ceux qui éduquent mes enfants et vivent sous mon toit. Je refuse que cet homme continue d'inculquer ses folles hérésies à mes enfants. Aujourd'hui, notre petite Maddalena m'a annoncé qu'elle portait le prénom de la femme de Jésus.

— C'est la vérité, répondit Lorenzo en haussant les épaules.

— C'est faux. Elle porte le prénom de ma mère, qui était une noble femme, pieuse et du meilleur sang de Rome. Et ma mère portait le prénom d'une sainte, Marie Madeleine, la pécheresse repentie selon notre sainte Église.

— Pourquoi, Clarice? Pourquoi maintenant?

— Parce que je refuse que cet enseignement soit dispensé à mes enfants. Si vous voulez jouer à vos missions secrètes et à vos hérésies, je ne peux vous en empêcher. Mais je n'accepterai pas plus longtemps que mes enfants y participent.

La patience de Lorenzo était épuisée.

— À moins que vous ne m'ayez caché quelque chose, Clarice, il me semble que ces enfants sont aussi les miens.

Elle blêmit sous l'insulte. Lorenzo se montrait rarement cruel, mais parfois elle mettait sa patience à bout.

— Mes enfants, nos enfants, ne doivent pas blasphémer.

— Ce n'est pas du blasphème. Ce mot signifie que l'on invoque à tort le nom du Seigneur. C'est de l'hérésie, voilà ce que c'est. Si vous voulez m'accuser de quelque chose, employez au moins le mot exact.

— Cet homme ne nourrira pas mes fils du lait de l'hérésie. Giovanni se destine à l'Église.

— En effet. Mais à quelle Église, Clarice ? La vôtre ou la mienne ?

— Je suis absolument sérieuse. Je veux qu'Angelo quitte notre maison.

— Vous allez trop loin, ma chère.

— Non, je ne suis pas allée assez loin, Lorenzo. Ne voyez-vous pas que j'ai peur pour vous aussi ? Savez-vous que je prie pour votre âme immortelle, que je prie pour que vous n'alliez pas en enfer ?

Lorenzo laissa échapper un profond soupir.

— C'est trop tard, Clarice. J'y suis déjà.

Alimentée par Piero, le fils aîné de Lorenzo, qui n'appréciait guère son professeur, la guerre entre Clarice et Angelo Poliziano faisait rage. Angelo, qui n'avait pas d'indulgence pour son élève, obligeait Piero à travailler. Paresseux et gâté par sa mère, Piero n'aimait pas l'effort et il se plaignait à sa mère d'insultes vraies ou inventées pour échapper au joug d'Angelo.

Las d'être harcelé par Clarice, Lorenzo trouva un compromis. Il installa Angelo dans une autre de ses villas, où Clarice se rendait rarement, et le libéra de ses responsabilités envers Piero. Angelo s'en montra ravi, car être chargé de l'éducation de l'aîné des fils Médicis n'était pas une sinécure.

Mais Lorenzo n'eut pas à jouer longtemps ce rôle d'arbitre. Clarice tomba malade au début de l'année suivante, et s'affaiblit rapidement. Elle mourut soudainement, à l'âge de trente-quatre ans, pendant une absence de Lorenzo qui ne revint pas à Florence pour ses funérailles. Pourtant, en dépit de la tristesse des années qu'ils avaient passées ensemble, il écrivit dans son journal intime que sa mort le désolait car, même si elle n'était pas la compagne qu'il se serait choisie, elle avait été une mère exemplaire. Il pleura donc sa perte et ressentit une lourde culpabilité de ne pas lui avoir donné le bonheur auquel elle aurait eu droit.

Il fit revenir Angelo à Careggi, afin qu'il se consacrât à l'éducation de Giovanni et de Giulio. Désormais, grâce aux meilleurs professeurs du monde, Angelo, Ficino et le maître, les deux garçons seraient élevés exactement comme le souhaitait Lorenzo. Les jumeaux, comme il les avait surnommés, n'étaient pas seuls. Il avait adopté un autre garçon de treize ans, un Angélique que l'Ordre et lui suivaient depuis sa naissance. Dès son plus jeune âge, Michelangelo Buonarroti s'était révélé doué d'un talent exceptionnel, et il avait été décidé de l'élever comme un Médicis.

Le jeune garçon avait hésité à se joindre à la famille de Lorenzo. Sa timidité était maladive, mais l'accueil chaleureux de la nichée en vint à bout et il se sentit bientôt à l'aise en son sein. Les filles l'adoraient et le choyaient, et les plus jeunes le harcelaient pour qu'il leur dessinât des fleurs et des chevaux. À table, Lorenzo le faisait asseoir à sa droite. Dès son arrivée, il fut traité comme un fils.

— C'est un élève exceptionnel, déclara Angelo. Il est doué pour tout. Ficino lui fait étudier l'hébreu et l'Ancien Testament, il s'en nourrit. Il est incroyablement doué pour les langues, il retient par cœur les histoires qu'on lui raconte pour la première fois. Et le maître est ébahi par son aisance à appréhender le monde de la spiritualité. Selon lui, il en a une connaissance innée. Comme s'il était la réincarnation de l'archange Michel.

— Il l'est peut-être, répondit sans plaisanter Lorenzo.

**

Michelangelo dessinait dans le jardin. Lorenzo, qui le cherchait, demeura à distance et l'observa. Le jeune garçon tenait à bout de bras une statuette qui semblait représenter un saint, d'une trentaine de centimètres de haut et très ancienne. Il l'exposa à la lumière, la retourna, puis la posa et se mit à dessiner. Il la reprit, regarda de près son visage, et reprit son travail.

— Qui est ta muse ? lui demanda Lorenzo en désignant la statuette.

— Bonjour, *Magnifico*, dit Michelangelo, surpris par son arrivée. C'est sainte Modesta, le bien le plus précieux de ma famille. Elle a appartenu à la grande comtesse Matilda de Toscane.

— Puis-je la voir ? demanda Lorenzo.

— Bien sûr !

Lorenzo s'en saisit et l'examina. Il comprit pourquoi ce beau visage inspirait Michelangelo. Il émanait de ces traits délicats une infinie sagesse et une grande tristesse.

— Sur quoi travailles-tu ?

— Sur une *pietà*. C'est l'exercice que nous a demandé Verrocchio. Je voudrais en créer une qui ne soit pas traditionnelle, mais qui célèbre les enseignements de l'Ordre. Regarde...

Michelangelo montra son dessin à Lorenzo. Sa Marie, sous les traits de la douce Modesta, était très belle. Classiquement, elle tenait Jésus dans son giron. Mais il y avait dans ce dessin une élégance et une tristesse que Lorenzo n'avait jamais vues auparavant.

— Superbe, mon garçon. Ce visage est parfait. Mais... n'est-elle pas un peu jeune pour être la mère de Jésus ?

— Oui, c'est vrai ; parce que ce n'est pas la Vierge Marie, mais Marie Madeleine. Dans ma *pietà*, notre Reine de Compassion pleure son amour perdu. Sa douleur est la nôtre, celle que ressentent les êtres humains quand ils sont séparés de leur amour. Je voudrais montrer ce sentiment en représentant autrement cette histoire. Un jour, j'aimerais la sculpter dans la pierre et lui donner la vie.

Une lumière intense brûlait dans son regard. Une telle inspiration aurait été exceptionnelle chez un adulte instruit par l'expérience, mais, chez un garçon de treize ans, elle était inimaginable. Et foncièrement divine.

— Merci, Michelangelo, dit simplement Lorenzo. Merci.

Florence,

De nos jours

La nuit florentine était baignée de douceur et le clair de lune étincelait sur la coupole du Dôme. Peter et Petra savouraient leur vin en poursuivant leur conversation.

— Êtes-vous toujours prêtre, Peter ?

Surpris par cette question directe, Peter hésita un instant et posa son verre.

— Je ne vous ai pas répondu immédiatement car je n'ai encore jamais formulé cela à haute voix, devant qui que ce soit. Mais la réponse est non. Je ne suis plus prêtre. Je ne crois plus à rien de ce à quoi m'ont engagé mes vœux. Je suis toujours un chrétien convaincu, plus fidèle que jamais à ma foi, mais je ne suis plus catholique. Je ne suis plus un catholique aveugle, pour le moins. Et j'ai beaucoup de questions à poser à mon Église.

— Quand vous étiez prêtre, avez-vous jamais douté de votre vocation ?

— Vous me demandez s'il m'est arrivé de me sentir seul? De regretter mon statut de célibataire? Honnêtement, oui. Mais j'ai refusé d'y penser, et de céder à la voix doucereuse du diable.

— N'avez-vous jamais éprouvé de tentation?

— Non.

Peter secoua la tête pour souligner sa dénégation. Il avait pourtant eu de nombreuses occasions. Peter était un homme très séduisant, dans le genre beau ténébreux irlandais. Les étudiantes se battaient pour suivre ses cours. S'il fallait vraiment apprendre le grec et le latin, autant que ce soit avec le père Healy, se disaient-elles.

— Je suis un homme rigoureux, poursuivit-il. Quand je m'engage, c'est totalement.

— C'est louable, et rare, dit Petra. Mais maintenant que vous n'êtes plus prêtre…

— Suis-je tenté? acheva Peter d'une voix douce et empreinte de sous-entendus.

— Oui, dit-elle, sur le même ton.

— Vous connaissez la réponse, répondit Peter en levant les yeux au-dessus de son verre de vin.

Les grands yeux de Petra brillèrent d'un éclat soudain.

— Je le savais avant que vous n'arriviez, et j'en ai eu la confirmation dès que vous avez passé la porte. Nous étions tous deux des enseignants, contraints de quitter leur profession et de trouver leur voie grâce au Chemin de l'Amour. Et il y avait d'autres indices.

Elle rit, avec quelque nervosité, mais émerveillée par les voies de la destinée.

— Dieu a le sens de l'humour… Vous êtes un linguiste. Vous savez que Petra est la version féminine de Peter. Que je suis votre double féminin.

— Oui, sourit-il, et je l'ai compris. Depuis que je suis arrivé à Florence, je ne pense qu'à cela. Et, pour être franc, cela me perturbe beaucoup.

Petra lui prit la main.

— Inutile de se précipiter, Peter. Tout cela est très nouveau pour vous; il est naturel que vous doutiez.

— Mais je ne doute pas, affirma-t-il avec une conviction qui étonna la jeune femme. Pas le moins du monde ! L'Évangile d'Arques et le Livre de l'Amour m'ont montré l'autre chemin, celui que Jésus a véritablement enseigné. C'est le Chemin de l'Amour. C'est le Chemin de Dieu, et la raison de notre présence sur terre. Et je dois persévérer sur cette voie, afin d'être capable d'enseigner autrement, à un monde nouveau.

— Je suis heureuse d'être votre mentor, afin que nous puissions enseigner cette nouvelle voie à un monde en perpétuel renouvellement.

— Alors, je suis heureux d'être votre élève. Mais vous devrez vous montrer patiente avec moi. Non que j'aie des réserves, mais à cause de mon manque d'expérience. Je ne connais rien des relations entre un homme et une femme.

— Je vous apprendrai, dit Petra en se rapprochant de lui. Ne suis-je pas la maîtresse du *hieros-gamos* ?

Mais, tandis qu'elle s'approchait plus près encore de Peter pour lui donner sa première leçon, une explosion proche retentit et illumina soudain la terrasse d'une cruelle clarté.

L'explosion qui s'était produite dans les appartements du palais Tornabuoni bouleversa Florence. L'enquête sur la tragédie se prolongea. Apparemment, une conduite de gaz avait été perforée au cours des travaux et une fuite s'était ensuivie. Heureusement, la plupart des appartements étaient encore inoccupés. La top model Vittoria Buondelmonti et un ami, dont on avait dit tout d'abord qu'il s'agissait de Bérenger Sinclair, avaient été gravement blessés. Par la suite, on rétablit la vérité sur l'identité de son visiteur : il s'agissait en fait d'Alexandre Sinclair, le président de la Sinclair Oil.

Avant d'être enseveli sous les gravats, Bérenger avait pu trouver refuge sous le porche du palais. Il ne souffrait que de contusions pour lesquelles on le soigna rapidement avant de le remettre entre les bras aimants de Maureen.

Par un étrange concours de circonstances, l'hôpital où furent conduites toutes les victimes se trouvait à Careggi, dans la villa des Médicis où avaient vécu Cosimo et Lorenzo, récemment transformée en hôpital.

Un autre hasard eut lieu cette nuit-là : l'enfant, Dante Buondelmonti Sinclair, ne se trouvait pas sur les lieux lors de l'explosion. Le bruit des travaux le rendait si nerveux qu'une gouvernante l'avait emmené chez ses grands-parents, dans leur villa proche de Fiesole, plusieurs heures avant l'accident.

Careggi,

Avril 1492

Le dominicain Girolamo Savonarola commençait à poser un sérieux problème. En chaire, il maudissait Lorenzo, traitait les Médicis de tyrans et annonçait leur chute, provoquée par la colère de Dieu.

Il était arrivé à Florence deux ans auparavant, invité par Lorenzo qui l'avait généreusement installé dans le magnifique monastère de San Marco, précédemment restauré et décoré selon les conseils de Cosimo. En décidant de convier Savonarola, Lorenzo savait qu'il faisait un pari. Le moine avait la réputation d'être un redoutable prédicateur, farouche ennemi de la frivolité et de la corruption. Malgré sa stature de gnome et sa laideur, l'homme était doté d'un charisme qui s'exerçait dès qu'il ouvrait la bouche. Même ses adversaires subissaient son emprise et s'y soustrayaient difficilement.

Lorenzo s'était laissé convaincre d'accueillir Savonarola par ses amis du mouvement humaniste pour deux raisons : la première était que le petit moine réservait à la papauté ses plus féroces attaques, ils avaient donc un ennemi commun. Le pape actuel était un allié, mais il restait beaucoup de choses à réformer à Rome. S'il était possible de contrôler Savonarola, ou au moins de l'influencer, il pouvait se révéler un outil efficace au service de ces réformes. La seconde était que Lorenzo n'était pas un tyran. Il ne voulait pas que l'on pût dire hors de Florence qu'il excluait le petit moine parce qu'il redoutait le message du dominicain. En l'accueillant, il se donnait le moyen de surveiller du coin de l'œil le message comme le messager, et peut-être même de les infléchir tous les deux.

Il est probable que Lorenzo de Médicis eût réussi à gérer la question de Savonarola s'il n'avait pas été aussi gravement atteint dans son corps. Il souffrait cruellement de la goutte, la maladie héréditaire des Médicis dont étaient morts son père et son grand-père. Lorenzo n'avait que quarante-trois ans et il espérait, en surveillant son alimentation et en se soignant, vivre aussi vieux que Cosimo. Il n'osait envisager sa disparition à court terme, car Piero n'avait pas les capacités requises pour gouverner l'empire des Médicis et Giovanni, le plus jeune cardinal jamais intronisé, à l'âge de quatorze ans, était trop jeune pour lui succéder.

Mais Lorenzo n'avait que peu d'énergie et de courage à consacrer au problème posé par Savonarola. Le moine en profita pour instiller son venin de plus en plus profondément.

Angelo assista un matin à un de ses prêches au Duomo, devant une assistance nombreuse. Il en revint en colère, et fort inquiet.

— Il faut l'arrêter, Lorenzo, dit-il à son ami. Maintenant, il se prend pour un prophète. Nous savons, toi et moi, qu'il ne prophétise que ce qu'il se sent capable d'accomplir, mais les citoyens l'ignorent. Si Savonarola prédit que le jour se lèvera demain, ces imbéciles salueront le soleil matinal en hurlant : « Le frère Girolamo avait raison ! »

Lorenzo était couché, épuisé ; il revenait de Montecatini, où il avait pris les eaux. Tout le bien que cela pouvait lui faire avait été réduit à néant par la fatigue du voyage.

— Qu'il vitupère à sa guise, Angelo! ça m'est égal.

— Pourtant, il prédit ta mort!

— Vraiment?

— Oui, et pour bientôt. Selon lui, Dieu t'affaiblit dans ton corps, et tu mourras tout à coup.

— Eh bien, je n'ai aucune intention de mourir, Angelo. Nous prouverons une fois pour toutes que ce moine est un menteur!

— Je l'espère, *Magnifico*! Je l'espère...

L'état de Lorenzo empira. Lorsqu'il était debout, la douleur était si violente qu'il ne se leva plus. Mais il n'était pas mourant, ses médecins l'affirmaient. On essaya toutes sortes de traitements, y compris une étrange mixture à base d'excrément de cochon et de perles pilées, si infecte que Lorenzo décréta qu'il préférait la goutte.

Ceux qu'il aimait l'entouraient fidèlement, jour et nuit. Angelo et Ficino lui faisaient la lecture, Giovanni et Giulio révisaient ensemble leur grec et leur latin. Ses filles lui manifestaient leur amour. Michelangelo s'asseyait à son chevet, simplement heureux d'être au côté de l'homme qu'il considérait comme son père. Parfois, il dessinait; d'autres fois, il posait des questions sur la vie, l'art ou l'Ordre. Lorenzo se réjouissait de la compagnie de celui qu'il nommait régulièrement son fils.

Colombina venait aussi souvent que possible et rendait visite à Lorenzo et au maître en même temps. Elle embrassait Lorenzo sur le front, chantait pour lui ou tenait sa main pendant qu'il dormait, sans cesser de prier de toute son âme pour la guérison du prince, afin qu'ils poursuivissent ensemble leur mission et qu'elle eût le temps de l'aimer encore.

Sandro apportait ses nouvelles ébauches de tableaux et ses apparitions mettaient Lorenzo d'excellente humeur, car le peintre avait le pouvoir de le faire rire aux éclats.

Un soir, au début du mois d'avril, Sandro avait regagné la ville avec Colombina en laissant Lorenzo entre les mains de sa famille et d'Angelo. Durant le reste de ses jours, Colombina se demanderait ce qui se serait passé s'ils étaient restés auprès de lui. Elle était certaine d'une chose : aucun d'eux n'aurait laissé Savonarola demeurer dans la chambre de Lorenzo sans surveillance.

Il faut porter au crédit d'Angelo que rien ne l'avait préparé à affronter ce problème. L'arrivée du petit moine était totalement inattendue car il était inimaginable de supposer qu'il viendrait frapper à la porte de la villa de Careggi. Il se présenta avec trois autres moines de San Marco. Angelo connaissait l'un d'entre eux. Rétrospectivement, il apparut que cela faisait partie du plan. Angelo les fit entrer et accéda à leur demande sans la prudence qu'il aurait pu manifester.

— Je désire voir Lorenzo, déclara simplement Savonarola de sa voix rauque.

Hors de sa chaire, le moine, de petite taille et légèrement bossu, était infiniment moins intimidant. Angelo songea que s'il le croisait dans la rue il aurait pitié de lui et déposerait une pièce dans sa sébile.

— Pourquoi ? demanda-t-il au moine.

— Parce qu'on dit qu'il est mourant.

— C'est faux. Il est malade, certes, mais Cosimo a vécu de nombreuses années dans son état. Et Lorenzo fera de même.

— Oses-tu prétendre que tu connais la volonté de Dieu ?

— Vous la dites tous les dimanches à la cathédrale.

— Je suis l'instrument de la volonté divine. C'est à moi de le faire connaître. Toi, tu es un poète. Mais je ne suis pas venu en ennemi de Lorenzo. Je voudrais lui dire mon indulgence, et celle de Dieu, et lui offrir quelque consolation en son épreuve.

Angelo réfléchit quelques instants, tandis que les moines qui accompagnaient Savonarola l'approuvaient et affirmaient n'être venus que pour offrir leur réconfort et tendre une main apaisée au patriarche des Médicis.

— Je crois qu'il acceptera de me recevoir, reprit Savonarola. Pourquoi ne lui poses-tu pas la question?

Angelo acquiesça. Si Lorenzo était éveillé, c'était la meilleure solution, car il avait gardé tous ses esprits. S'il en avait la force, peut-être trouverait-il même intéressante la conversation avec le moine.

Lorenzo ne dormait pas et il interrogea Angelo sur les causes de l'agitation qui régnait dans la maison.

— Tu as une visite, Lorenzo, une visite très surprenante... Savonarola!

— Tiens, tiens! fit Lorenzo en se redressant avec peine. Fais-le entrer sans attendre. J'ai hâte de lui prouver que je ne suis pas mourant. Et, s'il te plaît, Angelo, ajouta-t-il, fais-nous apporter du vin. Il faut se montrer hospitalier à l'égard de ses visiteurs.

— Qu'on me laisse seul avec lui, insista Savonarola. Ce dont je dois parler avec Lorenzo est intime, cela concerne son âme. Seul Dieu peut nous entendre.

Angelo guida le petit moine jusqu'à la chambre de Lorenzo, dont il referma la porte derrière lui. Si Lorenzo éprouvait la moindre inquiétude à demeurer seul avec le moine, il n'en montra rien.

Il n'y eut aucun témoin de ce qui se produisit dans la pièce cette nuit-là, comme l'avait demandé Savonarola. Ou plutôt, aucun témoin dont on s'aperçut de la présence. Les historiens se perdirent en conjectures pendant cinq siècles, sans jamais obtenir la moindre information valable.

Michelangelo, l'ange de Lorenzo, alors âgé de treize ans, dessinait silencieusement dans une antichambre adjacente, derrière un rideau. Personne ne le savait là.

Il entendit tout.

Girolamo Savonarola sortit en courant de la villa de Careggi en faisant signe à ses frères de le suivre. Il avait apostrophé Angelo, lui conseillant d'appeler immédiatement le médecin de Lorenzo et les proches qui voudraient lui faire leurs adieux.

— Je t'avais bien dit qu'il était mourant, ajouta-t-il. Tu ne m'as pas cru, imbécile !

Dans la hâte, personne ne vit qu'il cachait sous ses habits le gobelet aux armes de Lorenzo, aux trois anneaux entremêlés.

En proie à des convulsions, le patriarche des Médicis, incapable de prononcer une seule parole, tremblait de tous ses membres et gémissait de douleur.

Michelangelo les devança. Le médecin vivait à Careggi, dans des appartements proches de ceux de Lorenzo. Le jeune garçon avait attendu que l'horrible petit homme eût quitté la pièce et s'était précipité vers la chambre du médecin.

Ce dernier administra un calmant à Lorenzo, qui s'endormit. Il haletait un peu, mais sa respiration était régulière. Pourtant, chacun comprit que l'issue était imminente. Lorenzo agonisait.

Angelo envoya un message à Colombina et à Sandro.

— N'attendez pas le lever du jour, leur conseillait-il.

Peu désireux de commettre la même erreur qu'avec Simonetta, ils ne prirent même pas le temps de prévenir le maître, qui ne verrait plus jamais Lorenzo vivant.

Lorenzo s'éveilla avant le soleil, faible et épuisé. Il fit mander ses enfants et leur parla tour à tour de leur avenir. Michelangelo, qu'il avait toujours considéré comme sa chair et son sang, eut le même privilège. Michelangelo ne parlerait jamais à personne de cette journée, sauf pour dire que Lorenzo de Médicis était son père plus que quiconque, et qu'il serait hanté jusqu'à sa mort par la voix de Girolamo Savonarola.

Lorenzo reçut ensemble les « jumeaux », Giovanni et Giulio, dont les destins étaient si entremêlés qu'il était juste qu'ils entendissent de concert les dernières volontés de leur père. Ils jurèrent tous deux de respecter ses désirs sans crainte ni défaillance, au nom de l'Ordre. Ils n'étaient pas nés Médicis pour rien.

Le serment prêté ce matin-là dans la chambre de Lorenzo aurait d'incalculables conséquences dans le monde occidental.

Les deux garçons, éplorés, quittèrent la chambre de leur père, où Angelo, Colombina et Sandro entrèrent ensemble.

— Vous êtes les seules personnes au monde en qui j'aie toute confiance, dit le mourant. Les trois seules qui savent tout. Je veux que vous fassiez le serment, ici et maintenant, de poursuivre notre œuvre. Je ne sais pas si le moine m'a empoisonné ou non. Je ne peux rien prouver. Mais nous avons bu dans les verres qui sont sur cette table et…

Lorenzo s'interrompit en constatant qu'il ne restait qu'un seul gobelet, et s'appuya contre ses oreillers.

Sandro frappa la table de la main, et Angelo parut sur le point de vomir. Il ne se pardonnerait jamais d'avoir laissé cet événement se produire.

— Nous te vengerons, Lorenzo, siffla Sandro.

— Sois prudent, frère, dit Lorenzo d'une voix éteinte. Sois un Médicis, comme je t'ai appris à l'être.

Colombina ne songeait ni à Savonarola ni à la vengeance. Lorenzo agonisait, elle n'avait qu'un désir : passer ces derniers instants avec lui, et lui redire son éternel amour. Mais, avant que Sandro et Angelo ne les laissassent seuls, ils joignirent leurs mains et récitèrent ensemble la prière de l'Ordre.

Nous honorons Dieu tout en priant
pour qu'advienne le temps où régnera sur tous
la paix de ses enseignements,
où il n'y aura plus de martyrs.

— Promettez, vous trois, mes tant aimés, promettez que nous serons de nouveau réunis quand Dieu le voudra et que le Temps reviendra. Nous nous retrouverons ici, sur cette splendide terre, pour achever ce que nous avons commencé. C'est une promesse que nous avons tous faite au ciel, il y a bien longtemps, et c'est une promesse que nous devons tenir sur terre à l'avenir. Sur terre comme au ciel. Promettez.

— Je promets, répondirent-ils d'une seule voix.

Avant de partir, Sandro et Angelo embrassèrent Lorenzo sur les deux joues, et les larmes des trois hommes se mêlèrent.

— Tu es toujours la plus belle femme du monde, Colombina, murmura Lorenzo. Je t'aime depuis le premier instant où mes yeux ont aperçu ta beauté. Et maintenant que je meurs, je t'aime plus encore ; et, que Dieu m'en soit témoin, je t'aimerai pour l'éternité. Toi et toi seule. *Dès le début du temps et jusqu'à la fin du temps* [1].

Elle prit ses mains. Si robustes auparavant, elles avaient désormais à peine la force de se refermer sur ses doigts. Colombina baissa la tête et leurs souffles se mélangèrent pour ne plus faire qu'un.

— Dès le début du temps et jusqu'à la fin du temps, murmura-t-elle à son tour.

Portant à sa bouche la main de Lorenzo, elle embrassa ses doigts et se mit à pleurer.

— Oh, Lorenzo ! Je t'en supplie, ne me quitte pas. Nous sommes-nous trompés sur Dieu ? Car comment un Dieu d'amour qui nous a si longtemps séparés voudrait maintenant t'enlever complètement à moi ?

— Non, non, ma Colombina, répondit Lorenzo en prenant sur ses faibles forces pour lui caresser les cheveux. Ce n'est pas le moment de perdre la foi. La foi est tout ce qui nous reste, et nous devons nous y accrocher. Je ne prétends pas comprendre les épreuves auxquelles Dieu nous a soumis, mais ma foi me dit qu'il y avait une raison. Peut-être voulait-il éprouver la force de notre amour à l'aune de celui de Notre-Seigneur et de sa bien-aimée.

---

1. En français dans le texte.

Colombina caressa son visage émacié et laissa couler ses larmes.

— Alors, mon bien-aimé, je crois que nous avons réussi l'épreuve.

— C'est mieux ainsi, mon amour.

— Ne dis pas cela, Lorenzo ! Te perdre sera source de tourment pour nous tous.

— Pourtant, répliqua Lorenzo qui parut recouvrer un peu d'énergie, c'est ainsi. Dieu a cru bon de nous séparer durant notre vie sur terre. Mais, dès que j'aurai dépassé les limites de la vie terrestre, je suis certain que Dieu me permettra d'être toujours avec toi. Nous ne serons plus jamais séparés, Colombina. Alors, n'est-ce pas mieux ainsi ? Je veux que tu me fasses un serment, mon amour. Promets-le-moi. Quand le Temps reviendra, où et quand que ce soit, tu me trouveras, et tu ne m'abandonneras jamais. De même que tu l'as fait durant notre vie, malgré toutes les raisons que je t'ai données de le faire.

— Non, mon doux prince. Il n'existe aucune raison, jamais, d'abandonner l'amour. Surtout le genre d'amour que nous partageons. Il est plus profond que tous les défis que nous aurons à surmonter. Il est éternel. C'est un don de Dieu.

— Tu es mon âme, Colombina. Promets-moi qu'un jour, quelque part, je te tiendrai de nouveau dans mes bras.

— Oh, Lorenzo ! Mon amour ! murmura Colombina avec une détermination farouche. Oui, je t'aimerai encore. Oui.

Il était trop faible désormais pour parler, mais ses yeux exprimèrent tout son amour. Très tendrement, elle l'embrassa une dernière fois, et ils mêlèrent leurs âmes et leurs souffles, afin qu'il emportât une partie d'elle et qu'elle conservât une partie de lui.

Et il en irait ainsi jusqu'à ce qu'ils fussent de nouveau réunis, en esprit et dans leur chair, au jour voulu par Dieu.

**

Le soleil se levait sur Florence lorsque Colombina sortit de la chambre de Lorenzo. Sandro et Angelo, angoissés et à bout de forces, étaient assis devant la porte. Incapable de proférer un seul mot, Colombina étouffa ses pleurs et quitta la maison à la hâte sans autre but que de s'éloigner du lieu où Lorenzo était mort. Sur la terrasse, elle s'adossa à une colonne dans l'espoir de recouvrer un peu d'équilibre, mais la pierre n'eut pas la force de lutter contre son chagrin. Colombina se laissa glisser au sol et, submergée par la douleur, éclata en un déchirant sanglot qui se transforma en un cri surnaturel.

La vallée tout entière retentit de son hurlement, lourd de décennies d'amour et de malheur, qui résonna entre les arbres de la forêt de Careggi où Lorenzo et elle, encore enfants, s'étaient rencontrés pour la première fois.

Après l'avoir laissée seule pendant quelque temps, Sandro vint la rejoindre.

— Qu'allons-nous devenir, Sandro ? Comment allons-nous vivre sans lui ? Comment Florence vivra-t-elle sans lui ?

— Nous vivrons pour perpétuer sa mission, Colombina, comme nous le lui avons promis.

— Mais comment en trouverons-nous la force ? Sans notre berger, nous ne sommes que des brebis égarées.

Sandro la considéra longuement, non sans compassion, mais il lui répondit avec fermeté, tout en s'agenouillant près d'elle et en la saisissant par les épaules.

— Écoute-moi, Colombina. Je t'ai peinte très souvent, et toujours avec une raison. Je t'ai peinte en Force, à cause de ton incomparable fidélité à tes convictions ; je t'ai peinte en déesse de l'amour, non seulement pour satisfaire le désir de Lorenzo mais parce que ton amour pour lui incarne la vérité même de Vénus ; je t'ai peinte en Judith, parce que tu es vaillante et que tu ne fléchis pas devant la tâche qu'il t'incombe de mener à bien au nom de ce que tu crois ; et je t'ai peinte en notre Madone, plusieurs fois, pour honorer ta grâce. Tu as été une muse exceptionnelle, petite colombe, parce que tu possèdes toutes ces qualités. Et maintenant, tu dois avoir recours à elles, ta force, ton amour, ta foi et ta bravoure. Tu le dois, pour toi, pour Lorenzo et pour l'œuvre que tu as promis d'achever.

Colombina tendit la main pour repousser la mèche de cheveux dorés qui tombait sur les yeux de Sandro.

— Nul ne pourrait souhaiter un meilleur frère que toi, Alessandro, dit-elle.

— *Le Temps revient*, ma sœur. Allons, Judith. Là-dehors, il y a un géant qu'il faut décapiter. Et c'est à toi de le faire.

En ce début de la journée du 9 avril, tandis que Lorenzo de Médicis agonisait, il se produisit à Florence une série d'événements inexplicables. Un violent orage éclata et la foudre frappa le campanile de Giotto. Des fragments de pierre et de marbre s'écroulèrent et se fracassèrent en pleine rue. Pendant la mêlée, les deux lions emblématiques de Florence, qui vivaient paisiblement ensemble depuis des années près de la Piazza della Signoria, se mirent à rugir et à arpenter fiévreusement leur cage. Ils se ruèrent l'un sur l'autre et luttèrent férocement. Au matin, les deux lions étaient morts. Lorenzo de Médicis aussi.

Les citoyens de Florence y lurent de très mauvais présages. La majorité d'entre eux soutenait les Médicis, et la mort de Lorenzo leur faisait craindre le pire. Personne n'était prêt à lui succéder et le spectre du règne de terreur de Savonarola planait sur la ville.

Pour sa part, Girolamo Savonarola exploita avec adresse les événements de ce 9 avril.

— Dieu a parlé! tonna-t-il le dimanche suivant. Il a frappé à mort Lorenzo de Médicis, l'hérétique, le tyran cruel. Il nous a montré sa colère et son mépris pour les frivolités auxquelles se consacrait Lorenzo. Dieu nous a montré que le diable se dissimulait sous le couvert des arts, de la musique et de tous les livres qui ne véhiculent pas Son Saint Nom. Il a envoyé la foudre pour nous prouver qu'Il détruira la république de Florence tout entière, de même qu'il a mis à mort les lions de la ville. Souhaitez-vous être les prochains à être sacrifiés ?

Le petit moine rugissait du haut de sa chaire, la cathédrale était bondée. D'une seule voix, les fidèles en proie à la terreur rugirent à leur tour.

— Non !

— N'avais-je pas prédit que Lorenzo mourrait avant le changement de saison ? N'avais-je pas prédit que Dieu ne tolérerait pas plus longtemps la tyrannie et le blasphème des Médicis ?

Savonarola ne se contenta pas de prouver la force de ses prophéties. Il inventa le récit des derniers instants de Lorenzo, prétendit que l'hérétique avait refusé de se repentir en dépit de la longue course jusqu'à Careggi qu'il s'était imposée pour offrir au blasphémateur le réconfort de l'absolution. Ainsi avait-il persisté dans son hérésie jusqu'à son dernier souffle, ainsi était-il mort dans le péché. Le moine n'avait pu que refuser d'administrer les derniers sacrements à un homme qui ne se repentait pas de ses crimes contre la foi.

Le message était limpide : l'hérésie mène à la mort. Et les Médicis étaient des hérétiques.

Florence,

De nos jours

Le soleil se couchait sur l'Arno et illuminait d'ocre rouge les terrasses et les toits de la ville. Main dans la main, Maureen et Bérenger admiraient le spectacle.

— J'étais venu ici cet après-midi pour te dire que je n'épouserais Vittoria sous aucun prétexte. Même si

Dante était mon fils, même s'il était le Second Prince de la prophétie, j'étais parvenu, avec l'aide de Destino, à la conclusion que la seule noblesse était de célébrer l'amour. Que le meilleur exemple que je pouvais offrir au monde était de ne pas renoncer à la seule vérité de ma vie : mon amour pour toi.

Maureen l'embrassa doucement, et dit :

— Le Temps revient, mais pas forcément.

— Exactement! Il est temps de briser le cercle, Maureen, je l'ai compris. Le moment est venu d'une nouvelle Renaissance, d'un âge d'or du XXIe siècle, d'un renouveau dans nos façons de penser et de croire. Le moment est venu de renaître par l'amour, et par l'amour seulement. En m'enchaînant à Vittoria, j'aurais perpétué le cycle du renoncement et tourné le dos au don le plus précieux. Il n'en serait advenu que plus de souffrance, et nous savons que tel n'est pas le dessein de Dieu. Dieu ne désire pas le martyre.

Frappée, Maureen comprit tout à coup le message que Destino transmettait à ses disciples depuis si longtemps. Ils récitèrent ensemble la prière de l'Ordre.

Nous honorons Dieu tout en priant
pour qu'advienne le temps où régnera sur tous
la paix de ses enseignements,
où il n'y aura plus de martyrs.

Felicity DiPazzi enveloppa étroitement ses mains. La commémoration du martyre de Savonarole s'était très bien passée. L'assistance avait été plus nombreuse qu'à Rome et les stigmates avaient saigné au moment voulu. Bien que de taille modeste, le bûcher avait suffi à détruire par le feu les livres qu'on y avait jetés. Le blasphème et l'hérésie brûlaient parmi les hautes flammes attisées par l'essence que Felicity y répandait.

Elle saisit le récipient en métal et l'emporta dans sa voiture. Ses mains lui faisaient mal, et elle en aurait

besoin pour mener à bien la prochaine étape de son plan.
Il suffisait que le sang arrête de couler pour qu'elle
puisse s'en servir. Il lui restait quelques heures avant
l'obscurité complète, elle avait donc le temps.

Florence,

1497

— C'est ta fille, Girolamo, que tu la reconnaisses ou
non.

Le frère Girolamo Savonarola ne supportait ni la vue
de la minuscule crevette ni celle de sa putain de mère.
La stupide servante qui avait amené dans sa cellule de
San Marco ce bébé rachitique et mal nourri était une
créature du diable qui avait profité d'un moment de faiblesse pour le séduire. La petite fille crasseuse qu'elle
tenait dans ses bras était le fruit de son horrible faute.
Et, désormais, elle menaçait son avenir de dirigeant de
l'austère république de Florence. Son existence devait
demeurer secrète, à tout prix. Il avait beaucoup trop à
perdre.

Depuis la mort de Lorenzo, cinq ans plus tôt, le frère
Girolamo Savonarola avait réussi à détruire les Médicis.
La tâche avait été relativement facile. Le fils aîné de
Lorenzo n'était pas loin d'être un parfait crétin. Incapable de prendre la succession de son père, il avait
échoué dans toutes ses entreprises, sans qu'il fût nécessaire de l'y aider. Savonarola avait eu beau jeu d'exiger
l'exil de cette famille affaiblie. On l'avait même autorisé
à mettre à sac le palais de la via Larga, afin d'y trouver
de quoi alimenter ses bûchers. D'innombrables tableaux,
manuscrits et autres preuves d'hérésie et de paganisme
avaient été jetés dans les feux de joie qu'on allumait
régulièrement sur la Piazza della Signoria.

Ces bûchers, appelés bûchers des vanités, avaient rendu Savonarola célèbre. Ses partisans se comptaient par milliers. Le peuple de Florence les appelait des *piagnoni*, un mot qui signifie « pleureurs » ou même, si l'on est d'humeur malveillante, « pleurnicheurs ». Ils étaient chargés de réunir les vanités à jeter au feu. Parfums, onguents, vêtements d'ornement, bijoux, tout allait aux flammes, ainsi que les instruments de musique utilisés lors des fêtes où l'on se livrait à la danse avant de forniquer, et tous les livres autres que ceux des Pères de l'Église, surtout les classiques du paganisme.

Mais Savonarola s'en prenait surtout aux œuvres d'art, dont les Médicis avaient encouragé la création, et qui renfermaient de précieux indices sur leur hérésie et leur Ordre. En détruire le plus grand nombre possible supprimerait les outils de transmission de leurs enseignements blasphématoires.

Trois ans après la mort de Lorenzo, Savonarola avait réussi à faire expulser les Médicis de Florence. Il en restait cependant deux qu'il ne pouvait contrôler : Giovanni et Giulio, qui étaient tous deux cardinaux à Rome. Le pape de l'époque était un Borgia, un allié des Médicis. Aux yeux de Savonarola, les Borgia étaient sans doute la seule famille d'Italie plus corrompue que les Médicis. Il enrageait de voir les frères Médicis prospérer sous les auspices d'Alexandre VI, mais se réjouissait de les savoir loin de Florence dont, en 1495, il était devenu l'indiscutable dirigeant. Il institua une nouvelle Constitution et de rigoureuses règles de moralité et d'austérité. Il était devenu illégal de déambuler luxueusement habillé dans les rues ; la vanité était désormais le pire des crimes contre Dieu.

Nul n'osait s'opposer à son pouvoir, qui croissait de jour en jour. Mais l'existence de cet enfant posait un problème à résoudre d'urgence.

— J'ai pris les dispositions nécessaires pour que l'enfant soit adopté par la famille Pazzi, déclara-t-il sans un regard pour la prostituée, dont la vue lui soulevait le cœur.

Les Pazzi l'avaient aidé à éliminer les Médicis, ils étaient faciles à manipuler. Et ils avaient accepté sans poser de questions de s'acquitter ainsi de toutes les faveurs qu'ils devaient au fanatique.

— Pour ta peine, je te donnerai cent florins, pour quitter la ville et te taire à jamais. Tu ne reverras jamais l'enfant.

La femme tenta de protester mais Savonarola exhiba une bourse pleine de florins d'or, une rançon digne d'un roi.

— Alors, tu acceptes mes conditions?

Elle hocha la tête sans mot dire et tendit la main vers la bourse. Savonarola la lui jeta par terre, et les pièces s'éparpillèrent sur le sol. La femme dut les ramasser à quatre pattes.

— Que l'enfant reste à l'hospice, ordonna-t-il. Les frères l'emmèneront chez les Pazzi.

Il sortit de la pièce sans un regard pour la femme et l'enfant. Les yeux immenses de la fillette, emplis de la détresse d'une vie déjà trop difficile, fixaient le vide. Si le moine avait pris la peine de la regarder, il aurait sans doute décelé dans ce regard l'étincelle d'une folie précoce.

Ahanant sous l'effort, Colombina travaillait avec ses compagnons *piagnoni*. Ils chargeaient sur les chariots tous les objets qu'ils avaient réunis au cours des journées précédentes et qui étaient destinés aux feux de joie. Les *piagnoni* écumaient la Toscane entière, à la recherche de vanités et de matériaux hérétiques pour alimenter les bûchers de Savonarola. Le cœur de Colombina se soulevait à chaque manuscrit; chaque œuvre d'art qu'elle chargeait sur les chariots lui donnait envie de pleurer. Mais elle ne pouvait manifester aucune autre émotion que le plaisir d'imaginer ces abominables insultes à Dieu livrées aux flammes purificatrices.

Il avait fallu plusieurs années à Sandro et à Colombina pour devenir des *piagnoni* et gagner la confiance de

Savonarola, qui s'était d'abord méfié d'eux. Leur dévouement sans bornes et leur acharnement à nourrir les bûchers avaient fini par le convaincre de la sincérité de leur conversion. Pour preuve de sa dévotion, Sandro Botticelli avait même offert au feu plusieurs de ses hérétiques madones. Colombina et lui étaient désormais considérés comme des éléments essentiels des *piagnoni* et, à ce titre, avaient accès à tout ce qui était collecté pour les feux de joie.

En ce jour, ils préparaient le plus grand des bûchers jamais allumés, à l'occasion du carême. Le butin était si impressionnant que Savonarola vint l'examiner en personne.

— Regardez donc cet étendard! Rien ne me donnera plus de joie que de le voir partir en flammes! Montrez-le-moi de plus près.

Deux des *piagnoni* soulevèrent et tinrent à bout de bras une sorte de bannière de procession. Une sainte femme y trônait, adorée par des personnages à genoux devant elle. Sandro retint son souffle en reconnaissant le chef-d'œuvre de Spinello conservé à Sansepolcro. Lorenzo et lui avaient défilé derrière cette bannière lorsqu'ils étaient enfants, en l'honneur de la femme qui y était représentée, leur sublime Reine de Compassion, Marie Madeleine.

— Mais je dois d'abord en découper un morceau, fit Savonarola en sortant de sa tunique le petit poignard dont il se servait à table.

Marie Madeleine brandissait un crucifix. Savonarola découpa à grands coups de lame le visage de Jésus qui y était peint, afin de sauver l'image du Christ.

— Notre-Seigneur ne sera pas offert aux flammes, dit-il, mais jetez-y la putain!

Les *piagnoni* applaudirent son geste théâtral et il sortit. Sandro et Colombina échangèrent un regard entendu. D'un coup d'œil, ils constatèrent que deux *piagnoni* s'occupaient de chacun des trois chariots. Sandro s'avança et réclama la bannière pour son propre chariot. Personne ne lui disputa cet honneur. Colombina et lui avaient soigneusement mis au point leur manœuvre, maintes fois répétée, mais la tâche serait cette fois-ci plus ardue, car l'étendard était grand. Ils attendirent que les autres *piagnoni* s'arrêtassent pour déjeuner, puis dissimulèrent la bannière dans une cachette spécialement aménagée sous leur chariot. Ainsi Sandro et Colombina avaient-ils sauvé un à un d'innombrables œuvres d'art et manuscrits depuis l'instauration des bûchers.

Une fois la bannière à l'abri, ils se détendirent un peu. Le moment était toujours angoissant, mais plus que digne du risque qu'ils prenaient. Surtout lorsqu'ils parvenaient à sauvegarder un objet particulièrement sacré pour l'Ordre. Colombina leva les yeux au ciel et sourit à Lorenzo. Il l'aidait chaque jour, à chaque étape du chemin.

Le soir venu, Sandro et Colombina se retrouvèrent à l'Antica Torre pour poursuivre leur travail de documentation. Pour important qu'il fût, sauver les œuvres d'art n'était pas leur objectif principal. En cinq ans, ils avaient établi sur Savonarola un dossier regroupant les paroles qu'il prononçait au cours de ses sermons et de ses conversations avec les *piagnoni*. Plus son pouvoir croissait, plus il se radicalisait. Et son arrogance le rendait imprudent.

Savonarola avait été censuré par le pape, qui le menaçait d'excommunication. Alexandre VI n'avait pas encore agi, car il manquait de preuves contre l'homme que tous n'appelaient plus que le « moine fou ». En dépit de sa tyrannie, Savonarola régentait encore Florence et presque toute la Toscane. Alexandre savait qu'il lui fallait un dossier solide pour justifier son excommunication.

Colombina et Sandro étaient certains que le dossier constitué suffirait non seulement à appuyer l'accusation d'anathème, mais peut-être aussi à faire juger Savonarola pour hérésie. L'abolition totale du règne de terreur qu'il imposait à Florence depuis cinq ans était la seule cause qu'il valût la peine de défendre.

Colombina fit appeler son fils. Bien qu'il se nommât Niccolo Ardinghelli, il suffisait d'ouvrir les yeux pour

voir que c'était un Médicis. Ses traits étaient plus délicats, à l'image de ceux de sa mère, mais il avait les yeux
de Lorenzo et son acuité mentale. Ce serait lui qui
emporterait le dossier à Rome, pour le montrer d'abord
à ses frères Giovanni et Giulio. Ensuite, ils le présente-
raient ensemble au pape.

Colombina lui souhaita un voyage heureux et rapide
et s'assura qu'il portait autour du cou l'amulette que lui
avait donnée Lorenzo, le médaillon qui renfermait la
minuscule relique de la Vraie Croix et qui le protégerait
des dangers.

Florence,

De nos jours

— Le Temps revient, Felicity.

La jeune femme s'immobilisa. Elle se trouvait dans le
presbytère de Santa Felicita et se préparait à partir
lorsque son oncle apparut sur le seuil. Il marchait avec
une canne, soutenu par un jeune prêtre. Sa surprise se
teinta d'agacement, car le moment était mal choisi. Elle
était pressée.

— Que fais-tu ici? Et comment oses-tu proférer leur
blasphème devant moi?

— Ce n'est pas un blasphème, mon enfant. C'est la
vérité. Que tu y croies ou non, que quiconque y croie ou
non, peu importe, car c'est vrai. Et c'est en train d'arriver, Felicity. Tout autour de nous. Le Temps revient et il
nous balaiera tous si nous ne tirons pas la leçon du
passé.

Elle cracha vers lui, mais il l'arrêta avant qu'elle ne
puisse dire un seul mot.

— Écoute-moi avant qu'il ne soit trop tard. Tout ceci
te dépasse, mon enfant. Tu m'entends?

Envahie d'un insidieux sentiment de crainte, Felicity se laissa tomber sur une chaise. Elle se doutait de ce qu'il allait lui révéler.

— Je ne suis pas ton grand-oncle, Felicity. Je suis ton père, et ta mère était... sœur Ursula.

Soudain, tout lui apparut clairement. Les raisons de son exil dans des pensionnats étrangers, la « mère » qui ne l'avait jamais désirée n'était en fait qu'une tante. Et sœur Ursula, la religieuse sévère qui comprenait ses visions et l'avait encouragée à les cultiver, était sa mère biologique.

À l'instar de Savonarole, Girolamo DiPazzi avait commis un péché et engendré une fille. Elle était le fruit de ce péché.

Oh, Seigneur ! *Le Temps revient*. C'était donc vrai.

Felicity DiPazzi s'enfuit en courant dans le jardin. Tremblant de tous ses membres, elle tomba à genoux et fut prise de nausées.

Le père Girolamo ne la suivit pas. Il était trop épuisé, et sur le point de s'évanouir. Il ne pouvait que prier pour que cette révélation mît fin aux projets que nourrissait Felicity, quels qu'ils soient.

Mais lorsqu'il ferma les yeux cette nuit-là, et s'efforça de trouver le sommeil, seul le feu peupla ses rêves.

Montevecchio,

De nos jours

Destino les avait tous invités à passer l'après-midi dans sa petite maison en bois des environs de Careggi, afin de leur montrer des choses qu'il ne pouvait apporter à Florence mais qui les aideraient à surmonter les événements tragiques du mois précédent. Deux semaines avaient passé depuis l'explosion qui avait blessé Vittoria et Alexandre.

Destino leur raconta la stupéfiante histoire de Savonarole, dans l'espoir que ce récit d'un des secrets de la Renaissance les distrairait. Il savait que le meilleur des baumes de l'âme était de se lancer dans un travail gratifiant et leur proposa donc de discuter de l'importance de Savonarole et des dangers du fanatisme.

— En 1999, l'Église a envisagé de béatifier Savonarole, déclara Peter après que Destino en eut terminé de son récit.

— Le moine fou ? s'exclama Tammy, incrédule.

Peter hocha la tête.

— Je m'en souviens parfaitement parce que mon ordre, les Jésuites, s'y est fermement opposé. Il savait très bien qui était Savonarole. Aujourd'hui, l'histoire aime à le considérer comme un grand réformateur de l'Église, mais c'était un tyran, bien pire que les Médicis ou tout autre dirigeant de Florence.

— C'était un être malfaisant, n'en doutez jamais, reprit Destino. Un dangereux assassin. Non seulement un fanatique, mais aussi un Narcisse, avide de pouvoir personnel, et qui ne reculait devant rien pour l'obtenir.

— Quelque chose m'a toujours intrigué, Destino, dit Bérenger. Selon les historiens, Botticelli et Michel-Ange étaient des partisans de Savonarole. On dit même que Sandro a brûlé certains de ses tableaux sur les bûchers des vanités. Connaissant leurs liens avec les Médicis, c'est difficile à croire.

— Selon les historiens, intervint Petra en souriant amèrement, Marie Madeleine était une prostituée. Quel est donc ton avis sur l'exactitude historique ?

— Mais, renchérit Bérenger, j'ai lu que les dernières paroles de Michel-Ange furent : « J'entends encore la voix de Savonarole. »

— En effet, répondit Destino. Michel-Ange était dans la chambre et il a entendu les horreurs que Savonarole a dites à Lorenzo. Il l'a insulté, il lui a annoncé qu'il détruirait ses enfants. Le moine se montra habile, comme d'habitude. Il commença par servir un verre de vin à Lorenzo, en gage d'amitié. Ils s'entretinrent des affaires de Florence, que tous deux connaissaient bien, et Lorenzo baissa sa garde. Lorsque le moine fut certain que Lorenzo avait ingurgité assez du vin empoisonné par ses soins, il entreprit de lui révéler les véritables raisons de sa présence, dont la première était de torturer Lorenzo sur son lit de mort. C'était sadique, ignoble! Voilà pourquoi, tant d'années après, Michel-Ange entendait encore résonner à ses oreilles la voix de Savonarole. C'est malheureux, mais l'histoire nous trahit. On a interprété ses paroles comme un signe de son soutien à Savonarole, et de l'inspiration qu'il avait trouvée dans ses sermons austères. Rien ne pourrait être plus éloigné de la vérité!

— Et Sandro? demanda Maureen.

— Ah, Sandro! J'ai encore une histoire à vous raconter à son sujet.

Florence,

Piazza della Signoria,

23 mai 1498

— *Piagnoni! Piagnoni!* hurlait la foule tandis que les flammes montaient de plus en plus haut.

Sandro Botticelli s'approcha autant qu'il l'osa. On le savait sympathisant, il avait donc intérêt à se tenir à l'écart de la meute jusqu'après l'exécution. Il serait bien temps, par la suite, de rétablir sa réputation à Florence. Aujourd'hui, il désirait seulement jouir du succès de la rude bataille qu'il avait menée pendant cinq ans.

Colombina n'était pas avec lui, car les femmes n'étaient pas autorisées à assister aux exécutions. Pour leur sécurité, on les maintenait à l'extérieur du périmètre de la place. La foule était violente et dangereuse et les circonstances favorables à l'émeute et au bain de sang.

Girolamo Savonarola brûlait en plein centre de la ville; il allait mourir dans les flammes où il avait si joyeusement sacrifié les œuvres d'art et les livres pendant les cinq dernières années. Quelle ironie! songea Sandro en fixant dans sa mémoire la date du jour. Le 23 mai. Pour lui, ce jour serait à jamais celui de la renaissance de l'art.

Le pape Alexandre VI avait reçu avec un immense soulagement le dossier que Colombina avait constitué avec tant de soin. Il renfermait largement assez de preuves de l'hérésie de Savonarola et le moment était fort bien choisi, car le peuple de Florence commençait à se révolter contre l'oppression qu'il subissait. Ces années d'austérité avaient eu un impact négatif et la révolte grondait contre le moine fou que les citoyens avaient pris pour leur sauveur. Ainsi, lorsque Savonarola fut arrêté, des émeutes éclatèrent dans la ville divisée.

Les foules sont très versatiles, mais celle qui s'était réunie pour la circonstance semblait acquise à la condamnation de Savonarola par le pape.

L'odeur de la chair brûlée soulevait le cœur de Sandro, qui n'était pas un homme violent. Il luttait de toutes ses forces contre lui-même. Maintenant que sa tâche était accomplie, il devait retourner à ses dévotions, trouver le pardon et avancer. Mais pas aujourd'hui.

Aujourd'hui, il allait festoyer à la taverne des Ognissanti, de nouveau ouverte depuis le matin, après la fermeture imposée par Savonarola, des années auparavant. Aujourd'hui, il s'installerait à la table qu'il avait si souvent partagée avec Lorenzo et il lèverait son verre à son meilleur ami, à son frère, pour le remercier de ce qu'il avait donné à Florence et au monde. Aujourd'hui, plutôt que de dessiner, il écrirait sur le frère qui l'avait tant encouragé et sur les œuvres d'art qu'ils avaient créées ensemble. Alors, peut-être, pourrait-il se remettre à peindre. Alors, enfin, naîtrait-il à nouveau.

*_**

Colombina se rendait à Montevecchio presque chaque dimanche matin. Elle commençait sa journée en priant dans le secret du jardin de Careggi, son sanctuaire spirituel depuis que Lorenzo l'y avait amenée, de longues années auparavant. Grâce aux soins réguliers de Colombina, la statue de Marie Madeleine, Reine de Compassion, avait gardé sa splendeur et acquis une superbe patine.

Ensuite, elle rejoignait le maître dans son humble logis et poursuivait sa tâche de scribe de l'Ordre. Attentive, elle écrivait sous la dictée du maître. L'œuvre à laquelle ils s'adonnaient était sacrée et complexe : la rédaction codée des enseignements et de l'histoire de l'Ordre. Le maître s'exprimait en un mélange bizarre de latin et d'italien, et même de grec, qui exigeait toute leur concentration. En plus de la transcription de son récit allégorique exactement tel qu'il le dictait, Colombina dressait le plan de l'ensemble des dessins et des données architecturales indispensables à l'achèvement du volume que le maître consacrait aux plus grands esprits de la Renaissance.

— Quand nous aurons fini, lui avait déclaré Fra Francesco, nous l'emporterons à Venise chez un dirigeant de l'Ordre nommé Aldus, qui l'imprimera. Pour la première fois dans l'histoire de l'Ordre, nous disposerons d'une trace matérielle de nos enseignements. L'Église prétendra que c'est une hérésie, naturellement, mais le volume est si soigneusement codé qu'elle n'en aura jamais la preuve.

Ainsi travaillaient-ils depuis la mort de Lorenzo, six ans auparavant. Tissée dans l'allégorie, l'histoire personnelle de Lorenzo et de Colombina affleurait : la légende d'un homme qui explorait un paysage fantastique et trouvait la vérité de la vie grâce à l'amour, un amour contrarié, mais qui surmonte les obstacles.

Lorsqu'elle travaillait dans cette pièce, Colombina sentait l'esprit et la présence de Lorenzo. Un jour, alors qu'ils avaient presque achevé leur gigantesque travail, elle interrogea le maître.

— Quel nom donnerez-vous à votre grand œuvre?

Il lui sourit et caressa la cicatrice qui balafrait son visage.

— Ce n'est pas mon grand œuvre, Colombina; il nous appartient à tous, à tous les grands esprits qui ont participé à son élaboration. Il appartient à tout être humain qui voudra s'en instruire et devenir le héros de sa propre épopée. Aussi, il me semble qu'il devrait porter un titre universel et parler à l'humanité tout entière, afin de nous rappeler ce qui est vrai. J'ai pensé au *Combat de l'amour dans un rêve*.

Colombina, qui avait dû se battre pour préserver son amour, hocha la tête.

— Parce que l'amour est la seule véritable réalité, et que le reste n'est qu'un rêve?

— Naturellement, approuva le maître. Et parce que l'amour est plus fort que tout.

Le Prince Poète

Il était mon ami, il était mon frère.

J'ai peint la prophétie, sa prophétie, dans une allégorie de Vénus et de Mars en prenant pour modèles les deux personnes que Lorenzo aimait le plus. Colombina et Giuliano.

Le Fils de l'Homme choisira
L'heure du retour du Prince Poète.
Lui qui est l'âme de la terre et de l'eau
Né du mystérieux royaume de la chèvre de mer
Et de la lignée des bénis.
Lui qui submergera l'influence de Mars
Et exaltera celle de Vénus
Pour incarner le triomphe de la grâce sur la violence.
Il inspirera les esprits et les cœurs des peuples

Pour éclairer leur route
Et leur montrer le Chemin.
Tel est son destin,
Et de connaître un grand amour.

Colombina était Vénus, évidemment, éveillée et dans toute sa beauté, comme le dit la prophétie. Mars dort, pour signifier qu'il est vaincu. Les symboles du Capricorne soufflent depuis une coquille pour accentuer encore sa défaite.
L'amour de Mars et de Vénus est épique. Il est évident qu'elle incarne le triomphe de la grâce sur la violence. Elle lui a montré le Chemin, et c'est un très grand amour.

Je demeure

Alessandro di Filipepi, alias Botticelli

Extrait des *Mémoires secrets* de Sandro Botticelli.

Montevecchio,

De nos jours

On aurait dit un musée, le musée le plus extraordinaire qu'ils aient jamais visité. Destino et Petra, surexcités, avaient roulé un tapis persan et révélé ainsi une trappe qui menait à un escalier qu'ils descendirent en file indienne.

La maison de Destino, anciennement propriété des Médicis, s'élevait sur un des anciens celliers à pommes de Montevecchio, comme celui où Cosimo avait autrefois enfermé Fra Filippo afin qu'il achève ses commandes en retard. Destino y entreposait ses trésors depuis des siècles, tableaux de Botticelli, dessins de Michel-Ange, bijoux, objets précieux et documents par centaines. Il faudrait des années pour les examiner et les cataloguer.

— Seigneur! Ce lieu devrait être protégé par un système de sécurité du dernier cri, Destino.

— Mon système de sécurité, c'est Dieu, s'esclaffa Destino. Personne ne volera rien ici. Personne n'a rien volé en cinq siècles. Ça m'étonnerait que ça change. Mais venez, j'ai des cadeaux pour vous. Tammy et Roland d'abord.

Il entraîna le couple dans un coin de la pièce où un objet recouvert d'une couverture reposait au sol. Avec l'aide de Roland, il souleva le lourd tissu et dévoila un berceau sculpté de remarquable facture. Le sceau de Marie Madeleine y était gravé.

— Ce berceau a été fabriqué pour la naissance de Matilda de Canossa. Il conviendra très bien à votre future fille. Ce sera une audacieuse, comme l'a prédit Petra. Matilda l'était.

Tammy, qui s'était agenouillée près du berceau, éclata en sanglots.

— C'est la plus belle chose que j'aie vue de ma vie, s'exclama-t-elle.

— Comment vous remercier? balbutia Roland.

— En élevant votre fille dans l'amour qui lui donnera la force d'accomplir son destin et de changer le monde au gré de sa mission personnelle. C'est la seule chose dont nous ayons besoin.

Puis il appela Peter et Petra et leur tendit une grande boîte en leur indiquant qu'ils devaient l'ouvrir ensemble. Ils le firent. Le coffre renfermait un ensemble de miroirs à main anciens.

— En redécouvrant votre amour éternel, vous verrez la vérité : les bien-aimés sont le reflet l'un de l'autre. Ces miroirs sont ceux du mariage secret de Lorenzo et Colombina. Je suis très heureux de savoir que votre union pourra s'épanouir en plein jour.

C'était au tour de Maureen, qui pleurait d'émotion devant tous les miracles qui se produisaient autour d'elle et sentait vivre les objets réunis dans ce lieu, animés du pouvoir de leur histoire. Bérenger la taquina.

— Tu ferais peut-être mieux de t'asseoir.

— En effet, dit Destino. Je crois qu'elle devrait s'asseoir.

Il lui désigna un magnifique fauteuil sculpté, certainement chargé d'histoire, lui aussi, puis lui remit un coffre en bois, afin qu'elle l'ouvre. Fébrilement, Maureen souleva plusieurs épaisseurs de soie jusqu'à ce qu'apparaisse l'objet qui y reposait. Elle retint son souffle.

C'était une jarre d'albâtre.

Effrayée par ce qu'elle supposait sans vouloir y croire, Maureen leva les yeux et attendit l'explication de Destino.

— Oui, ma chère amie, dit-il à voix basse.

Tous, immobiles, gardaient le silence. Maureen souleva lentement la jarre. L'albâtre semblait irradier de l'intérieur et conférait à la jarre une teinte rosée. Elle ôta le couvercle. La jarre était vide, mais il en émanait de vagues effluves de quelque chose de très ancien, et de très sacré.

— C'est bien la jarre avec laquelle notre Reine de Compassion oignit son bien-aimé, à l'occasion de leur mariage en premier lieu, puis lors de ses funérailles. Depuis lors, elle est passée de main en main chez les femmes de la Lignée durant des siècles, avant d'être mise en sûreté à Sansepolcro, avec les autres reliques de l'Ordre. Sous le règne de Lorenzo, lorsque nous avons craint que Sixte ne s'empare de Sansepolcro et ne confisque nos trésors, tout a été transporté à Florence. Désormais, cette jarre vous appartient. Je sais que tel est le désir de notre reine.

Tous s'en étaient peu à peu convaincus, Destino était bien celui qu'il prétendait être : un homme condamné à vivre éternellement dans un monde qui ne le comprendrait jamais. Son existence, sa survie, était le plus formidable des miracles, qui prouvait que tout était possible et qu'il y avait au-delà de la réalité de multiples mystères auxquels on se refusait de croire.

Maureen avait conscience de l'infinie lassitude de Destino, mais il lui restait un cadeau à offrir. Il s'avança vers Bérenger et posa ses deux mains sur son visage.

— À votre tour, mon prince. C'est le moment de devenir celui que vous êtes, d'assumer le rôle auquel vous a prédestiné votre naissance. Recevez ce que je vais vous donner comme un sceptre symbolique. Vous deviendrez le moteur d'un nouvel âge, d'un nouveau monde d'amour et de bonheur. N'oubliez pas que Dieu vous a gratifié d'extraordinaires bénédictions afin que vous consacriez votre vie à votre mission : le retour du Chemin de l'Amour. Vous y engagez-vous ?

— Oui, murmura Bérenger.

— Alors, je vous remets la vraie et l'unique Lance de la Destinée.

Destino prit une grande clé de fer suspendue à un crochet et déverrouilla une caisse qui occupait la moitié d'un des murs de la cave. Il fit signe à Bérenger de s'approcher pour assister à son ouverture. À peine eut-il soulevé le couvercle qu'il en émana une lueur bleutée. Sa couleur s'accentua progressivement jusqu'à un indigo intense qui irradia dans toute la pièce avant de réintégrer l'objet dont elle émanait. *Il giavellotto del destino.* La Lance de la Destinée.

— Contrairement aux fausses lances, que leurs légendes nimbent de mort et de mauvais esprits, celle-ci, que je portais le jour où j'ai commis le pire des crimes contre l'humanité, est porteuse de bonté et de pouvoir bénéfique. Elle a le pouvoir de transformer. Soulevez-la, Bérenger, et regardez-la bien. Désormais, c'est à vous de la manier.

Bérenger s'exécuta solennellement. Destino désigna l'extrémité de la lame, tachée de sang.

— Ce sang m'a transformé, poursuivit Destino. Comme l'a fait son amour. Cette lance prouve que l'amour peut rédimer l'âme la plus noire. Telle est la

398

leçon première du Chemin, la leçon que vous vous engagez à ne jamais oublier, et à enseigner au monde.

Tous pleuraient des larmes de joie et d'émerveillement lorsque, tout d'un coup, l'enfer se déchaîna.

— Le feu! s'écria Roland qui en avait senti l'odeur le premier et alertait ses compagnons lorsque tous entendirent les poutres s'écrouler.

La petite maison était vieille et entièrement construite en bois. Elle brûlerait rapidement. Il fallait sortir de la cave le plus vite possible. Roland remonta le premier pour aider les femmes à se hisser à l'extérieur tandis que Peter et Bérenger les soutenaient d'en bas. Elles grimpèrent toutes les trois, Maureen protégeant la jarre d'albâtre sous son chemisier et Petra agissant de même avec les miroirs. Tammy lança un dernier regard au berceau, qu'ils n'auraient pas le temps d'emporter. Lorsque les trois femmes furent en sécurité, Bérenger et Roland firent signe à Destino de les suivre.

Il secoua la tête.

— Allons! le pressa Bérenger, affolé, qui sentait l'air s'épaissir d'une âcre fumée. Tout va s'écrouler dans quelques instants.

— Non, cria Destino. Je sortirai le dernier. Vous devez protéger Maureen, et la Lance. Vite!

Bérenger tendit l'objet sacré à Roland et s'élança sur les marches.

— Maureen! hurla-t-il.

Mais il ne voyait rien. La maison tout entière était envahie par les flammes et la fumée. Enfin, il entendit sa voix.

— Je suis ici, dehors.

Peter sortait à son tour du cellier. Bérenger lui tendit la main pour l'aider. Puis les deux hommes se penchèrent sur la trappe pour agripper Destino. Au même moment, le plafond s'effondra. Les deux hommes eurent à peine le temps de s'écarter avant qu'il ne reste de la trappe que des poutres incandescentes qui se fracassèrent dans le cellier. Ils ne pourraient atteindre Destino. Et ce dernier l'avait prévu.

Bérenger et Peter, aveuglés, coururent vers les voix qui les appelaient. La Lance de la Destinée en main, Bérenger se sentit propulsé en avant. Il suivit son instinct, saisit Peter de sa main libre et se précipita dans la direction que lui imposait la Lance. En quelques secondes, ils parvinrent à l'air libre et purent enfin respirer. Les autres les attendaient et pleurèrent de bonheur en constatant qu'ils étaient tous sains et saufs. Tous, excepté Destino.

— Seigneur ! s'exclama Maureen. Nous l'avons perdu.

Ils n'eurent pas le temps de s'appesantir sur leur chagrin. Un hurlement d'agonie déchira l'air et ils se précipitèrent derrière la maison désormais entièrement ravagée par l'incendie. Le petit groupe, en sueur et noirci par la suie, se figea devant l'horreur du spectacle qui s'offrait à eux.

Felicity DiPazzi était au cœur des flammes.

Elle se tenait sur le toit pour déverser de l'essence à travers les tuiles lorsque, par inadvertance, elle en avait laissé tomber une partie sur ses vêtements et sur les bandages dont elle avait enveloppé ses mains. Le feu avait pris, trop violent et trop rapide, et s'était attaqué à ses habits. En proie au vertige, elle n'avait pas réagi aussi vite que d'habitude. Mais c'était sa dernière chance d'éradiquer d'un seul coup tous les membres survivants de l'ordre du Saint-Sépulcre. Elle agissait à la gloire de Dieu, c'était l'ultime don qu'elle pouvait offrir à son Seigneur. Elle ne pouvait pas, elle ne voulait pas le trahir.

Lorsque le toit s'effondra avant qu'elle ait pu s'éloigner, elle sombra dans les flammes. L'essence répandue sur ses vêtements lui assura une mort rapide.

Destino n'éprouvait ni crainte ni chagrin autre que celui de quitter les êtres magnifiques en compagnie desquels il avait passé ses derniers instants. Ils le pleure-raient, ce qu'il déplorait. Il était prêt. Sa vie avait été plus extraordinaire que ne pourrait jamais le concevoir un esprit humain. Et il avait enfin accompli sa tâche. Il était persuadé que les six qui restaient tiendraient leur parole, envers Dieu, envers eux-mêmes et envers lui. Ils œuvreraient ensemble à la restauration du Chemin de l'Amour afin de l'offrir au monde.

Le Temps revient.

Et son temps était revenu. Il retournait à sa Mère et son Père qui sont aux cieux. Nimbé de lumière bleue, il était plongé dans un sentiment d'amour universel, à l'instar de l'homme connu sous différents noms selon les époques : Longinus, Fra Francesco, le maître, Destino. Et, enfin, il ferma les yeux pour la dernière fois sur sa vie terrestre.

Florence,

De nos jours

Destino leur avait laissé un ultime présent.

Le Libro Rosso, le livre sacré qui recélait les traditions secrètes de Jésus et de ses descendants depuis deux mille ans, avait été déposé chez Petra avant l'incendie.

Un mot adressé à Peter avait été glissé sous la couverture.

Tu es aussi sage que Salomon, car tu as choisi Saba.
Fais renaître ces enseignements
Et prie pour qu'ils soient compris
Par tous les peuples
Afin qu'il n'y ait plus de martyrs.

***

Bérenger serra la main de Pietro Buondelmonti tandis que Maureen s'efforçait de réconforter son épouse, la baronne von Hapsburg. Vittoria était encore dans le coma. Alexandre et elle étaient tombés du balcon du deuxième étage lors de l'explosion. Souffrant de fractures multiples, Alexandre mettrait des mois, et peut-être plus, à remarcher. Mais le traumatisme crânien de Vittoria était plus grave et il n'était pas certain qu'elle en guérirait. Cependant, leur chute leur avait évité de périr dans les flammes, ce qui pouvait être considéré comme une chance.

La baronne et son mari avaient eu du mal à se résoudre à accepter la proposition de Bérenger, mais ils avaient compris que c'était la meilleure solution pour Dante. Ils se rendirent chez un notaire pour officialiser le fait que Dante serait élevé chez son oncle, dans son château du Languedoc, jusqu'à ce que ses parents soient en mesure de s'occuper de lui. Il passerait ses vacances chez ses grands-parents, en Autriche et en Italie, et apprendrait ce faisant les langues, la culture et les traditions des nobles familles dont il descendait.

Dante jouerait le rôle de grand frère pour Serafina Gélis, la fille de Tammy et de Roland. Les deux enfants étudieraient ensemble le Libro Rosso et s'initieraient de concert à leur destinée d'Angéliques.

L'héritage du Prince Poète se perpétuerait, et l'amour en serait l'unique précepteur.

Rome,

1521

Le pape Léon X se reposait dans son bureau, heureux de jouir d'un peu de tranquillité après plusieurs jours de réunions urgentes des Conseils. Il but une longue gorgée d'un lourd vin rouge de Toscane dans un gobelet encerclé d'anneaux entremêlés. C'était du vin de Montepulciano, son préféré, qu'il se faisait livrer par tonneaux. Le souverain pontife ne pouvait pas avaler le breuvage insipide que les Romains appelaient vin et refusait d'en faire servir autour de lui. Pourquoi se contenter d'eau de pluie quand on pouvait déguster un nectar digne des dieux?

Il sourit en songeant à la réaction de son mentor, Angelo Poliziano, s'il entendait cette référence païenne. Il en rirait, sans aucun doute, et serait le premier à fêter les événements de ces dernières années en buvant le vin de sa ville natale.

On frappa doucement à sa porte. Léon soupira profondément. Il ne souhaitait pas de compagnie, ce soir, car sa goutte le tourmentait. N'ayant aucune envie de se lever, il se contenta de lancer « Entrez! », en espérant que le visiteur ne fût pas un importun.

Dieu est bon, se dit-il en reconnaissant la haute silhouette de son cousin Giulio de Médicis, la seule et unique personne qu'il eût envie de voir, ce soir comme la plupart du temps, la seule avec qui il pût penser et parler librement.

— Entre, et prends un verre de vin. Nous avons bien des raisons de nous réjouir, ce soir.

Giulio acquiesça et se servit, puis il salua le tableau accroché au mur avant de boire la première gorgée.

— J'ai senti sa présence, aujourd'hui, Gio.

Giulio appelait toujours le pape par son prénom, un privilège réservé à la famille proche.

— C'était comme s'il était là, qu'il nous observait et nous guidait sur le droit chemin. Comme il l'a toujours fait.

Le pape Léon X regarda le portrait de son père et leva son verre.

— Nous avons fait tout cela pour toi, père. En ton nom.

Les yeux du pape, d'un noir aussi intense que ceux de l'homme du portrait, s'emplirent de larmes en évoquant ce père qui lui manquait tellement.

— L'histoire ne gardera pas un bon souvenir de moi, Giulio, à cause de ce qui a été fait aujourd'hui, et de ce qui a été réalisé durant les trois dernières années.

Giulio, qui avait toujours été le plus sérieux de la fratrie, se permit un de ses rares sourires.

— Mais nous avons réussi, Giovanni.

— Ce n'est qu'un début ! Il reste beaucoup de chemin à parcourir. Mais oui, aujourd'hui, nous avons tenu notre promesse. Et si l'histoire doit me considérer comme un homme faible, incompétent et indulgent, qu'il en soit ainsi ! J'avais fait le vœu de mener cette tâche à bien. Je savais ce qu'il pouvait m'en coûter. Quel que soit le prix à payer, il sera dérisoire au regard de la victoire finale.

Ils burent en réfléchissant aux récents événements. Quatre ans auparavant, un prêtre rebelle, professeur de théologie, avait déclaré la guerre à l'Église catholique. Il se nommait Martin Luther. Fort habilement, il s'était rallié l'opinion en accrochant un document sur la porte de la cathédrale de Wittenberg. *Les Quatre-vingt-quinze Thèses* dénonçaient les turpitudes de Rome, dont plusieurs avaient été encouragées ou commises sur l'instigation du pape Léon X et de son cousin le cardinal Giulio.

Le pape avait pris son temps pour réagir à l'audace de Luther. Il enquêta durant trois ans avant de se décider à excommunier l'hérétique, qui prétendait à rien moins que la destruction de l'Église catholique.

Nombreux furent les cardinaux et autres dirigeants de l'Église en Europe à critiquer le souverain pontife pour n'avoir pas agi plus vite et plus radicalement contre Luther et sa Réforme. Mais le pape Léon X était resté inflexible. On ne traitait pas ce genre d'affaires à la légère. Afin d'en savoir plus sur Luther, il avait envoyé en Allemagne de nombreux émissaires, tous amis ou partisans des Médicis. Mais ces voyages n'avaient eu pour résultat que d'enflammer les réformateurs, qui comptaient un nombre toujours croissant de partisans fanatiques. Lorsque Luther fut excommunié, ses disciples étaient si nombreux et si radicalisés que l'anathème lancé contre lui fut arboré comme le plus honorable des trophées et fêté au sein du mouvement tout entier.

Être excommunié par une Église que l'on méprisait était une bénédiction.

Ce jour-là, au cours de débats houleux, le pape avait décrété que l'on n'entreprendrait aucune autre action contre Martin Luther. L'excommunication suffisait; les réformateurs se décourageraient et leur petite rébellion s'éteindrait. Léon X avait d'autres problèmes à régler : la reconstruction de Saint-Pierre, ses commandes à Michelangelo et à d'autres artistes, dont Raffaello et un jeune peintre venu de Venise, Tiziano, qui promettait d'égaler les plus grands.

Les plus conservateurs des cardinaux s'indignèrent. Le pape avait-il perdu la raison ? Ne comprenait-il pas que l'Église affrontait une révolution à nulle autre pareille ? En outre, il avait déjà gaspillé des fortunes en œuvres d'art et en commandes de constructions, qui confirmaient sa réputation de frivolité et alimentaient les foudres des conservateurs. Le pape n'avait-il pas conscience de la gravité de la situation ? Ne comprenait-il pas que ces soi-disant protestants menaçaient l'avenir même du catholicisme ?

Seuls ses amis les plus intimes sauraient que le pape comprenait très clairement cette menace. Ceux qui se plaignaient de l'incompétence du pape et raillaient sa faiblesse ne se douteraient jamais de l'intelligence et de la détermination qui se dissimulaient derrière chacun de ses actes. Il avait en fait mené à bien un projet soigneusement élaboré dès sa nomination au rang de cardinal, le plus jeune de l'histoire, à l'âge de quatorze ans. Son cousin le cardinal Giulio, l'enfant qui n'oublierait jamais que l'Église avait commandité le meurtre de son père durant la grand-messe du dimanche de Pâques, l'y avait aidé. Mais ils n'étaient pas les instigateurs du projet, ils n'en étaient que les plus récents d'une longue liste d'exécutants.

— Envoie notre messager le plus fiable à Wittenberg, dit le pape à Giulio, pour faire savoir à Luther qu'il fait du bon travail et que nous lui sommes reconnaissants. Il a servi l'Ordre à la perfection. Mais d'abord, levons ensemble nos verres à l'homme qui a conçu ce plan et l'a mis en œuvre si audacieusement. À Lorenzo *il Magnifico*, le meilleur des pères et le plus grand des Princes Poètes. Nous avons tenu notre promesse.

— À Lorenzo, dit Giulio, et à la mémoire de mon père, Giuliano. Que plus jamais de tels crimes ne soient commis au nom de l'autorité pontificale.

Et le premier des papes de la famille des Médicis, Léon X, but avec le cardinal Giulio de Médicis, orphelin par la grâce de l'Église corrompue, qui succéderait un jour à son cousin sur le trône de saint Pierre sous le nom de Clément VII.

Après tout, ils n'étaient pas des Médicis pour rien.

Épilogue

Angleterre,

1527

Anne relut la lettre une fois de plus et en murmura tous les mots imprégnés de passion :

Dès ce jour, mon cœur n'appartiendra qu'à vous.
Je voudrais qu'il en soit de même de mon corps, si Dieu le veut.
Je prie tous les jours pour son bon plaisir
Dans l'espoir qu'il m'entendra.
Je voudrais que soit bref, mais je crains qu'il ne soit long,
Ce temps où nous ne nous verrons pas.

Écrit par ce scribe qui, de cœur, de corps et de volonté
Est le plus fidèle de vos serviteurs.

L'amoureux transi qui se déclarait le plus fidèle des serviteurs d'Anne avait signé sa déclaration d'une phrase française empruntée à la langue des troubadours : *Aultre ne cherse.*
Elle soupira, d'émotion et de douleur. Leur passion était réciproque, mais les lois de leur pays les condamnaient à l'éloignement. Il était marié, il était

père. Tout était impossible. Pourtant, il avait écrit « si Dieu le veut », comme pour affirmer que Dieu ne pourrait qu'intervenir pour protéger un amour aussi immense. Au sein des cours européennes où elle avait été élevée, Anne avait appris que l'amour triomphait toujours. Armée de cette croyance, elle saisit le livre d'heures posé sur sa table de chevet.

Un sourire joua sur ses lèvres tandis qu'elle feuilletait son livre de prières, un chef-d'œuvre de l'art flamand richement illuminé que lui avait offert sa grande préceptrice, Marguerite d'Autriche. Mais ce n'était pas la valeur sentimentale ou artistique du volume qui réjouissait le cœur d'Anne. C'étaient les petits mots manuscrits qu'elle lisait dans les marges, car écrire dans son livre de prières pendant les services religieux était le moyen qu'avaient trouvé Anne et son amant pour communiquer secrètement. Il avait laissé son dernier message sur une page qui montrait Jésus après la flagellation, battu et sanguinolent.

Si tu te souviens de mon amour dans tes prières
Je ne serai jamais oublié, car je suis à toi pour toujours.

Je souffre par amour pour toi, lui signifiait-il clairement.

Anne avait longuement mûri sa réponse. Elle choisit pour l'écrire une page illustrée par une scène d'Annonciation, le moment où Gabriel annonce à la Madone qu'elle enfantera d'un fils.

Jour après jour la preuve tu auras
De tout l'amour que j'ai pour toi.

Son choix était judicieux. L'Annonciation glorifiait la bénédiction de Dieu sur la plus heureuse des femmes. Ainsi promettait-elle à son amant de l'aimer à jamais et de lui accorder le fils qu'il désirait tant. Car l'épouse de son bien-aimé ne lui avait donné qu'une fille.

Pour accentuer la solennité de sa promesse, Anne signa d'une phrase française qui évoquait la tradition des troubadours et quelque chose d'autre, un vœu secret connu de lui seul : *Le Temps viendra*.

Puis elle signa, après avoir dessiné un minuscule astrolabe qui symbolisait le temps et les cycles :

Moi, Anne Boleyn

Dans l'après-midi, tandis que l'aumônier du roi égrenait d'une voix monotone les paroles du culte, Anne fit discrètement passer son livre de prières à son bien-aimé. Le père d'Anne, sir Thomas Boleyn, à qui sa position à la cour accordait le privilège d'être assis à côté du roi, jouait de bon gré son rôle de messager, car il voyait d'un fort bon œil les sentiments de sa fille et de son souverain.

Henry VIII, roi d'Angleterre, serra le livre sur son cœur. Ses yeux s'emplirent de larmes en regardant la femme qu'il aimait et il murmura, à son intention : « Le temps reviendra, Anne chérie. Nous ferons ce qu'il faut. »

Comment était-il possible que tout se fût si mal passé ?

Assise dans sa cellule en attendant l'heure de son exécution, Anne ne cessait de se poser cette question. Un sbire français était venu de Calais pour accomplir son absurde tâche : séparer sa tête de son corps d'un seul coup de sa lame aiguisée. C'était l'ultime cadeau de Henry à sa bien-aimée. En signant sa condamnation à mort, le roi avait adouci la sentence : Anne Boleyn, reine d'Angleterre, ne serait pas brûlée vive comme hérétique et traîtresse à son pays. Animé d'une compassion étonnante, il avait fait venir de France un bourreau qui mettrait fin rapidement et efficacement à la vie et aux malheurs de son épouse sans lui infliger de souffrances inutiles.

Neuf années avaient passé depuis qu'Anne et Henry s'étaient juré que le Temps reviendrait. Anne tenait le même livre de prières entre ses mains glacées et caressait du doigt les mots à demi effacés du serment dont ils avaient tous deux cru qu'il changerait la face du monde. Car Henry était tout aussi impliqué qu'elle dans leur mission. Leur amour avait été vrai et il avait constitué une force irrésistible, pour le meilleur et pour le pire.

Les yeux d'Anne s'arrêtèrent sur l'astrolabe pour réfléchir au passage du temps. Il lui en restait si peu ! Mais il y avait encore une chose qu'elle devait faire avant de quitter cette terre, un ultime acte de fidélité à sa mission. Il lui fallait trouver un moyen de protéger sa précieuse et minuscule fille aux cheveux roux. Elle saisit une plume et écrivit.

Ma très chère Marguerite,
Lorsque vous recevrez cette lettre, vous aurez appris l'étendue de mon échec. Je n'ai plus le temps d'exprimer ma tristesse et mes regrets. Mais tout n'est pas perdu. Nous avons fait de grands pas vers notre objectif, et ma mort ne doit pas endiguer la marée qui déferlera sur ce grand pays.

Je vous écris pour vous dire toute ma tendresse et mon admiration, et pour vous exprimer mon ultime désir : que vous puissiez nourrir ma fille de votre vision du monde, de notre vision commune du monde. Je vous affirme qu'Elizabeth est bien l'enfant bénie de nos rêves, conçue dans la vérité et la conscience, selon les règles de l'Ordre.

Je vous en supplie, ne l'abandonnez pas. Elle fait preuve, dès à présent, d'une intelligence et d'une perception incomparables. Si Elizabeth est protégée, elle seule nous garantit que le Temps reviendra.

Anne

Arques, France,

De nos jours

À l'aube d'un nouveau jour qui se levait sur les collines d'Arques, Maureen s'éveilla et se redressa lentement dans son lit, afin de ne pas troubler le sommeil de Bérenger. Mais elle n'y parvint pas, car ce dernier, toujours en phase avec son humeur et son énergie, ouvrit aussitôt les yeux.

— Tu vas bien, mon amour ?

Maureen le regarda et secoua la tête. Elle se caressa la gorge et murmura :

— Mon cou est si mince.

— Que dis-tu ? s'exclama Bérenger d'une voix inquiète.

— C'est ce qu'elle a dit juste avant d'être décapitée. Que ce serait rapide, car son cou était mince.

— Qui a dit cela ? De quelle exécution parles-tu ?

— Celle d'Anne Boleyn.

La vérité lui apparut tout à coup.

— Tu rêves à nouveau.

Elle hocha la tête. Ce rêve était l'un des plus étranges qu'elle ait jamais vécu. Elle ne voyait pas seulement Anne Boleyn dans sa cellule de la Tour de Londres, elle était Anne Boleyn au moment de sa mort, avec les souvenirs, les pensées intimes et les sentiments de l'une des plus grandes reines de l'histoire.

Maureen n'était pas une spécialiste de l'histoire d'Angleterre, mais la vie d'Henri VIII et de ses huit épouses la fascinait depuis longtemps. Anne avait été le catalyseur de la Réforme en Angleterre, et Henri avait défié le pape pour l'épouser.

L'histoire n'était pas tendre avec Anne Boleyn. On la dépeignait le plus souvent comme une dépravée, une femme adultère dévorée d'ambition.

Mais, dans le rêve de Maureen, Anne était différente, et les yeux de Maureen s'embuèrent en évoquant la douleur et le désespoir de la reine dans sa cellule.

Elle sut alors qu'elle allait bientôt éclairer d'un jour nouveau les mensonges accumulés qui se perpétuaient depuis cinq siècles.

Note de l'auteur

En écrivant ce livre, j'ai souvent songé à l'impossibilité d'achever certaines tâches, par exemple écrire un livre sur la Renaissance. Tant de personnages, tant d'actes auraient mérité d'y figurer. Comment rendre compte d'un tel foisonnement d'artistes et de mécènes, et de toutes les anecdotes qui s'y rattachent? L'influence de Dante, ainsi que celle de Pétrarque et de Boccace, sur Cosme et Laurent de Médicis, par exemple. Mais ces éléments, pour passionnants qu'ils soient, m'auraient entraînée loin de mon projet.

Le néoplatonisme mérite une analyse approfondie, et maints auteurs s'y sont attelés: j'ai privilégié l'hérésie, tout en sachant – comme tout être doué d'intelligence –, que ce mouvement fut essentiel pour la Renaissance. Pour moi, il est un élément parmi d'autres, et je considère l'hérésie comme le plus important. Le néoplatonisme a souvent servi de paravent aux enseignements hérétiques. Le concept gnostique de l'*anthropos*, l'être humain parfaitement accompli, correspond à ce que nous avons coutume de nommer « humanisme ». Il ne manque à ce dernier que la condition de cet accomplissement, qui est d'être en relation directe avec Dieu.

Ce livre devait à l'origine s'attacher au chef-d'œuvre littéraire connu sous le nom d'*Hypnerotomachia Poliphili* et à son influence sur Laurent le Magnifique. Hélas! le sujet est tellement complexe que j'ai dû le remettre à plus tard, peut-être à un autre livre. Ceux qui connaissent cet ouvrage auront sans doute compris qu'il y est fait référence lorsque Colombina écrit sous la dictée de Destino.

La bibliographie que j'ai réunie pour mes livres sur la lignée de Marie Madeleine est gigantesque, et figure sur mon site. Mais le joyau de ma bibliothèque est un volume du professeur Charles Dempsey, *Le Printemps de Botticelli et la culture humaniste à l'époque de Laurent le Magnifique*, publié par Princeton Press. Après des années d'errance du côté des exégèses de l'œuvre de Botticelli, souvent contradictoires et haineuses les unes envers les autres, le jour où j'ai découvert Dempsey est à marquer d'une pierre blanche.

Je lui suis infiniment reconnaissante des éclairages que j'y ai trouvés, et le prie de m'excuser pour mes conclusions, dont j'assume l'entière responsabilité. Il n'affirme jamais que Lucrèce Donati a posé pour la personnification de l'amour, mais en suggère seulement l'éventualité. Pour ma part, j'étais convaincue du rôle de Lucrèce dans l'œuvre de Botticelli, des années avant d'avoir lu Dempsey.

Cet historien d'art est le seul, à ma connaissance, à reconnaître la ressemblance entre la femme qui incarne la Force et l'incarnation de l'amour dans *Le Printemps*.

Elle m'avait personnellement sauté aux yeux aux Offices, dans les salles consacrées à Botticelli. Si l'on se mettait à un endroit particulier, on pouvait regarder ensemble Judith, la Force et *Le Printemps*. Je l'ai fait longuement, et il m'a semblé évident que la même femme avait posé pour les trois œuvres. Il suffit d'observer le gracieux mouvement du cou incliné. Et, grâce à la technique de l'infusion chère à Botticelli, j'ai été envahie par cette femme. Mes yeux se sont ouverts, et j'ai acquis la certitude qu'il s'agissait bien de Lucrèce Donati. On retrouve d'ailleurs cette ressemblance dans les premières représentations de la Madone par Botticelli.

Mais je ne suis pas historienne d'art, et je n'ai aucune prétention à l'être, même si j'ai eu la chance de passer des années à fréquenter les plus grands musées du monde. J'ai des yeux, c'est tout. Parfois, c'est aussi simple que cela.

Il m'arrive de considérer les historiens d'art et les conclusions qu'ils tirent de leurs études comme totalement irresponsables. Nombre d'entre eux estiment, par exemple, que *Le Printemps* n'a pas été commandé par Laurent mais par son cousin Pierofrancesco de Médicis, sous prétexte que l'œuvre ne figure pas sur l'inventaire de ses biens effectué après la mort du Magnifique, en 1492, et qu'elle se trouvait alors dans la demeure de Pierofrancesco. On peut avancer mille raisons pour lesquelles des tableaux commandés par Laurent de Médicis ne figuraient pas dans sa collection personnelle à l'époque de sa mort. Affirmer catégoriquement qu'il ne fut pas le mécène de cette œuvre immense et si personnelle, au seul titre qu'elle était chez son cousin en 1492, me paraît déraisonnable.

Dans les musées, je me suis amusée à écouter les commentaires des guides ou experts sur les plus grands chefs-d'œuvre, *Le Printemps* de Botticelli, par exemple. Chacun y va de son interprétation du tableau. Et ces interprétations sont souvent totalement opposées. Il fut un temps où je me réjouissais que l'art soit assez riche pour susciter une infinité d'interprétations, et un autre où je désespérais de jamais comprendre la véritable signification d'une œuvre. Depuis que j'ai découvert le concept d'infusion et que j'ai appris à ressentir l'art autant que le regarder, ma perception des œuvres s'est considérablement enrichie.

La littérature de langue anglaise ne fait en général pas la part belle aux Médicis : ils sont considérés comme des tyrans corrompus, des hédonistes et pis encore. Il m'est arrivé récemment d'en faire état au cours d'une conférence en Italie, et mes propos ont été accueillis avec incrédulité. Pour ses compatriotes, Laurent est le père de la Renaissance, le défenseur de la langue italienne et un homme d'une grande générosité. Les Italiens que j'ai rencontrés ont du mal à croire qu'il puisse être considéré sous un autre jour. En découvrant Laurent et Cosme, je n'ai pu qu'adhérer à leur cause. Cependant, les générations postérieures à celle de Laurent expliquent peut-être ce désamour, car elles furent incontestablement corrompues, et je suppose que le Magnifique aurait été horrifié et déçu de voir ses descendants trahir les principes d'amour, de beauté et d'*anthrôpos* que son grand-père et lui avaient œuvré à perpétuer.

J'ai lu quelque part que les Médicis enfermaient leurs artistes dans des caves pour les obliger à travailler. Et puis j'ai découvert la profonde dévotion de Donatello et de Lippi pour Cosme; je parle intentionnellement de dévotion, car ce mot signifie « amour ». Ces artistes aimaient leur mécène. Donatello a vraiment demandé à être enterré aux pieds de Cosme, et il repose effectivement à son côté, à San Lorenzo. Un artiste maltraité aurait-il agi ainsi? La relation amusante de Cosme et de Fra Lippi a pu être mal interprétée, mais pour ma part j'ai voulu en montrer la beauté.

Découvrir que Botticelli et Michel-Ange avaient vécu chez les Médicis dès leur jeunesse m'a beaucoup étonnée. Laurent a adopté Michel-Ange lorsqu'il avait treize ans, et lui a tout donné, sauf son nom. Que Sandro Botticelli ait été pareillement adopté par Lucrèce et Pierre de Médicis est controversé. On en sait fort peu sur la vie privée du grand artiste. Pourtant, l'historien anglais réputé Christopher Hubbert avance cette hypothèse dans *La Maison des Médicis* et mentionne que lui fut commandée une Madone du Magnificat destinée à Lucrèce Tornabuoni de Médicis.

Savoir que Michel-Ange et Botticelli faisaient partie de la famille d'esprit des Médicis m'a conduite à m'intéresser à Savonarole. Selon les historiens, les deux grands artistes hérétiques furent des disciples du moine fou. Je ne peux le croire. Tous deux étaient profondément dévoués à Laurent; comment auraient-ils pu embrasser la cause de celui qui voulait sa perte? Il est probable qu'au début Savonarole fut très bien accueilli à Florence, car on voyait en lui un outil propre à réformer l'Église et à mettre fin à la corruption et au chaos instaurés par la famille Riario. La phrase de Michel-Ange au sujet de Savonarole – « J'entendrai sa voix résonner à mes oreilles jusqu'à ma mort » – est souvent citée, et en général interprétée comme un signe de son ralliement au fanatique. Reconsidérons-la un instant. Pour ma part, je crois que Michel-Ange l'a prononcée parce qu'il savait que Savonarole avait fini par détruire Laurent le Magnifique et tout ce qu'ils espéraient accomplir ensemble.

On peut contester mon opinion sur le meurtre de Laurent de Médicis par Savonarole, mais je le crois possible. Même s'il ne l'a pas physiquement empoisonné, il l'a mentalement détruit. Je pense que la voix de Savonarole hantait Michel-Ange car elle l'avait privé de son père adoptif. L'influence de l'Ordre et de Laurent est évidente à la chapelle Sixtine, où abondent les références hérétiques. Qui est la femme qui se tient à côté de Jésus au jour du Jugement dernier ? Trouvez-vous vraiment qu'elle a l'air d'être sa mère ? Sans oublier la *pietà* florentine que l'artiste a sculptée pour sa propre tombe, où Marie Madeleine trône en majesté.

Quant à Sandro, son amour pour son frère et mécène est si évident que son alliance avec les *piagnoni* ne peut se comprendre que s'il agissait en agent double, comme je l'ai montré ici.

L'histoire de sainte Félicité m'obsède depuis un récent voyage à Florence. Le tableau qui représente la sainte et ses sept fils assassinés m'a fait le même effet qu'à Tammy : il m'a rendue malade. En outre, le plus jeune des enfants, qui repose, mort, sur les genoux de sa mère, ressemble comme deux gouttes d'eau à mon plus jeune fils. Quelque chose s'est alors cristallisé en moi et j'ai compris le dévoiement des enseignements de l'amour et les racines du fanatisme. Je hurlais intérieurement : C'est impossible ! Dieu ne peut pas vouloir cela de nous !

Mon prologue illustre le fanatisme de Félicité, il n'est pas destiné à la dépeindre en martyre. J'ai eu beaucoup de mal à l'écrire. C'est une histoire d'une violence inouïe et j'ai été tentée d'en atténuer la brutalité jusqu'à ce que je m'informe mieux sur elle et sur ses disciples d'aujourd'hui en surfant sur Internet. Quelle ne fut pas mon horreur en lisant un message posté par une mère qui suggérait que, le jour de la fête de la sainte, on choisisse sept des jouets préférés de ses enfants et qu'on les brise devant eux, pour leur faire comprendre les sacrifices que Dieu exige de nous.

Écrire cette simple phrase me met mal à l'aise. Je ne peux croire qu'une femme saine d'esprit puisse considérer que Dieu demande ce genre de preuve d'amour. Me rendre compte que ce genre de fanatisme a encore cours de nos jours m'a incitée à décrire l'histoire de Félicité dans toute son horreur, afin de faire réfléchir les gens, comme elle m'avait poussée personnellement à le faire. Le danger du fanatisme, de Félicité comme de Savonarole, est devenu le thème central de ce livre. Certaines des phrases que je prête à Félicité sont extraites mot pour mot de textes du début de la chrétienté.

Quant à Laurent le Magnifique, il en est venu à m'obséder, littéralement. J'ai compris qu'il fallait que j'écrive ce livre à Florence, pour m'imprégner de sa présence et de son énergie. Au moment où j'en terminais l'écriture, j'allais le « voir » tous les jours. Le matin, je passais devant sa statue, aux Offices. J'entrais parfois dans le musée pour admirer son portrait par Vasari (c'est mon préféré), bien qu'il soit mal exposé et protégé par une vitre, ce qui finit par m'agacer prodigieusement. Mais j'aimais sa proximité avec un portrait de Cosme. Par la suite, j'ai acheté une reproduction du tableau que j'ai encadrée et posée sur mon bureau. Je la regarde en ce moment même. Et quand je voyage, j'emporte des cartes postales.

J'ai visité plusieurs fois le palais Médicis de la via Larga (via Cavour aujourd'hui), j'ai passé de longs moments dans la somptueuse chapelle Gozzoli, le dernier refuge connu du Libro Rosso, et dans les appartements de Laurent, devenus un site touristique interactif. Au début, j'en ai pris ombrage. Puis j'ai réalisé que tout ce qui rend l'histoire vivante et intéressante doit être encouragé. Si Laurent était vivant, il aurait certainement partagé ce point de vue. N'était-il pas un pionnier, dans le domaine artistique ?

À force d'aller aux Offices, j'ai fini par considérer que je rendais visite à des amis. Je commençais en général par Lucrèce Donati, j'allais ensuite dans la grande salle

Botticelli, pour bavarder un peu avec Sandro. Il me semblait évident que Laurent et Colombina insistaient pour que je raconte l'histoire de leur amour et de leurs amis les plus proches, qui se trouvaient être les plus grands artistes et penseurs de la Renaissance.

Lorsque je séjourne à Florence, je descends évidemment à l'Antica Torre de la via Tornabuoni, entourée des ombres du couple d'amants et baignée des principes de l'Ordre. Sur le toit-terrasse de la tour, qui donne sur Santa Trinita, je les entends murmurer à mon oreille. Je ne dors pas beaucoup, quand je suis là-bas, je suis en trop bonne compagnie.

On en sait fort peu sur Lucrèce Donati. À moins qu'elles ne fussent reines, on n'écrivait guère sur les femmes, à l'époque. D'ailleurs, Laurent aurait pu vouloir la protéger de l'opinion publique. À mon avis, nous sommes devant une dissimulation délibérée, à l'instar de celle qui entoure les sociétés secrètes, dont on ne trouve aucune trace écrite justement parce qu'il ne devait pas y en avoir. J'ai découvert Colombina dans la poésie et dans l'art de l'époque et je me suis efforcée de la regarder avec les yeux de Laurent et de Sandro. Comme Marie Madeleine et Matilda de Canossa avant elle, Colombina est devenue tout à fait réelle pour moi, et raconter sa vie m'a passionnée.

Je considère l'histoire comme une mosaïque dont les pièces s'assemblent progressivement pour former enfin le tableau. Quelques phrases glanées chez les chercheurs ont modifié ma compréhension de l'époque et des personnages. Selon un ouvrage consacré aux collections de Laurent de Médicis, le fils de Lucrèce Donati a cherché désespérément une toile représentant sa mère commandée par Laurent. Cela m'a incitée à faire des recherches sur son ascendance. Je ne peux pas prouver que l'enfant de Lucrèce était le fils de Laurent, mais j'en suis intimement persuadée.

Autre pièce du puzzle, un article que j'ai lu dans une revue d'art : « Le titre original du *Printemps* serait *Le Temps revient*. » Magnifique !

La légende inscrite en ancien français sur l'étendard

de Laurent, l'ardent défenseur de la langue italienne, intrigue les historiens depuis cinq siècles. Pourquoi? Parce qu'ils ignorent l'existence de la société secrète, les principes hérétiques de l'Ordre et les liens des Médicis avec ces hérésies. L'étendard m'a conduite à m'intéresser aux relations entre Cosme et René d'Anjou, et à celles de Pierre et Laurent avec le roi de France Louis XI, qui, dans sa correspondance privée, appelle les deux Médicis ses « cousins ». La piste de cet étendard m'a également conduite à Anne Boleyn et Henri VIII. Cet aspect totalement inattendu fera l'objet du quatrième tome de cette série. J'aime infiniment relier les événements entre eux et les voir prendre forme.

Pour ne pas faire trop long, j'ai dû supprimer quelques éléments de la très complexe conspiration des Pazzi, dont plusieurs personnages particulièrement odieux qui ont pris part au complot visant à assassiner Laurent et Julien de Médicis. Je prie les esprits épris d'exhaustivité de m'excuser d'avoir choisi de mettre l'accent sur les seuls instigateurs, ceux qui étaient au cœur de la conspiration, et j'ai tenu à montrer l'horreur de leurs actes. Que le pape et un archevêque aient fomenté le projet de faire commettre un meurtre dans l'enceinte d'une cathédrale, pendant la grand-messe du dimanche de Pâques, dépasse l'entendement. On en parle d'ailleurs fort peu, sauf dans les biographies consacrées aux Médicis. Ce qui m'a frappée, c'est le paradoxe de la position du tueur professionnel tentant de faire entendre la voix de la raison, rapportée dans la transcription de la confession de Montesecco avant son exécution. Et ce qui m'a profondément émue, c'est le calme de Laurent, blessé, trouvant la force de s'adresser à la foule pour éviter une émeute après le meurtre de son frère bien-aimé.

Les spécialistes de l'histoire de l'art et de la Renaissance me jetteront sans doute des œufs pourris pour me punir de transgresser les règles académiques. Peu m'importe. Qu'ils rejoignent les théologiens indignés par ma version du Nouveau Testament. Mon rôle est de dévoiler les aspects secrets et humains de l'histoire, et je le considère comme essentiel.

Comme le dit Destino, aucun homme n'atteint la grandeur grâce à son seul cerveau. Il faut aussi y mettre du cœur. Ainsi donc me suis-je efforcée de dévoiler pour vous le cœur de la Renaissance, et peut-être un peu du mien.

Certes, j'ai pris des libertés. Ceci est un roman, n'est-ce pas ?

Je rends gloire à Dieu, et je prie pour que vienne le temps où ces enseignements seront reçus dans la paix, et où il n'y aura plus de martyrs.

REMERCIEMENTS

J'ai terminé ce livre – sur lequel j'ai longtemps travaillé à Florence – dans une petite maison en bois des environs de Los Angeles. Mon grand-père, B. B. Rhodes, l'a construite pour ma grand-mère Ethel, en gage d'amour. C'est un lieu superbe, empreint de sérénité et de tant d'amour familial que c'est un bonheur d'y travailler. Je veux célébrer leur mémoire dans ce livre, car leur esprit fait partie intégrante de ce que j'ai écrit. Ils étaient des âmes sœurs, tout comme mes autres grands-parents, Katy Paschal et W. Joe Harkey. Dieu les avait créés l'un pour l'autre, de toute éternité. Ces influences ont illuminé mon enfance.

De même que celle de mes parents, Dona et Joe Harkey, qui m'ont tout donné, année après année, pour que je puisse progresser, aimer et vivre ma vie. L'écriture de ce livre m'a fait penser à l'importance des parents et des grands-parents, et à tout ce que les miens m'ont apporté. Je leur dédie donc ce livre, avec tout mon amour et toute ma gratitude.

Au cours de mes recherches, je suis devenue inconditionnelle de Cosme de Médicis, ce grand mécène. Ce fut un homme à nul autre pareil. En forgeant son personnage, je me suis aperçue de tout ce qu'il devait à mon ami et agent littéraire Larry Kirshbaum : sa chaleur humaine, son humour, son intelligence. Larry est un Cosme de notre époque, un défenseur des arts et des lettres qui encourage les nouveaux talents. Comme Donatello et Lippi avec Cosme, je l'aime infiniment et lui serai éternellement reconnaissante pour son amitié et sa générosité.

Mon éditrice, Trish Todd, offre sa patience, sa clair-voyance et son talent à chacun de mes livres. Je lui dois ma persévérance à vouloir raconter ces histoires du mieux possible.

Au cours du merveilleux voyage que fut l'écriture de ce livre, où l'art et la vie se mêlent si intimement, comme c'est le cas pour Maureen, j'ai eu la chance de découvrir le chercheur et écrivain belge Philip Coppens. Auda-cieux, dévoué et totalement fiable, il partage mon amour pour la Renaissance et ma passion pour la mission de l'Ordre. Ma recherche et ce livre lui doivent énormé-ment. Qu'il en soit remercié, *dès le début du temps, jusqu'à la fin du temps.*

Ma famille d'esprit m'a apporté un soutien sans faille, comme d'habitude. Merci, Stacy, Dawn, Mary, Patricio. Et merci à Larry Weinberg, un grand ami et un talen-tueux avocat, et à Kelly Cole, pour ses conseils avisés.

Tout ce que j'écris est destiné à mes enfants afin qu'ils accomplissent leur propre voyage comme ils m'aident à poursuivre le mien. Patrick, Connor et Shane, sachez que vous êtes mes trois sources primordiales d'inspira-tion.

Pour écrire ces livres, je me suis servie du principe d'infusion cher à Destino. Il se traduit différemment en littérature et en peinture, mais je crois qu'il fonctionne. Les innombrables lettres que je reçois du monde entier prouvent que mon travail donne à mes lecteurs le senti-ment de quelque chose de nouveau et matière à réflexion. Je tiens à dire à quel point elles m'encouragent. Je ne peux répondre à chaque courrier, mais je les lis tous et ils ont une immense importance pour moi. Alors, merci à vous, mes lecteurs, dont chaque mot me touche et me fait ressentir un lien magique. Vous êtes ma muse collec-tive, celle qui m'incite à continuer à travailler. Grâce à vous, j'ai décidé de prolonger ce qui ne devait être qu'une trilogie. Il reste tant d'histoires à raconter, tant d'émotions à partager. Merci à vous tous, pour inspirer et soutenir mon voyage.

Demori!
Je demeure.

Cet ouvrage a été imprimé en France par

BUSSIÈRE

à Saint-Amand-Montrond (Cher)
en mai 2011

Composé par Firmin-Didot
27650 Mesnil-sur-l'Estrée

Nº d'édition : 1930/01 – Nº d'impression : 111562/4
Dépôt légal : juin 2011